KB033513

그녀와 야수

※ 저자와 협의하여 인지는 붙이지 않습니다.
※ 이 책은 ㈜디앤씨미디어가 저작권자와의 계약에 따라 발행한 것으로 본사와 저자의 허락 없이는
   어떠한 형태나 수단으로도 내용을 이용할 수 없습니다.

WITCH AND THE BEAST

그녀와 야수 V

마지노선 장편소설

iQ BOOK

목 차

3부

20. 과거와 현재(Ⅱ)

20. 과거와 현재(II)

새해의 아침은 음울하게 밝았다. 진눈깨비가 뒤섞인 잿빛 하늘은 마치 흙탕물처럼도 보였다. 새벽녘 한참 꾸물거렸던 해는 정오가 돼서도 내내 힘이 없었다. 얼룩진 하늘은 구름의 위치를 구분해 내는 데에도 약간의 노력을 들여야 할 정도였다. 수도의 겨울은 타지역의 늦가을에 가까웠고 밤이 되자 작은 눈송이는 거의 비의 모양새를 띠었다. 하늘을 진창으로 만들었던 물기가 바닥을 적실 시간이었다. 사용인들은 바깥일을 잠시 중단한 채 난로 앞에 모여앉았다. 당연한 결과로 광원이 한정된 저택은 평소보다 어두웠다.

주변 환경이 이렇다 보니 자연 현상과 기분을 결부시키는 건 멍청한 짓이라고 생각해 왔던 아스티나조차 드물게 우울감에 젖었다. 어쩌면 단순히 날씨 핑계를 대고 싶었던지도 모르겠다. 그녀에겐 원망을 되돌릴 만한 대상이 마땅히 존재하지 않았다. 아스티나는 그녀를 괴롭게 하는 이 상황에서, 가장 큰 귀책 사유를 가진 이가 있다면 그건 다름 아닌 자신이라고 생각했다. 아무것도 모르는 남자를 화살 받이로 내세울 수는 없었으니까.

아스티나는 자신이 어떤 정신으로 그에게 아무것도 기억나는 게 없냐는 말을 꺼낼 수 있었는지, 아직도 그때의 충동에 대해선 정확히 설명할 수 없었다. 그를 그리운 눈으로 보려는 스스로를 발견할 때마다 혐오감이 치솟았다. 가장 구역질 나는 사실은 그게 다름 아닌 그녀의 진솔한 본심이라는 점이었다.

충분히 테리오드를 괴롭게 하였음에도 불구하고 아스티나는 여전히 그가 테오도르이길 원했다. 그 투명한 속내는 채 숨겨지지도 않았다. 밑바닥까지 내보인 상대와 정상적인 교류가 가능할 리 없었다. 그들은 여태껏 정확히는 몰랐던, 아스티나와의 관계로 테리오드가 사람으로 머물 수 있는 기간까지 알아낼 수 있었다. 마지막 교합으로부터 보름이 지났을 무렵 테리오드는 조용히 짐승으로 돌아갔다. 유쾌한 깨달음은 아니었다. 이후 그는 다시 온전한 사람이 되길 바라지 않았기 때문이다.

오랜만에 나타나 살갑게 몸을 치대는 늑대를 보며 아스티나는 문득 파멸적인 생각을 했다. 차라리 그를 되돌리지 않고 이대로 두는 편이 그에게나 자신에게나 나을지도 모른다고.

그러나 테리오드는 테리오드였고, 그에겐 여전히 사람으로서 주어진 일들이 있었다. 변태가 일어났음을 인지했음에도 테리오드는 아스티나에게 자신에게 입을 맞추었냐고 묻지 않았다. 묵묵히 주어진 일을 하다가 밤이 되면 스스로를 잃어버렸다. 아스티나가 테리오드의 곁에 있을 수 있는 건 우습게도 그에게 이성이 존재하지 않을 때뿐이었다.

어쩌면 사람으로 사유하는 시간이 하루의 반에 그치는 게 그에게 더 좋을 수도 있었다. 시간이 약이라고 한다면, 그는 편법으로라도 그 기간을 건너뛸 수 있게 된 셈이었다. 말하자면 테리오드와 아스티나는 그저 견뎌 내고 있었다. 그들이 맡고 있는 사회적인 역할이 존재했기에, 주변 사람들이 그들을 가만히 내버려 두지 않는다는 게 문제였지만.

"어쨌든 대공과 내가 같이 참석하길 원하신다는 거군."

아스티나는 황녀에게서 온 편지를 보며 피곤한 얼굴을 썼다. 이시스의 연락을 귀찮게 여긴 적은 없었지만 이번만은 곤란하기 그지없었다. 지난번 황궁을 찾아갔을 때 황녀가 논의하고자 했던 건 생각보다 꽤나 규모가 큰 계획이었다.

다른 경쟁자를 모두 제거했다고는 하나 황제는 딸이 그의 후계자가 될 수 있다는 상상조차 하지 못하는 사람이었다. 이시스는 그다지 놀라운 일도 아니라는 듯 곧바로 극단적인 수를 생각해 냈다. 그녀는 스스로 독을 마셨을 때와 마찬가지로 망설임 없이 황제의 피살을 계획했다. 물론 이는 시도에 그칠 것이고, 이시스는 황제의 목숨을 구하는 공적을 세울 예정이었다. 틀어짐 없이 마무리되기만 한다면 상당히 좋은 요충수가 될 듯도 했지만.

문제는 대공 부부가 다정한 모습을 연기해 낼 만한 상태가 아니라는 점이었다. 테리오드에게 바깥 자리로의 동석을 요구하라니. 그가 받아들일지는 둘째 치고서라도 말을 꺼내기조차 저어되었다.

"거절하실 겁니까?"

"대공께서 바라지 않으신다면 어쩔 수 없지."

"부부싸움이 길어지면 좋지 않습니다."

올리버가 아스티나를 달래듯이 말했다. 아스티나는 잠시 그런 그를 물끄러미 응시했다. 집사는 눈앞의 여자가 제 주인에게 어떤 짓을 저질렀는지 감히 짐작이나 할까.

올리버는 대공 부부 사이에 정확히 어떤 일이 벌어졌는지는 알지 못했다. 다만 아스티나와 테리오드가 몹시 다투었고, 그 이후로 테리오드가 관계를 거부한다고만 인식했다. 사실과 그리 다르지는 않았다. 결코 해결할 수 없는 난제라는 점에서 문제의 경중은 조금 달랐지만.

아스티나는 가볍게 입꼬리만 끌어 올렸을 뿐 별다른 내색을 하지 않았다.

"우선 대공과 논의하고 결정하도록 하지. 지금 시간이……."

"오늘은 날이 아닌 듯하군요."

올리버가 점잖게 대답했다. 올리버의 말대로 날이 늦어, 테리오드가 사람으로 남아 있을 시간은 아니었다. 아스티나는 그 사실이 썩 아쉽게 느껴지진 않았다. 그를 마주할 자신이 없는 건 여전하였으므로.

아스티나는 자리에서 일어나 복도로 나섰다. 침실로 돌아가는 내내 마주친 사람은 없었다. 젖은 공기를 지나 침실로 들어섰다. 실내는 몹시 어두웠다. 안의 등은 모두 꺼진 상태였다. 발치까지 내려앉았던 빛이 문이 닫힘과 동시에 조용히 사라졌다.

아스티나는 침대맡까지 걸어갔다. 그는, 아니, 아스티나가 '테오'라고 불렸던 늑대는 이불 사이에 파묻힌 채 잠을 청하고 있었다. 아무래도 테리오드가 잠든 상태에서 변화가 일어난 모양이었다.

인기척을 느낀 늑대가 잠에서 깬 눈을 깜빡였다. 그러고는 주인을 발견한 개처럼 귀를 쫑긋 세웠다. 아스티나는 그 옆에 앉으며 머리 부근을 가볍게 쓸어 주었다. 당연하게도 늑대가 그녀를 피하는 일은 없었다. 기분이 좋다는 듯 목을 더 앞으로 뺐을 뿐이다.

아스티나는 잠시간 제게 길들여진 동물을 물끄러미 응시했다. 은빛 털은 테리오드의 은발과 정확히 같은 색이었다. 이렇게 변화한 모습에선 테오도르를 떠올릴 만한 구석이 전혀 없었다. 테리오드와 테오도르의 외관적인 차이를 말하자면 머리카락 색 정도에 그칠 텐데, 이 늑대는 몸 전체가 은빛으로만 뒤덮여 있었으니까.

아스티나가 늑대의 푸른 눈을 들여다보며 조용히 물었다.

"넌 내가 반갑니."

당연히도 대답은 돌아오지 않았다. 그 사실은 비겁하게도 아스티나를 안심시켰다. 아스티나는 그가 사람으로 있을 때 오히려 그를 존중하지 못했다. 진솔한 속내를 꺼낼 수 있는 지금이 오히려 낫다고 말할 수도 있을 정도다. 그가 제 말을 알아듣지 못하는 상태가 돼서야 그녀는 비로소 그의 앞에 다시 섰으니까.

그녀가 설핏 웃으며 중얼거렸다.

"정신이 들면 나를 질색하며 피할 텐데, 지금의 넌 아무것도 모르는구나."

그녀는 지금까지 그의 무지를 기꺼워하며 숨어 왔다. 테리오드가 제 과거를 몰랐기에 그를 사랑해 보겠다는 오만한 말을 할 수 있었던 거다. 처음부터 모든 걸 알고 있었어도 그는 이 관계를 시작했을까.

아스티나가 불쑥 말했다.

"사랑해."

"끼잉?"

짐승은 알아듣지 못할 말이었다. 아스티나는 그가 듣지 못할 때가 돼서야 그가 원했던 거짓을 말해 주었다.

아스티나는 테리오드를 사랑한다고 생각해 본 적은 없었다. 그녀는 그저 그에게 사랑한다고 말해 주고 싶었다. 그건 그녀가 테리오드에게 가지고 있는 감정의 총체에 가까웠다.

아스티나가 자조했다.

"내겐 이런 얼굴과 얽혀 드는 저주라도 있는 것 같군."

᛭ ᛭᛭᛭ ᛭

아스티나가 다음 날 눈을 떴을 때, 처음으로 본 것은 빛이 비치는 창이었다. 맑게 갠 해가 지독하게 시선을 잡아끌었다. 지난밤의 궂은 날씨가 마치 꿈처럼 느껴졌다. 새벽 내내 내린 비가 공기를 씻어 냈는지 하늘이 꽤나 맑았다. 나뭇잎에선 이슬 대신 고여 있던 빗방울이 천천히 굴러떨어졌다.

아스티나는 퍼뜩 몸을 일으켰다. 익숙하지만, 동시에 불편한 천장이 눈앞에 있었다. 그녀가 있는 장소는 다름 아닌 부부 침실이었다. 그에게 과거를 알린 후 쭉 방을 따로 써 왔기에 아스티나는 당황하지 않을 수 없었다. 새벽녘 일어나 먼저 자리를 비키려고 했던 것이 그대로 깜빡 잠들어 버리고 말았다.

아스티나는 문 쪽으로 고개를 돌리다가 그대로 굳어 버렸다. 그와 눈이 마주쳤기 때문이다.

"아……."

아스티나는 동요한 눈빛을 숨기지 못했다. 인기척을 들었는지 테리오드의 시선도 아스티나에게 닿아 있었다. 옷을 입고 있었던 듯 그의 셔츠 깃은 가슴 위부터 벌어진 상태였다. 모양 좋은 손이 단추 위에 머무른 채 잠시간 움직이지 않았다. 그는 잠시 그녀를 물끄러미 응시하다가는, 이내 단추를 마저 채우기 시작했다.

그는 의외로 덤덤한 목소리로 말했다.

"서로 마주치지 말자는 무언의 합의 정도는 되어 있는 줄 알았는데요."

그 안에 담긴 뜻은 날 선 경고에 가까웠지만.

"논의하고 싶은 게 있었습니다."

아스티나가 변명하듯 말했다. 황녀에게서 언질받은 일을 테리오드에게 물어봐야 하는 건 사실이지만, 그게 어젯밤 그를 찾아왔던 목적은 아니었다. 아스티나는 그 말을 내뱉고 나서야 그녀가 그의 눈치를 보는 이 상황이 몹시 낯설다는 사실을 깨달았다. 부지불식간에 거짓을 뱉은 스스로가 조금 놀랍기까지 했다.

"사용인을 통해 전해도 되었을 텐데요."

"중요한…… 일입니다."

"말씀하세요."

테리오드의 음성은 냉랭하다 싶을 정도였다. 아스티나는 잠시간 망설인 끝에야 입을 열었다.

"황녀님께서 신년제 행사에 꼭 참석하라고 말씀하셨습니다."

이시스의 계획이 고작 변명으로 소비된 걸 생각하니 황녀에게 조금 미안하기도 했지만, 다른 방도가 없었다. 중요한 일이라고 이미 이야기해 둔 상태에서 누구의 이름을 더 꺼내겠는가. 황녀의 명이라는 말에 테리오드도 수긍한 기색이었다.

"아침과 저녁 중 어느 때 말입니까?"

신년제는 하루의 전반에 걸쳐 치러지는 행사였다. 해가 뜰 무렵엔 황족의 일원이 나와서 제를 올리는 것이고, 저녁이 되고 해가 지면 먹고 마시는 축제의 장이 열렸다. 사람들과의 모임을 빛이 없는 밤에 치르는 것엔, 그날의 실수는 신께서도 눈감아 주신다는 의미가 숨어 있었다. 그에 그다지 명확한 유래가 존재하는 건 아니었다. 술 앞에 체면을 지킬 자신이 없었던 권력자가 남몰래 끼워 넣었던 사항이 꽤나 사람들의 구미에 맞았던 게 아닐까.

문제가 있다면 지금의 테리오드는 둘 중 하나를 필히 택해야 하는 상태라는 점이었다. 낮과 밤 중 어느 것이 더 중요하다고 말하기도 애매했다. 의미적으로 따지자면 낮 쪽이 더 중요하겠지만, 실질적으로 사람들이 열을 올리는 건 밤의 행사였다.

"황녀님께선 아마 그 둘을 분리해서 말씀하신 게 아닐 겁니다."

"그게 가능한 상태여야 그리할 것 아닙니까."

"본식에만 참가한다면 다른 사람들이 이상히 여길 것이고, 황실 행사에 빠지는 것도 예의가 아닌 일입니다. 허니……."

처음엔 대수롭지 않게 응대하던 테리오드가 이내 표정을 굳혔다. 그의 아내가 스스로 무슨 말을 하고 있는지도 이해하지 못할 천치는 아니었다. 그가 싸늘하게 되물었다.

"동침을 하자?"

테리오드가 헛웃음을 지었다. 그가 기가 차다는 듯 마저 물었다.

"이런 상황에, 고작 황녀의 부탁을 위해?"

그가 완전히 몸을 돌려 아스티나를 쏘아보았다. 아스티나는 이처럼 열렬한 원망을 마주한 적이 또 없었다. 이시스의 핑계를 대었지만, 동침을 제안한 것은 황녀의 부탁 때문만은 아니었다. 오히려 그건 핑계에 가까웠다.

아스티나는 할 수만 있다면 그와 예전으로 돌아가고 싶었다. 어차피 그를 떠날 수 없는 거라면 마음이라도 편해졌으면 했다. 테리오드가 그녀 때문에 삶의 반절을 버리고 있다는 사실을 매일 반복해 깨닫고 싶진 않았다.

테리오드가 완강히 말했다.

"나가요."

"……."

"나가라는 말 안 들려?"

아스티나는 제자리에 멈춘 채 움직이지 않았다. 그가 참지 못하고 성큼성큼 그녀의 앞으로 다가섰다. 테리오드의 목소리는 어느새 떨리고 있었다.

"나한테…… 나한테 당신이 어떻게 그런 말을 해? 내가 당신 때문에 울든, 아프든, 슬프든 당신은 아무렇지도 않아? 그래서 이러는 거야?"

아스티나에게서 대답이 돌아오지 않자 그가 팔을 뻗어 그녀의 손을 잡아당겼다. 아스티나는 그만 휘청이며 일어섰다. 그를 뿌리치고자 하면 그럴 수 있었을 테지만 그러지 않았다.

테리오드는 아스티나를 끌고 복도 끝까지 걸어 나갔다. 차라리 그녀를 저택 밖으로 내쳤다면 더욱 이해가 갔을 것이다. 그게 아스티나의 예상과 가까운 일이기도 했다. 그러나 테리오드는 어느 작은 방 앞에서 걸음을 멈춰 세웠다.

그가 말했다.

"들어가요."

"여긴, 왜……."

"들어가 보면 알겠지. 내가 왜 이러는지."

테리오드가 씹듯이 내뱉었다. 아스티나는 머뭇거리다가는, 이내 손을 뻗어 문고리를 쥐었다. 이 안에 대체 무엇이 있기에 그가 이리도 성을 내는지 알 수 없었다. 그러나 문을 열고 안으로 들어선 순간, 아스티나는 몸을 굳히지 않을 수 없었다.

이 자리에 그녀 혼자뿐이었다면 홀린 듯 앞으로 나아갔을지도 모르겠다. 하지만 그녀의 옆엔 그녀가 아프게 한 남자가 있었고, 아스티나는 그만 파리한 낯으로 그를 돌아보았다.

"이걸, 어떻게……."

말을 채 끝맺을 수도 없었다. 문을 열고 들어가자마자 보이는 벽면엔 결코 여기 있어선 안 되는 물건이 걸려 있었다.

아스티나는 지금까지만 해도 테오도르의 초상을 한 번도 본 적이 없었다. 그녀가 거친 두 번의 생을 모두 포함해서 말이었다. 테오도르가 죽은 뒤로는 그가 떠오를 만한 물건들을 일부러 피했고, 이번에도 과거의 조각을 군이 찾아보진 않았었다. 대체 테리오드는 이 물건을 어떻게 구한 것일까. 불가능한 일은 아니었지만 그가 이 그림을 찾았을 동기와, 처음 눈에 담았을 때의 기분을 생각하니 그녀도 따라 끔찍한 기분이 되었다.

테리오드는 과거의 낯을 마주하고 나서야 일그러진 아스티나의 표정을 천천히 눈에 담았다. 그가 처음부터 테오도르의 초상을 이곳에 보관했던 건 아니었다. 묻기로 결정했을 땐 지하에 놓았던 것을, 정신이 깨고 나서는 쉽게 찾아볼 수 있는 곳으로 옮겨 두었다. 그러고는 같은 얼굴을 보며 내내 생각했다. 그녀와 그녀의 왕에게 있었던 일들을, 테리오드는 평생을 알지 못할 둘만의 시간을. 애틋함을, 그리움을,

그리고 테리오드는 결코 받지 못한 사랑을.

"궁금했어."

"……."

"당신이 어떻게 반응할지."

테리오드는 우는 듯한 목소리로 말했지만, 그의 눈은 젖어 있지 않았다. 그녀를 비웃으려 했지만 실제로는 스스로를 조롱하는 데 그친 것처럼.

"왜, 나는 그러면 안 돼?"

테리오드는 부러 그녀를 상처 주는 것처럼 말했다. 굳어 버린 그녀를 보니 조금 속이 시원한 듯도 하였으나, 곧장 짙은 패배감이 함께 배어들었다.

"그런데 나는 하나도 재미가 없네."

"……."

"그거 알아? 이런 짓을 해도, 비참한 건 나야."

아스티나는 주먹 쥔 손에 힘이 들어갔다. 입가가 말랐다.

"내가 혼자 있는 동안 어떤 생각을 했는지 알아?"

"테리오드."

아스티나가 겨우 그의 이름을 내뱉었다. 그만하라고 말하고 싶었지만, 테리오드가 입을 여는 게 더 빨랐다.

"옆에 둔 칼로 내 얼굴을 난자하는 상상을 했지. 그렇게 망가뜨리고 나면 당신이 미안해서라도 내게서 그를 보진 못할 테니까."

그리 말하며 테리오드가 벽에 걸려 있던 단검을 돌아보았다. 실제로 그가 긴 고민을 하게 만들었던 물건이었다. 아스티나는 입술을 깨문 채 그를 피해 눈을 돌렸다. 그녀의 회피는 영리하지 못했다. 테리오드의 원망은 그 침묵에 쉬이 나가떨어질 정도로 옅지 않았다. 테리오드는 거친 걸음으로 예의 칼날을 꺼내어 왔다. 테리오드가 그것을 아스티나에게 쥐어 주며 말했다.

"그어요."

별다른 설명이 없었음에도 아스티나는 그가 어떤 부위를 말하는지 익히 짐작할 수 있었다.

"다른 사람을 상상하고 싶어도, 그대가 낸 상처에 항상 마음이 걸리게."

그의 차가운 목소리, 배려 없는 손마디, 모든 게 익숙지 않았다. 싸늘한 눈을 피하기 위해 응시한 가슴팍은 낯설게까지 느껴졌다. 손을 펴면 그 안에 쥐인 무언갈 놓치기라도 할 것처럼. 아스티나는 주먹 쥔 손을 벌리지 않았다. 실랑이가 이어졌다. 아스티나는 결국 그 날붙이를 받아 들지 않았고, 단검은 칼집째로 둘의 발치에 떨어졌다.

버려진 결심을 내려다보던 테리오드가, 이내 헛웃음을 터트렸다.

"고작 얼굴인데 뭘 망설여요. 당신이 말했었잖아, 가장 아픈 상처는 보이지 않는 곳에 난다고. 당신이 나한테 했던 말과 이 칼 중,

나한테 어느 게 더 아플 것 같은데?"

"……."

"이것도 못하면서."

스치듯 중얼거린 그가 그대로 문밖을 나가 버렸다. 그제야 참았던 숨을 들이켰다. 아스티나는 힘이 풀려 그대로 제자리에 주저앉았다.

✛ ✛ ✛

"아쉽게 됐군, 오늘만 날은 아니니 상관은 없어."

테리오드의 부재에도 이시스의 반응은 꽤나 담담했다. 어차피 아탈렌타가와 황녀의 관계에서 중요한 일을 논할 대상은 아스티나 쪽이었고, 대공은 이야기를 전달받는 대상에 지나지 않았기 때문이다.

아스티나는 질책이 돌아오지 않았다는 사실에 새삼 안심하거나 마음을 놓진 않았다. 애초에 그녀는 이시스의 권유가 단지 권유에 그칠 것이란 사실을 알고 있었다. 황녀의 청이다 보니 거절이 부담스러운 건 사실이었지만 그들이 고작 그런 일로 신의가 무너질 사이는 아니었다. 테리오드에게 굳이 동석을 요청했던 건 일종의 떠보기에 가까웠다. 그 가벼운 온도에 그는 속수무책으로 마음을 데었다.

"한데 몸이 왜 안 좋다던가?"

지나치게 무관심한 태도였다는 걸 깨달은 듯, 이시스가 재차 대공의 안부를 물어 왔다. 이 역시 준비된 대답이었다. 아스티나는 매끄럽게 준비된 변명을 꺼냈다.

"가벼운 증상이긴 하나 유행병일지 모르는 의심이 있어서요. 주치의가 집에 머물길 권하더군요. 아무래도 사람이 많이 모이는 행사니까요."

타인에겐 숨 쉬듯 자연스레 내뱉을 수 있는 게 바로 거짓이거늘, 왜 테리오드에겐 그가 원하는 말을 해 줄 수 없었을까. 고작 사랑한다는 말이 뭐라고.

아스티나는 내색하지 않고 가볍게 입꼬리를 끌어 올렸다. 그럼에도 이시스는 아스티나가 평소와 같지 않다는 것 정도는 알아챈 모양이었다. 다만 아스티나의 불편한 얼굴을 부탁을 들어주지 못한 것에 대한 부채감 정도로 해석한 듯, 조금 다른 방향으로 아스티나를 달래었다.

"그래, 혹시 모를 위험은 미연에 방지하는 게 좋지. 내가 주관한 행사에서 유행병이 번지면 좀 곤란하지 않겠나? 대공에게 건강을 회복하는 데 집중하라 전해 주게."

이시스가 그리 말하며 부드럽게 아스티나의 어깨를 두드렸다. 아스티나는 정중히 고개를 숙여 보였다.

"배려에 감사드립니다."

"내가 아픈 사람을 억지로 밖으로 끌어내기까지 할 사람으로 보였던가?"

"하지만 직접 전하신 부탁이었으니까요."

"됐네, 그대가 참석해 주었으니 그걸로 된 일 아닌가?"

이시스가 인자한 미소를 떠올렸다. 그녀의 눈 안엔 충직한 신하를 향한 하염없는 신뢰가 엿보였다. 이시스가 이어 장난스럽게 속삭였다.

"알지 않나. 그대를 얻은 것이 내게 얼마나 대단한 행운인지, 차마 상상도 가지 않을 정도라네."

아스티나가 그런가요, 하고 짧게 응수했다. 아스티나도 한때 자신이 이 땅에 다시 태어난 일이 좋게 작용하고 있다고 생각한 적이 있었다. 그로 인해 이시스는 프리모를 제치고 기회를 얻었으며, 테리오드 역시 사람이 될 수 있었으니까. 하지만 이제는 마음속 깊은 곳에 숨겨 두었던 의문이 점차 선명해졌다.

자신은 과연 여기 있어도 되는 사람일까.

아스티나의 입가에 씁쓸한 미소가 떠올랐다.

"저는 제가 모든 것을 망쳐 가고 있는 것 같은데요."

"농담이겠지?"

이시스가 짐짓 기분 상한 척 뒤로 물러섰다. 그도 그럴 것이 이시스에게 아스티나는 모든 일을 능숙하게만 끌어가는 사람이었다. 이시스는 진심으로 아스티나가 왜 그런 말을 하는지 알 수 없다는 표정을 띠고 있었다.

이시스의 앞에서 이해하지 못할 말을 늘어놓는다고 해결될 건 없다. 아스티나는 태연히 의심을 피할 수식을 덧붙였다.

"때때로 그런 불안이 든다는 말입니다."

이시스가 피식 웃으며 가볍게 어깨를 으쓱였다.

"아닌 사람이 있겠나. 나야말로 오늘 일을 망칠까 겁부터 나는걸."

"잘하실 겁니다."

아스티나의 담담한 응원에 이시스가 웃음으로 화답했다. 이시스는 아스티나를 떠나 천천히 단상 앞으로 걸어갔다. 아스티나는 이시스의 뒷모습을 물끄러미 응시하다가는, 주변으로 시선을 돌렸다.

날이 쌀쌀한 탓인지 코끝이 찼다. 야외에서 치러지는 식인 탓에 귀빈들은 저마다 털가죽으로 만든 외투와 무릎 담요를 지참했다. 실내에선 선보일 수 없는 사치품의 등장에 이들은 아닌 척 가죽의 종류와 털의 윤기를 자랑하기 바빴다. 오가는 입씨름만 보면 추운 날씨에도 불구하고 분위기가 후끈하게 느껴질 지경이었다. 그러던 중 담비 가죽 하나에 불똥이 튀기는 소소한 사고가 있었지만, 어디까지나 웃으며 넘어갈 수준이었다.

아스티나가 앉을 자리는 단상과 가까운 거리였다. 테리오드의 불참을 늦게 전한 탓에 의자는 두 개가 놓여 있었다. 아스티나는 지나가는 시종을 불러 빈 의자를 치워 달라 전했다.

식은 평화롭게 치러졌다. 준비된 일은 무료한 진행에 참석객들의 눈이 반쯤 감겼을 시점에 벌어졌다.

이시스가 이번 행사에서 맡은 일은 기도를 올리고 준비된 제단에 불을 옮겨붙이는 것이었다. 본래는 1황자인 프리모가 맡아 왔지만, 그의 부재로 인해 동복동생인 이시스에게 넘어간 직무였다. 제 순서를 무사히 마친 이시스가 단상 밑으로 내려섰다. 다음으로는 신년 축사가 예정되어 있었기에 이시스는 황제와 위치를 바꿔 서야 했다. 그러나 이시스에겐 무대 위에서 해야 할 일이 한 가지 더 남아 있었다.

바람 소리가 귀 끝을 스친 순간, 이시스가 비명과 함께 황제를 밀쳤다.

"폐하!"

황제가 당황한 얼굴로 뒤로 나동그라졌다. 그는 아슬아슬하게 바닥에 안착했지만, 이시스는 바로 앞의 계단으로 굴러떨어졌다. 아스티나는 동요하여 팔걸이를 잡고 일어섰다. 본래 계단을 구르는 일까진 예정에 없었기 때문이다. 아무래도 움직임이 과해 불상사가 일어난 모양이었다.

다행히 생각보다 큰 부상은 없었던 듯 이시스는 곧장 몸을 일으켰다. 화살촉은 황제의 머리를 겨냥했음이 분명한 위치에 꽂혀 있었다. 그 방향을 가늠하던 이시스가 눈을 부라리며 소리쳤다.

"3시 방향이다! 멀리 가지 못하도록 어서 수색해!"

짧게 명령을 마친 이시스가 관중들을 대피시켰다. 얼떨떨한 얼굴로 날아온 화살을 응시하던 황제가 경비의 부축을 받고 일어섰다. 곧 자신에게 무슨 일이 일어났는지 깨달은 듯, 그의 낯빛이 푸르죽죽하게 질려 갔다.

참석객들은 아우성치며 경비가 인도하는 방향으로 달려 나갔다. 아스티나는 눈에 띄지 않게 대열의 끝으로 따라붙었다. 이미 알고 있던 계획이므로 당연히도 위기감을 느끼진 않았다. 아스티나는 지금 나타난 살수가 다시 화살을 쏘는 일 따윈 없을 것이며, 모두가 안전하다는 사실까지 알고 있었다.

그러나 소란스러운 와중 누군가가 아스티나의 손을 잡아챘을 땐, 그녀도 조금 놀랄 수밖에 없었다.

"누구……!"

홱 뒤를 돌아보던 아스티나가 순간 아연한 표정을 지었다. 벤자민이었다. 그가 고갯짓을 하며 먼저 근처의 수풀 너머로 사라졌다. 야외의 공터였기에 드문드문 숨을 만한 공간이 없진 않았다. 아스티나는 잠시 망설이다가 그를 따라갔다.

대열과 적당히 멀어졌을 때쯤 아스티나가 먼저 질문했다.

"……벤자민, 왜 여기지? 폐하와 함께 있어야 하는 것 아닌가?"

"아버지는 이시스 누님께서 수습하고 계셔, 오늘의 내 역할은 불효자거든."

그리 말하며 벤자민이 다소 쓴웃음을 떠올렸다. 아스티나는 그의 말을 어렵지 않게 이해했다. 이시스가 황제의 신임을 얻고자 벌인 일인데, 벤자민이 활약한다면 공이 나눠질 가능성이 있었다. 벤자민은 이시스가 황제의 고마움을 사는 동안 자리를 피해야 했을 것이다.

그러나 둘에게 허락된 시간이 그리 길진 않았다. 각자의 지위가 워낙 대단하다 보니 부재가 길어지면 표가 날 것이었다. 벤자민이 초조한 얼굴로 아스티나에게 한 걸음 다가섰다.

"그보다는 너와 잠깐 얘기할 게 있었어."

"편지를 부쳐도 됐을 텐데."

"대공과 그렇게 싸웠었는데 말이야?"

벤자민이 말도 안 된다는 듯 고개를 내저었다. 하기야 그녀에게 온 편지 속에 섞인 벤자민의 이름을 보았다면 대공은 분명 토라졌을 것이다. 지금의 반응이 어떨지는 그녀도 잘 알 수 없는 바였지만.

"밖에서도 너와 좀처럼 이야기할 짬이 없어서 말이야. 여느 모임에서 만난다고 말을 걸 수 있는 것도 아니고."

"지금도 적합한 때는 아닌 것 같은데. 경비들이 우릴 실종자로 분류하면 곤란하거든."

그리 말하며 아스티나가 인파가 있을 쪽을 향해 턱짓했다. 그에 벤자민이 다급히 덧붙였다.

"긴 얘기를 하려던 건 아니고 그냥 물어보고 싶었어."

"그게 뭐지?"

"네가…… 잘 지냈는지."

벤자민이 궁금해했던 건 참으로 보잘것없게도 그녀의 안부였다. 그녀가 아닌 다른 누군가라면 감동했을 법도 한 일이다. 그러나 감당할 수 없는 애정들에 대해 아스티나는 짙은 피로감을 느꼈다. 친구로서도 충분히 할 수 있는 걱정이긴 했지만, 친구로서 한 물음이 아니란 사실을 알았으니까.

아스티나는 테리오드의 일만으로도 충분히 정신이 없었다. 그녀에게 벤자민의 감정까지 돌볼 여유는 없었다.

"잘 지냈어, 물론."

아스티나가 단호한 목소리로 대답했다. 그러고는 미련 없이 작별 인사를 전했다.

"얘기 끝났으면 이만 가야겠어. 다음에 황녀님과 함께 셋이 다 같이 보면 좋겠군."

그녀가 그리 말하며 인파가 향한 쪽에 흘깃 시선을 주었다. 아스티나는 다소 정 없게까지 느껴질 정도로 서둘러 자리를 떠났다. 벤자민은 순간 그녀를 붙잡으려 했지만, 우스운 꼴이 될 걸 알았기에 마음을 다잡았다.

하기야, 안부 정도만 물었다고 그녀가 제 의도를 몰랐을까. 벤자민은 대공과 그녀의 사이가 '괜찮은지'를 확인하고 싶었다. 그녀로서는 그의 미련이 결코 달갑지 않았을 것이다.

벤자민은 자조하며 바닥을 내려다보았다. 슬슬 무리에게로 돌아가야 했으나 다리를 움직이고 싶은 기분이 아니었다. 벤자민은 오른손을 들어 잠시간 피로한 얼굴을 쓸었다. 아스티나가 대공가로 향한 뒤부터 모든 게 어그러지고만 있는 기분이었다. 대공과의 혼사가 결정되었을 때 그가 학교에 남아 있었다면 지금은 무언가 달라졌을까.

마침내 벤자민이 무거운 걸음을 떼어 냈다. 그가 인파를 찾아 걸음을 옮길 때였다. 그는 멀지 않은 곳에 서 있던 인물을 하나 발견했다. 심지어는 아는 얼굴이었다.

"……지금 뭐 하시는 겁니까?"

벤자민이 어이없다는 듯 물었다. 그가 성큼성큼 나디아의 앞으로 다가갔다. 지금이야 이시스가 꾸민 사건이니 괜찮다지만, 다른 때에도 이런 식으로 홀로 행동한다면 필히 위험에 처할 것이었다.

"위험하게 왜 여기 남아 있습니까? 다른 가족분들은 어디 계세요?"

"저 혼자 남았어요. 살수라면 수색 때문에 도망치기 바쁠 테니 저를 노리진 않을 것 같아서요."

"그거야 예상일 뿐이죠! 이리 오십시오, 사람들이 있는 곳까지 바래다줄 테니."

그러나 나디아는 제자리에 못 박힌 듯 서서 움직이지 않았다. 그녀가 마른 입술을 열어 말했다.

"저…… 봤어요. 방금 대공비 전하께서 같은 방향에서 나오신 거."

벤자민의 표정이 천천히 굳어 들었다. 그가 방금의 걱정과 대비되는 위협적인 투로 되물었다.

"……지금 뭐라고 했습니까?"

흉흉한 기색에도 나디아는 물러서지 않았다. 열렬한 사랑에 빠진 소녀의 얼굴은 아니었다. 오히려 조금 섬뜩한 구석이 있었다.

나디아가 물었다.

"그분이세요?"

"대체 무슨 말씀을 하시는지 모르겠군요. 설령 대공비와 제가 같은 곳에서 나온 걸 봤다고 해도, 그게 뭐 수상한 증거라도 될 것 같습니까? 우린 벨라체에서 만난 친구입니다. 방금 하신 말씀들, 몹시 불쾌하게 들리는군요."

벤자민이 싸늘한 태도로 나디아를 지나쳤다. 나디아가 그런 벤자민을 다급히 붙잡았다. 그녀가 절박하게 소리쳤다.

"전 괜찮아요!"

"……뭐라고요?"

"황자님께서 사랑하는 사람이 있으시다면 그렇게 해요. 방해하지 않을게요. 저와 결혼만 해 주신다면."

그녀의 얼굴엔 선명한 초조함이 떠올라 있었다. 벤자민은 나디아의 반응을 그제야 이해했다. 나디아는 방금 아스티나와 벤자민에게서 본 연결점을, 약점이 아닌 기회로 보고 있었다.

"언제 봤다고 나와 결혼을 하겠다는 겁니까?"

벤자민이 어이없다는 듯 되물었다. 평생을 함께할 배우자를 그의 인망조차 살피지 않고 결정하다니. 그녀의 사정을 모르는 건 아니었지만 벤자민에겐 그 서두름이 어리석게만 보였다.

"어차피 귀족들은 모두 이런 결혼을 해요."

나디아가 의연하게 되받아쳤다.

약혼자가 실각되며 나디아는 순식간에 가문의 골칫덩이가 되었다. 가족들은 여전히 그녀를 아꼈지만 한순간에 결혼 시장에서 배척받는 존재가 된 것이다. 여자의 출세를 좋은 결혼으로 생각하는 시대였다. 이시스가 준 이 기회가 마지막이라는 걸 알았기에 나디아는 절박했다.

벤자민 역시 그런 나디아가 안쓰럽긴 했지만, 그가 그녀의 불행을 구제할 이유는 없었다. 잠시 말을 꺼내지 못하던 벤자민이 결국 고개를 돌렸다.

"……그래도 안 됩니다. 내가 용납할 수 없는 문제예요."

돌아선 벤자민을 나디아가 망연히 응시했다. 나디아는 벤자민이 무언가를 깨닫기를 바라며 그의 등에 대고 소리쳤다.

"그건 어리광이에요. 황자님!"

벤자민도 모르지 않는 사실이었지만.

✢ ✢✢✢ ✢

"나디아! 어딜 갔다가 이제 온 거야! 위험하게 다치면 어떡하려고!"

벼락처럼 날아든 고성에 나디아는 저도 모르게 어깨를 움츠리고 말았다. 가까이 다가갈수록 희게 질린 어머니의 얼굴이 선명히 눈에 들어왔다. 그러나 나디아는 피하지 않고 곧장 어머니의 앞으로 나섰다. 어머니가 자신에게 화가 나서가 아니라, 단순히 걱정했기 때문에 언성이 높아졌음을 알기 때문이었다.

아니나 다를까 아벨라르 백작 부인은 나디아의 팔을 붙잡고는 그녀의 안위부터 확인했다. 다친 곳이 없다는 걸 확인한 아벨라르 백작 부인의 얼굴이 확연히 풀어졌다. 백작 부인은 나디아를 힘껏 끌어안았다.

요 근래 모진 고초를 겪어 안 그래도 마른 딸이었다. 딸아이에게 무슨 일이라도 생겼을까 싶어 아벨라르 백작 부인은 나디아를 기다리는 내내 노심초사했었다. 그러나 안도는 잠시, 아벨라르 백작 부인은 곧 나디아의 조심성 없는 행동을 꾸중하기 시작했다.

"대체 어딜 갔던 게야. 이럴 때 혼자 돌아다니면 큰일 나기 십상인 것 모르니!"

"죄송해요. 벤자민 황자님께서 뒤처져 계시기에 그분과 잠깐 이야기를 나눴어요. 당연히 화살이 날아온 곳 근처는 아니었고요."

예상치 못한 이야기에 아벨라르 백작 부인의 눈이 크게 뜨였다. 이시스가 나디아에게 제안한 새로운 혼처는 아벨라르 백작 부인 역시 알고 있는 사항이었다. 역시 황녀님이 자신들을 모른 척하지는 않았다며 백작 부부도 따라 몹시 기뻐했었다.

나디아에게 벤자민 황자의 행동이 그다지 협조적이지 않다는 이야기는 들었지만 그게 무어 대수겠는가. 벤자민은 어떠한 기반도 없는 빈털터리 황자였다. 그런 그가 나디아와 결혼한다면 아벨라르 백작가라는 든든한 뒷배경을 얻게 되는 것이다. 아벨라르 백작 부인은 벤자민 황자가 결국엔 현실을 깨닫고 허리를 굽히리라고 믿어 의심치 않았다. 나디아가 알아서 새로운 남편 후보감과 안면을 쌓으려고 했다니, 다 자란 딸이 조금 기특하게 느껴지기까지 했다.

그러나 반색하던 아벨라르 백작 부인은 곧 이상한 점을 알아챘다. 레이디와 마주쳤다면 에스코트를 해 주는 것이 도리일 텐데, 나디아는 이곳까지 홀로 돌아온 듯 보였기 때문이다.

"그래? 그런데…… 황자님은 어쩌고 지금 들어오니?"

어미의 추궁에 나디아가 시선을 피했다. 아벨라르 백작 부인이 딸을 마중나오며 무리를 벗어난 상태였기에 둘은 인파에서 조금 떨어져 있었다. 나디아는 이시스 황녀를 찾아 이 방향 저 방향을 살폈지만 찾던 얼굴을 발견해 내진 못했다. 나디아가 약간의 염려가 섞인 표정으로 물었다.

"그보다, 황녀님께서는요? 괜찮으신 거예요?"

"크게 다치진 않으신 듯하더구나. 폐하와 함께 황궁으로 돌아가겠다고 하셨어. 아마 마차가 도착할 때까지 저쪽에 계실 게다. 우리도 인원이 맞는지만 확인하고 이만 해산시키겠다더구나."

아벨라르 백작 부인이 선선히 답했으나, 그게 딸의 뻔한 수에 넘어가 주겠다는 뜻은 아니었다. 아벨라르 백작 부인은 나디아가 말을 돌리지 못하도록 재차 물었다.

"얘, 그보다 황자님은 어디 계시냐고 물었잖니. 무슨 이야기를 나눴기에?"

어머니의 기대 어린 표정을 보는 나디아의 얼굴에 일순 무력함이 깃들었다. 이번엔 뭐라도 제가 해결해 보고 싶었는데, 또 부모님의 손을 빌려야 할 모양이었다. 지금 이 상황에 백작 부부가 찾아올 수 있는 사윗감의 수준이라 하면 전망이 몹시 암울한 바였지만.

"어머니, 드려야 할 말씀이 있어요. 벤자민 황자님은 아무래도……."

저와 결혼하지 않으실 것 같아요. 나디아가 그렇게 말을 맺으려 할 때였다. 날카로운 음성이 둘 사이에 내려앉았다.

"자네 지금 뭐 하는 건가?"

나디아와 아벨라르 백작 부인은 동시에 고개를 돌렸다. 뒤편에서부터 천천히 달려오던 마차의 창이 열려 있었다. 둘은 그 안에서 몹시 의외의 인물을 발견했다. 황후였다. 황실의 인장이 존재하지 않아 그 안에 황후가 타고 있으리라고는 상상조차 하지 못했다. 암살 시도가 다시 있을까 하는 걱정에 마차를 바꾼 듯했다.

황후는 아예 마차를 멈춰 세우고는 아래로 내려섰다. 나디아는 조금 당황스러운 기색으로, 그리고 아벨라르 백작 부인은 그보다는 침착하게 황후에게 예를 취했다.

"제국의 광영한—"

"인사는 됐네. 방금 무슨 이야기를 했는지 물었어. 왜 그대들의 입에서 벤자민 황자에 관한 이야기가 나오는 거지?"

아벨라르 백작 부인의 낯에 약간의 의문이 스쳐 지났다. 이시스가 소개해 준 혼처이기에 황후와도 이미 이야기가 된 건이라 여겼다. 하지만 아무래도 자신을 죽이려 한 형제가 사라진 이시스와, 저를 권력으로 이끌 아들을 잃은 어머니의 입장은 조금 달랐던 모양이었다.

아벨라르 백작 부인이 점잖게 설명했다.

"소식이 느리시군요. 이시스 황녀님께서 나디아에게 새 짝을 점지해 주시겠다고 하셨습니다."

"지금 그게 말이나 되는 소리인가! 약혼자를 잃은 지 얼마나 되었다고!"

아벨라르 백작 부인의 말에 황후가 왈칵 성을 내었다. 안 그래도 아들을 권세와는 거리가 먼 불모지로 떠나보내며 황후는 가슴속으로 피눈물을 흘렸었다. 한데 그 약혼자였던 이와, 사돈이 되기로 했던 가문이 어찌 이리 쉽게 등을 돌릴 수 있단 말인가?

"어머나……. 황후 폐하께서는 제스퍼레오 공작님과는 뜻이 좀 다르신 모양이군요."

아벨라르 백작 부인이 유감이라는 듯 말끝을 흐렸다. 어쩐지 방자한 태도에 황후가 눈썹을 추켜올렸다.

"그게 무슨 뜻이지?"

"제스퍼레오 공작가에선 이미 알고 있는 혼사란 뜻입니다. 공작 각하께선 오히려 저희 가문에 누를 끼쳐 미안하다며 사과까지 하셨었지요."

제스퍼레오 공작가와 아벨라르 백작가는 정치적인 연줄 외에도 연이 깊었다. 제스퍼레오 공작은 돌아올 수 없는 손자를 그리워하는 대신 발 빠르게 제 편을 먼저 달래었다.

그러나 황후는 도무지 이 상황에 의연하게 대처할 수 없었다. 아들 생각만 해도 가슴이 저며 와 지금까지도 식사 한 번을 제대로 넘기지 못했다. 그런데 모두는 프리모의 존재를 너무도 쉽게 잊어 가고 있었다.

황후가 참지 못하고 소리쳤다.

"자네는 수치도 모르나? 딸이 파혼한 지가 얼마나 되었다고 벌써부터 다른 남자를 찾는 게야!"

"수치요? 지금 수치라고 말씀하셨습니까?"

아벨라르 백작 부인의 눈빛이 표독해졌다. 황후에게 프리모의 문제를 따져 묻지 않은 것만 해도 충분히 예를 갖췄던 것이다. 살길을 도모하겠다고 새 남편감을 찾고 있는데 이를 돕지는 못할망정 나디아를 방탕한 여인 취급하다니. 따라 아벨라르 백작 부인의 언성이 높아졌다.

"황후 폐하! 프리모 황자 전하 때문에 저희가 쓸 뻔했던 오욕을 잊으셨습니까? 진정 나디아를 생각하신다면 지금 그리 말씀하실 수 있는지요? 황자 전하께서 나디아를 걸고넘어진 탓에 저희가 겪었던 수모만 생각하면, 나 참!"

아벨라르 백작 부인이 기가 차다는 듯 헛웃음을 지었다. 아들을 잃은 황후에게 마땅한 힘이 남아 있지 않다는 사실을 알아 언사엔 더더욱 거침이 없었다. 아벨라르 백작 부인은 사건 이후 황후가 가지고 있던 실권이 대부분 이시스 황녀에게 돌아갔다고 알고 있었다. 모르긴 몰라도 그엔 황제의 입김이 닿아 있었으리라. 이시스 황녀는 황제와 핏줄을 같이하는 데 반해, 아들이 없는 황후는 언제든 교체당할 수 있는 처지였다.

정곡을 찔린 황후가 주먹을 틀어쥐며 나디아를 돌아보았다.

"나디아, 너는……!"

그러나 황후는 이내 입술을 깨물었다. 어려서부터 귀여워했던 아이에게까지 모진 말을 쏟아 낼 수는 없었다. 아벨라르 백작 부인의 사정을 모르는 게 아니기에 더욱 그러했다. 객관적으로 프리모의 행동으로 인해 나디아가 신세를 망친 것은 사실이었으니까.

황후는 그 근원이 된 제 딸을 생각하다가, 그만 분을 참지 못하고 자리를 박차고 말았다. 사나운 구두 소리가 멀어지는 걸 보며 아벨라르 백작 부인이 혀를 찼다.

"어쩜, 아직까지도 사리 분별이 안 되나 보지."

뒷방 노인네에 가깝게 된 신세인 주제에 큰소리만 치고 있다니. 모든 걸 잃은 황후에게 동정심을 품었던 것도 사실이나 그건 어디까지나 방금과 같은 사건이 벌어지지 않았을 때의 이야기였다.

아벨라르 백작 부인은 이내 표정을 풀며 나디아의 뺨을 쓰다듬었다. 폭풍처럼 휘몰아친 언쟁에 나디아는 내내 당황한 표정을 짓고 있었다.

"내 딸, 괜찮니?"

"어머니, 황후 폐하께 반목하셔서 어쩌시려고요."

"그럼 너를 욕보이는 사람 앞에서 가만히 있으란 말이니? 그리고 어차피 벤자민 황자와 혼담이 성사되면 황후 폐하께서도 굽히고 들어오시게 돼 있어. 본인만 거부할 뿐, 황녀님이나 그분의 친정 가문이나 모두가 이 혼사를 밀고 있지 않니?"

나디아가 짧은 한숨을 내쉬며 입술을 깨물었다. 그게 문제였다. 나디아가 힘겹게 입을 열었다.

"하지만 벤자민 황자님께선 저와 결혼하지 않겠다고 하셨는걸요."

"그게 무슨 소리니?"

"오늘 저와 나눈 이야기가 그거였어요. 황자님께선 저와 혼인할 생각이 없다고요."

그러나 아벨라르 백작 부인은 아랑곳하지 않고 코웃음을 쳤다.

"나디아, 이 어미만 믿어라. 황자보다는 이시스 황녀님을 흔들어야 뭐라도 나오겠지."

"그런 문제가 아니에요. 황자님은 이미 좋아하는 분이 따로 있으세요. 그분을 향한 마음이 깊으셔서 아마……"

답답하다는 듯 대답하던 나디아가 아차 하며 입을 다물었다. 아벨라르 백작 부인의 얼굴이 굳었다. 왜 청혼을 거절했나 하였더니, 그따위 얼간이 같은 이유가 다 숨어 있었단 말인가. 좋아하는 여자가 있으면 따로 정부로 삼으면 될 것을, 그게 무어 흠이라고.

아벨라르 백작 부인의 눈이 가늘어졌다.

"……그게 누구니?"

"아무것도 아니에요."

"아무것도 아니긴. 말을 하다 마는 걸 보니 썩 당당한 상대는 아닌가 보구나."

나디아는 입을 열지 않았다. 아벨라르 백작 부인은 안쓰럽다는 듯 나디아를 내려다보다가는, 단단히 딸의 팔을 쥐고 흔들었다.

"나디아, 왜 이렇게 어리게 구니! 지금 그 황자를 잡고 말고가 네 남은 인생을 결정한다는 걸 모르겠어? 얼른 이 어미한테 말해 보렴."

나디아는 단 한 번도 부모의 뜻이라곤 어겨 본 적이 없는 여자였다. 무서운 다그침에 나디아가 결국 머뭇거리며 대답했다.

"대공비 전하…… 세요. 벨라체에서 같이 수학한 사이시라고……."

의외의 이름에 아벨라르 백작 부인의 입가가 벌어졌다. 그녀가 멍한 표정으로 제 턱을 쓸었다.

"벨라체라……. 그래, 그러고 보니 황궁에 들어오기 전에 벨라체에 있었다고 했지."

"하지만 두 분께선 별 사이가 아니신 것 같았는데요. 무엇보다…… 벤자민 황자님께 더 폐를 끼치는 건 영 내키지가 않아요."

혹 어미가 무슨 일이라도 벌일까 싶어, 나디아가 다급히 아벨라르 백작 부인을 만류했다. 그러나 아벨라르 백작 부인은 그런 나디아의 걱정이야말로 어이없다는 듯 이렇게 대꾸했다.

"나디아, 무슨 말도 안 되는 소릴 하는 거니? 그따위 말도 안 되는 추문으로 황자님의 이름을 더럽혀서 우리가 얻는 게 대체 뭐가 있겠어?"

아벨라르 백작가가 원하는 건 건실한 황자였지 추문으로 망가진 몹쓸 사내가 아니었다. 아벨라르 백작 부인은 황자가 마음속에 품은 연정 따윈 얼마든지 숨겨 줄 의사가 있었다. 아벨라르 백작 부인이 다정하게 나디아의 어깨를 쓸며 말했다.

"나디아, 아무 걱정도 말렴. 넌 황자님과 무사히 결혼하게 될 거야. 이 어미가 다 알아서 해 주마."

아벨라르 백작 부인의 입가에 의미 모를 미소가 걸렸다.

÷ ÷÷÷ ÷

아스티나는 몸이 좋지 않다는 핑계를 대어 밤의 연회에서 일찍 빠져나왔다. 낮에 벌어진 충격적인 사건 덕분에 그녀의 핑계는 의심을 사지 않았다. 이시스가 원했던 아스티나의 역할은 모두가 모인 자리에서 공공연히 황녀를 걱정하는 모습을 내보이는 것이었다. 사실상 프리모의 실각 이후 황녀와 아탈렌타 사이에 긴밀한 연이 생겼다고 드러내는 것과 같았다.

대공도 함께 의사를 표현해 주는 편이 더 효과가 좋았겠지만 그를 억지로 무대로 끌어낼 수도 없는 노릇이었다. 무엇보다 개인적인 애정사를 제외하면, 정치적인 사안에서 부부의 뜻이 별개일 거라 생각하는 이는 거의 없었다. 테리오드의 부재는 생각보다 큰 빈자리로 남지 않았다.

암살 시도 건으로 조금 술렁이긴 했지만 그럼에도 밤의 연회는 인파로 북적였다. 오히려 낮에 있었던 일에 관해 대화하고 싶은 이들의 흥분이 분위기를 고조시킨 듯했다. 열기로 들끓었던 연회장에 비하면 대공저는 사뭇 싸늘해 보이기까지 했다.

아스티나는 하녀들의 도움을 받아 곧장 불편한 옷을 갈아입었다. 의도하진 않았지만, 아스티나가 저택으로 돌아온 건 테리오드가 아직 사람으로 남아 있을 시점이었다. 아스티나가 일을 돕던 하녀에게 대수롭지 않은 기색으로 물었다.

"대공께선 어디 계시지?"

"침실에 계십니다."

하녀의 대답은 예상에서 크게 벗어나지 않았다. 하기야 저녁이 가까운 시간에 그가 밖으로 나갔을 리는 없었다.

아스티나가 알았다며 이만 물러가라 말하려 할 때였다. 하녀가 머뭇거리며 덧붙였다.

"저 다만……."

"다만?"

"주방에서 술이 많이 올라간 것으로 압니다. 많이 취해 계실 듯해서요."

"왜 추측처럼 말하지?"

"아무도 들어오지 말라고 하셨습니다."

아스티나는 잠시 침묵하다가는, 곧 짧게 대꾸했다.

"그렇군."

아스티나는 하녀 아이들을 조용히 내쳤다. 그녀들은 대공 부부 내외의 사랑싸움이 오래가지 않길 바라는 귀여운 소망을 품은 채 사라졌다.

아스티나는 얼굴을 닦아 낸 세안 물에 천천히 손을 담갔다. 수면이 일렁이며 띄워 놓았던 꽃잎이 벽면에 달라붙었다. 불현듯 젖은 손을 들었다. 세면대 옆에 놓인 수건으로 대강 물기를 훔쳐 낸 뒤밖으로 나섰다. 입구를 막은 건 대공의 경고뿐인 듯, 침실 앞엔 어떤 보초도 없었다. 아스티나는 그대로 문을 열고 안으로 들어섰다.

과연 마주친 광경은 방금 들었던 경고대로였다. 테리오드는 의자에 늘어져 몸을 기대고 있었다. 테이블 위에 늘어진 병은 두엇밖에 되지 않았지만 모두 독한 것들이었다. 가까이 갈수록 알코올 냄새가 독해졌다.

테리오드의 고개가 언뜻 아스티나에게로 향했다. 그러나 그는 그녀를 빤히 보기만 할 뿐, 이렇다 할 말을 꺼내진 않았다. 그의 눈길이 다시 잔 위로 돌아갔다.

아스티나가 먼저 입을 열었다.

"행사는 무사히 치렀습니다."

"……."

"황녀님이 요청하신 사항도 무사히 마무리했고요."

"그래서요, 다행이라고 답해 드릴까요."

테리오드가 뇌까리듯 웅얼거렸다. 아스티나는 허락도 구하지 않고 그의 맞은편으로 가 앉았다. 둘 사이엔 마땅한 화제가 없었으므로 그녀는 오늘 들었던 이야기를 두서없이 늘어놓기 시작했다.

"겨울이라 화전민들이 말썽을 부린다고 하더군요. 주인이 부재한 상태라 더 그러한 것 같습니다."

"……."

"코렐 지방에선 밀 품종을 개량하는 데 성공했다고 합니다. 올해는 아니어도, 내후년 봄쯤에는 식량난이 많이 해소될 듯해요."

테리오드는 아스티나를 내쫓지 않았다. 대신 그녀에게 시선을 고정한 채 잔을 입가에 가져다 댔다. 안 그래도 취한 상태라 더 마셔서는 안 될 모양새다. 보다 못한 아스티나가 잔을 앗아 가기 위해 팔을 뻗었다.

"주량보다 과하십니다."

테리오드는 귀찮은 방해를 쳐 내는 대신, 아예 그녀의 손을 붙잡았다. 아스티나는 뼈마디가 불거진 커다란 손을 응시하다가, 조용히 눈을 들었다. 만취한 얼굴은 마냥 붉었다. 취기로 물든 눈에 이전의 맑은 빛은 비치지 않았다. 선명하던 동공이 흐려져 마치 죽음을 앞둔 사람처럼도 보였다.

"오늘도 그대 생각을 했어."

"……."

"그대는 아니었겠지만, 나는 그랬지."

취한 탓인지 팔을 붙든 악력이 강하진 않았다. 그러나 아스티나는 그를 떨쳐 내지 않았다. 그녀가 마른 입술을 열어 대꾸했다.

"저도……. 그랬습니다."

바깥에 머무르는 내내 아스티나는 테리오드와, 그의 부재를 생각했다. 애써 떠오르지 않으려 해도 주변 사람들이 한 번씩 그의 안부를 물어 온 덕분에 매번 잊고 싶은 기억으로 불려 나가야 했던 탓이다.

"그렇게 말하지 마."

테리오드의 손에 힘이 들어갔다. 아스티나가 예상했던 대로, 테리오드는 그녀의 대답이 그다지 기뻐 보이지 않았다. 오히려 그는 불에라도 덴 듯한 표정이었다.

"차라리 나를 보지 마. 염려하지도 말고, 뭐라도 해 주고 싶다는 듯 굴지도 마. 취해서 고꾸라질 것 같아도 들여다보질 말았어야지, 안 그래?"

"……"

"왜 나한테 기대를 하게 만들어, 하루에 열두 번도 넘게 기분이 치솟았다가 내려앉아. 그대에게서 다정함을 볼 때면 나를 좀 생각해 주는가 싶기도 해. 그러다 그대의 왕을 생각하면 그따위 기대를 하는 내가 어리석어 죽고만 싶어지지."

절규를 정제해 녹여 낸 것만 같은 목소리였다. 테리오드가 충혈된 눈으로 아스티나를 노려보았다. 그는 견딜 수 없다는 듯 먼저 아스티나의 팔을 놓았다. 그가 제 눈가를 덮으며 비식비식 짧은 웃음을 흘렸다.

"가끔씩 흘리는 관심의 찌꺼기라도 주워 먹겠다고……"

간헐적으로 이어지던 조소가 멎었다. 그는 아스티나를 떠나려는 듯 몸을 일으켰다. 그의 다리가 힘없이 비틀거렸다. 취기에 시야가 온전치 못한 듯 그는 곧 중심을 잡지 못하고 우스꽝스럽게 넘어지고 말았다. 그러나 테리오드는 스스로를 일으켜 세우려는 어떤 시도도 하지 않았다. 바닥에 주저앉은 상태 그대로 카펫 어딘가에 시선을 두었다.

아스티나가 대신 황급히 일어나 그에게로 손을 뻗었다. 테리오드의 눈이 천천히 그녀에게로 굴렀다. 테리오드는 그녀가 내민 손을 가만히 들여다보기만 할 뿐 선뜻 잡지 못했다. 이윽고 그가 팔을 뻗었지만, 허공을 헤집다가 고작 그녀의 치맛단을 붙드는 데 그쳤다. 단순히 빗맞힌 것인지, 아니면 망설임 때문인지는 알 수 없었다.

테리오드가 고개를 숙였다. 이윽고 신음을 토해 내듯 말했다.

"난 안 되겠어. 나는…… 나는 버틸 수가 없어."

아스티나는 제 옷자락을 틀어쥔 비참한 남자를 내려다보았다. 테리오드는 널브러진 부랑자처럼 그녀의 발치에 놓여 있었다. 아스티나는 그에게 괜찮느냐고 물으려 했지만, 차마 그 위선적인 걱정을 입 밖으로 낼 수 없었다. 그녀는 어렵지 않게 인정했다.

내가 그를 망쳤다.

아스티나는 그를 떠날 수조차 없었다. 그녀가 사라지고 홀로 남은 테리오드는 짐승으로 남을 뿐이었다. 저주를 풀려 했던 모든 시도도 실패에 그치지 않았던가. 남은 단서는 '레타의 사랑'뿐이라니. 그야말로 잔인한 명제였다. 아스티나는 그게 불가능하다는 걸 알았다.

진실한 사랑이라고? 내가 어떻게 그를 그렇게 사랑할 수가 있지?

그를 저런 얼굴로 만들어 놓고, 테오도르의 모습을 한 남자를, 테오도르를 지워 내고서 마음에 품으라고?

지겹게 사랑했던 그 테오도르를 상대로도 풀지 못했던 저주였다. 이 잔인한 사슬은 얼마나 더 대단한 대가를 원하는 것일까. 테오도르만을 위해 살았던 지난 삶도 성에 차지 않았다면, 이번엔 테리오드를 위해 죽기라도 해야 하나?

"테리오드, 나에게 그대를 위해 살라고 말했지."

묵은 과거의 말을 꺼낸 후, 아스티나는 잠시 침묵했다. 그녀의 시선이 허공을 갈랐다. 그녀가 말했다.

"그렇다면 같이 죽을까."

테리오드는 미동하지 않았다. 아스티나가 재차 물었다.

"그대가 나를 견딜 수 없고 나 없이 살 수도 없다면."

"⋯⋯."

"같이 죽어 줄까."

테리오드는 눈을 감았다. 입가에 헛웃음이 스쳤다. 그가 원망으로 얼룩진 눈을 들어 아스티나를 보았다. 그의 목소리에 물기가 고였다.

"나를 위해 죽어 줄 수 있으면서, 날 가장 사랑한다는 말은 못 해?"

"⋯⋯."

"말해, 나한테 어디까지 동정으로 해 줄 수 있는데?"

아스티나는 그에게 뭐든지 다 해 줄 수 있었다.

단 한 가지, 그의 유일한 바람만을 제외하고.

"그대를 온전히 사랑하는 것 말고, 전부."

테리오드는 참지 못하고 큰 웃음을 터트렸다. 손끝으로 괴롭게 눈가를 쓸었다. 이후 드러난 눈동자가 눈물로 형형했다. 그가 물었다.

"왜 나한테 희망을 줬어?"

"당신을⋯⋯ 사랑할 수 있을 거라고 생각했어."

"하지만 잘 안 됐겠지."

아스티나는 부정하지 않았다. 테리오드가 아스티나를 쏘아보며 몸을 일으켰다. 그는 방향을 틀어 아예 방을 나서려 했다. 전처럼 휘청이진 않았다.

이번에 그의 걸음을 막은 건 취기가 아니었다. 아스티나의 팔이 테리오드를 붙잡았다.

"더 할 말 같은 건—"

그가 당연한 거절을 말하기 전에, 아스티나는 그에게 입술을 부딪쳤다. 테리오드의 몸이 굳었다. 그녀를 밀쳐 내려는 듯 손을 들어 그녀의 팔에 대었다. 그러나 아스티나는 저를 떠미는 어떤 힘도 느낄 수 없었다.

테리오드는 어떤 미동도 없이 잠시간 그녀와 입술을 맞대었다. 눈을 감고 있었기에 아스티나도 그의 표정을 볼 수 없었다. 그의 거부를 마주하기가 두려웠다고 말한다면 꼭 맞을까. 이윽고 그에게서 절망의 한숨이 쏟아졌다. 쓰디쓴 술 내음이 아스티나의 혀끝을 뭉갰다. 그의 손이 아스티나의 목 뒤를 잡아당겼다. 밀착된 입술에서 가쁜 숨결이 샜다.

아…….

하얀 시트 위로 넘어지며, 아스티나는 제 위로 떨어지는 슬픔을 맞이했다. 겹쳐진 입술에선 짠맛이 났다.

아스티나는 마침내 눈을 떴다. 테리오드가 일그러진 얼굴로 말했다.

"당신은 알았지, 내가 못 밀쳐 낼걸."

알고 있었다. 그가 자신을 아직 사랑한다는 것쯤은.

삽시간에 옷이 벗겨졌다. 그와 맨 살갗을 문대었던 때가 언뜻 희미하게 느껴졌음에도 결합은 짜 맞춘 듯 들어맞았다. 아스티나는 그의 등을 힘껏 끌어안았다. 그의 목덜미에선 그녀가 그리워했던 살 내음이 났다. 널따란 어깨와 날갯죽지 위의 굴곡, 평균보다 따듯한 편인 체온까지도 같았다.

이것이 그리웠다.

아스티나는 다시는 맛보지 못할 것처럼 그의 입술을 찾았다. 테리오드가 아스티나의 살결을 빨아들이며 갈구하듯 말했다.

"내 이름을 불러 줘."

"테리오드."

아스티나가 헐떡이며 그의 이름을 토해 냈다. 그가 이를 악물었다. 한 번 입 밖으로 내고 나니 이후로는 더욱 쉬웠다. 숨 가쁜 와중에도 아스티나는 반복해서 남자의 이름을 불렀다. 테리오드, 테리오드, 테리오드.

테리오드.

테리오드가 아침에 일어나서 가장 먼저 확인한 것은 시간이었다.

그들이 알았던 공식대로 테리오드는 짐승으로 변하는 일 없이 온전히 사람으로 깨어났다. 테리오드는 손바닥을 펴 보았다가, 다시 가볍게 주먹 쥐었다. 그러고는 시선을 들어 바로 옆에 누운 타인을 응시했다. 테리오드가 그녀보다 일찍 눈을 뜬 건 흔한 일이 아니었다. 다만 테리오드가 깊은 밤까지 놓아주지 않은 날엔 그녀도 곤히 잠들어 좀처럼 깨지 않았다.

그녀와 한 침대에 누운 건 몹시 오랜만의 일이었고, 테리오드는 그 체온에 약간의 생경함마저 느꼈다. 이전에 함께 보냈던 무수한 밤들과는 무언가 달랐다.

아스티나는 눈을 감은 채 미동도 하지 않았다. 숨소리마저도 열어 주의 깊게 듣지 않으면 알아챌 수 없을 정도였다. 테리오드는 멍하니 그녀를 내려다보다가, 자리에서 일어나 욕실로 향했다.

대강 세안을 마치자 어느 정도 정신이 깨었다. 테리오드는 고개를 들어 거울을 마주했다. 그동안 무의식적으로, 또는 의식적으로 보지 않으려 애썼던 물건이었다.

테리오드는 그대로 저를 노려보는 푸른 눈동자를 마주했다. 그 안에서 어떤 의미를 찾고자 했으나 그가 볼 수 있는 건 파리한 낯의 볼품없는 사내 하나였다. 테리오드는 눈을 돌려 욕실을 빠져나왔다.

침실의 모습은 테리오드가 방을 나서기 전과 같았다. 다만 침대 옆 창에서 햇살이 눈부시게 쏟아지고 있었다. 커튼을 칠까 하는 고민이 잠시 들었으나 이내 그만두었다.

그의 시선이 문득 이불에 둘러싸인 동그란 형체에게로 향했다. 테리오드는 잠들어 있는 아스티나에게로 다가가 그 앞에 섰다. 그러고는 무릎을 굽히고 앉아 그녀의 얼굴을 들여다보았다. 아스티나의 뺨 근처로 향한 손은 형태만 덧그릴 뿐 좀처럼 그녀에게 닿지 못했다.

테리오드는 그녀의 생김새를 새삼스럽게 기억에 새겼다. 눈을 감은 아스티나의 얼굴은 언뜻 앳된 듯도 한 생김이었다. 탁한 녹색 빛의 눈동자가 가리어지니 그녀가 품은 근심도 따라 보이지 않았다. 깊이 파인 눈두덩과, 톡 불거진 아랫입술이 묘하게 시선을 잡아끌었다.

테리오드는 일순, 이 순간이 과거의 어느 때와 매우 닮아 있다고 생각했다. 그가 떠올린 게 그리 먼 옛날의 일은 아니었다. 테리오드가 기억해 낸 건 그녀와 함께 인근의 별장으로 떠났던 짧은 휴가였다. 해가 비쳐 드는 저택의 침실은 호수를 보러 갔던 날의 별장과 그린 듯이 똑 닮아 있었다.

테리오드의 머릿속에 아름다웠던 날들이 비집고 들어왔다. 햇빛은 잔인하리만치 따뜻했고 그의 옆에 누운 그녀는 믿을 수 없게 아름다웠다. 테리오드는 문득 제 턱 밑에 치닫는 감정을 느꼈다. 혀 밑으로 삼키고 싶었지만, 울컥 차오른 그의 진심은 안으로 숨어들기를 거부했다.

테리오드는 몹시도 괴로웠다. 그는 아스티나로 인해 살게 됐지만, 또한 그녀 때문에 죽고 싶었다. 이전이라면 몰랐을 절망감을 그녀가 알려 주었다. 테리오드를 행복하게 하는 유일한 여자는 그더러 불행으로 돌아가라 말한다. 네가 품고 있는 것은 욕심일 뿐이라 그것만은 절대 줄 수 없다 한다.

같이 죽어 줄 수는 있어도 결코 사랑은 아닌, 사랑만은 아닌.

아, 사랑. 사랑. 대체 그것이 무엇이기에.

그의 손이 천천히 잠든 여자의 얼굴에 가닿았다. 뺨을 어루만지는 손길은 유리를 다루듯 조심스러웠다. 잠에서 깨어난 아스티나가 느리게 눈을 떴다. 그녀는 제 뺨을 감싸고 있는 테리오드를 보고도 아무 말이 없었다. 녹빛의 눈동자가 조용히 테리오드를 꿰뚫었다.

그녀에게 닿은 손이 잘게 떨렸다. 숨이 턱 막히며 시야가 흐려졌다. 테리오드는 잠시 말을 잇지 못했다. 아이로 돌아가기라도 한 것처럼 아, 아. 하고 알 수 없는 소리만을 내었다. 그 음성에 물기가 담기기까지는 오래 걸리지 않았다.

"아……."

나는 그녀가 없으면 안 된다. 가슴이 천 갈래 만 갈래로 찢겨도 그녀가 없는 것보다는 있는 것이 낫다. 종래에는 진정 미칠지라도, 그는 이 달콤함을 조금이라도 더 맛보고 싶었다.

술에 취해 저지른 실수라 변명하고 싶지도 않았다. 그녀를 다시 끌어안고 싶은 충동만은 지금도 여전했으니까. 테리오드는 지난밤의 모든 것을 빠짐없이 기억한다. 그가 사랑하는 여자가 입 맞춰 올 때 어떤 표정을 지었는지를 안다. 제 목을 끌어안던 팔이 어떤 감촉이었는지, 이름을 불러 주던 목소리는 얼마나 사랑스러웠는지, 혹은 저를 보던 연민 섞인 눈빛까지도, 빠짐없이 전부.

테리오드는 아스티나의 손을 제 눈가로 끌어 올렸다. 그녀의 손바닥에 눈물을 쏟아 내며, 테리오드가 떨리는 음성으로 고백했다.

"사랑해 주오."

이리 고통스러운 것도 사랑이 될 수 있을까. 가슴을 찢는 이 감정이 정녕 사람을 기쁘게 하는 그것이 맞나. 절박한 의문에도 불구하고,

"부디 나를 사랑해 줘요, 아스티나."

그저 비참한 사랑이었다.

"당신의 안에도 뜨거움이라는 게 있잖아, 다른 사람에게 이미 그런 걸 준 적이 있잖아."

그가 애걸하듯 그녀의 손등을 붙들었다. 이를 악문 탓에 목의 핏줄이 불거졌다. 그는 재차 그녀에게 마음을, 사랑을, 혹은 동정을 구걸했다.

"그걸 나한테 줘."

"테리오드."

아스티나는 겨우 테리오드의 이름만을 불렀다. 테리오드가 다급히 아스티나의 말을 막으며 마저 속삭였다.

"내가 잠깐 미쳤었나 봐, 당신이 내 옆에 있기만 해도 족했었는데, 주제도 모르고 그만 욕심을 부렸던 거야. 미안해, 내가……."

테리오드가 잠시간 입을 벙긋였다. 애써 호흡을 가다듬었다. 신음은 그의 성대 밑에서 짓눌리고 찢겨 이미 조각났다. 그래서 그는 썩 괜찮은 척 이렇게 말할 수 있었다.

"나를 그 남자로 봐도 좋아. 제발 내게서 떠나지만 말아. 머리카락 색을 바꾸라면 그리할게, 이름을 바꿔 불러도 되고 나를 보면서 옛일을 추억해도 돼. 나는 아무렇지 않아. 그러니……."

그러니…….

종래에는 속사포처럼 내뱉던 구걸이 멎었다. 테리오드가 그만 고개를 떨구었다. 테리오드의 진심이 혀 밑, 가슴 아래 깊숙한 곳에서 말했다.

"내게 사랑을 줘요."

그래서 제발 나를 숨 쉬게 해 줘.

아스티나의 손에 힘이 들어갔다. 입을 열어 무슨 말이라도 내뱉고 싶었지만 단순한 시도에 그쳤다. 그녀의 대답을 기다리는 잠깐의 시간이 테리오드에겐 억겁보다 길었다.

아스티나의 입술은 결국 열리지 않았고, 테리오드는 울음을 삼켜냈다. 그의 입가에 의미 모를 미소가 떠올랐다. 테리오드가 스스로에게 조소를 보내듯 중얼거렸다.

"이조차 내 이기심일 뿐이겠지."

테리오드는 조용히 팔목으로 제 눈가를 훔쳐 내었다. 이윽고 드러난 그의 얼굴엔 눈물이 완전히 지워져 있었다. 몸을 일으킨 테리오드가 창가로 고개를 돌렸다.

그가 어딘가에 시선을 고정한 채 말했다.

"날이 좋네요."

"……."

"갑자기 시간이 아주 많아진 기분이에요."

그가 농담처럼 뇌까렸다.

아스티나는 멍하니 햇빛을 받아 반짝이는 그의 머리칼을 응시했다. 견딜 수 없는 눈물의 무게가 제 손 위에 있었다. 아스티나는 휘청이는 몸을 지탱하려 바닥을 짚었다. 손바닥에 고였던 눈물이 다시 아래로, 또 아래로 흘렀다.

그런 아스티나를 보며 테리오드가 다정하게 말했다.

"같이 밖이라도 나갈까요."

오래간만에 들려온 외출 소식을 집사 올리버는 제 일처럼 반겼다. 현저히 말수가 적어진 부부를 보며 그도 내심 속을 썩였던 탓이다. 원인이 무엇인지 몰라 발만 동동 구르고 있던 참인데 갑자기 함께 외출을 하겠다니. 이는 화해의 징조가 틀림없었다.

때문에 둘이 이렇다 할 부탁을 하지 않았음에도 집사는 상당히 구체적인 일정을 작성하여 대령했다. 어찌나 기대에 부풀었는지 그가 선별한 장소들은 얼핏 과해 보이기까지 했다. 설레는 사랑 이야기가 담긴 오페라와 분위기 좋은 레스토랑, 도시의 불빛이 한눈에 보이는 테라스 석이 있는 디저트 숍까지. 올리버의 브리핑을 듣는 내내 아스티나는 어떻게 거절해야 그를 덜 실망하게 할 수 있을까 고민했다.

그러나 테리오드는 감상이 조금 달랐던 모양이었다. 그는 참지 못한 기색으로 파안하더니, 흔쾌히 그러마 하는 허락을 돌려주었다. 아스티나가 얼떨떨한 눈으로 쳐다보자 테리오드가 어깨를 으쓱였다.

"재밌을 것 같지 않습니까?"

그렇게 대답하는 그는 일견 기분이 좋아 보이기까지 했다.

보통이라면 예약을 요했을 항목들이었지만 아탈렌타라는 이름 앞에서 모두가 흔쾌히 입구를 열었다. 아스티나는 조금 얼떨떨한 기분으로 극장으로 향하는 마차에 앉았다. 사용인들이 준비한 새 옷은 버석거렸고 하늘은 구름 한 점 없이 맑았다. 모든 것이 완벽한 나머지 꿈은 아닌가 하는 의심이 스칠 정도였다.

건너편 자리에 앉은 테리오드가 눈이 마주칠 때마다 미소 지었다. 그의 얼굴에 드리워졌던 그림자는 자취를 감춘 채였다. 아스티나는 도무지 그의 의중을 알 수 없었다.

혹 그는 정말, 이대로 그녀의 과거를 묻기로 마음먹은 걸까.

선뜻 믿을 수는 없는 이야기였다. 그녀 역시 왈도의 일기를 읽고 받은 충격을 완전히 벗어 던지진 못한 입장이었으므로. 테오도르가 죽지 않을 수 있었다는 사실을 깨닫고는 그에게 어떤 말을 했었던가. 당신에게서 옛 얼굴을 보게 되는 게 싫어 떠나고 싶다고 말했다. 그러다가는 전혀 기억나는 게 없느냐며 잔인하게 굴기도 했다.

마침내 테리오드가 보인 눈물에 아스티나의 가슴 한쪽이 짓눌렸다. 테오도르가 아닌 테리오드를 알았던 기억이 그녀를 비난했다. 다시 사랑할 기회를 주었더니, 돌이킬 수 없는 과거에 매달려 현재를 내버린 천치라며.

아스티나는 테리오드가 주는 애정에 젖어 그의 옆에 남았다. 기민하게 제 결핍을 메워 줄 희생양의 냄새를 맡은 덕분이었다. 그가 그녀를 적시고 있다는 게, 정작 그 본인은 말라 가고 있다는 뜻임을 애써 모른 척했다. 아스티나가 테리오드에게 준 건 희망 고문 그 이상도 이하도 아니었다. 비겁한 거래였다. 아스티나는 테리오드를 사랑할 수는 없었지만 적어도 그를 상처 주지 않을 수는 있었다.

아스티나는 당장이라도 테리오드가 이 모든 건 변덕일 뿐이었다며, 기만당한 기분은 어떠했느냐고 물어 올 것만 같은 불안감에 시달렸다. 그러나 그런 걱정이 우습게도 마차는 무사히 목적지까지 다다랐다.

테리오드는 먼저 밖으로 내려서 자연스럽게 아스티나에게 손을 내밀었다. 아스티나는 지난밤의 그처럼 선뜻 그 손을 잡지 못하고 망설였다.

그녀는 무의식적으로 고개를 들어 주변을 살폈다. 테리오드뿐만 아니라 마부, 극장의 직원까지 아스티나가 에스코트를 받아들이길 기다리고 있었다. 남편이 아내를 마차 밖으로 이끄는 건 몹시 당연한 일이었다. 아스티나의 주춤거리는 기색이 이상하게 비칠 정도로.

모두의 눈에 의문이 떠오르기 전, 아스티나는 마차에서 내려섰다. 얇은 장갑을 두른 상태였기에 감촉은 생각보다 무뎠다. 닿기를 망설인 일이 그녀 스스로도 민망하게 느껴질 정도였다. 어차피 그들은 불과 한나절 전 이보다 더한 일을 치르지 않았던가.

테리오드는 자연스럽게 그녀가 제 팔에 손을 얹도록 했다. 아스티나는 미세한 떨림을 가슴 한 겹 아래로 숨겨 냈다.

올리버가 맡아 둔 건 2층 중앙의 테라스 석이었다. 귀빈층을 위해 따로 대기시켜 둔 좌석으로 다른 사람에겐 보이지 않게 양옆이 가려진 구조였다. 그러나 그곳까지 올라가는 도중 마주치는 사람들까지 피할 수는 없었다. 워낙 눈에 띄는 인물들인 탓에 시선이 모인 덕분이다.

"어머, 대공 전하."

가장 발 빨랐던 이는 체면도 뒤로하고 구두 소리를 낸 아델 백작 부인이었다. 연회에서 마주쳐 몇 번 안면을 튼 인물이기도 했다. 그녀는 남편의 투자와 관련한 정보를 얻고자 언제나 인맥을 넓히려 열심이었다. 이번에도 아델 백작 부인은 대공 부부를 보고 몹시 반갑다는 듯 활짝 얼굴을 폈다.

"대공비 전하는 어제 뵀었죠."

"예, 또 뵙는군요."

"아쉽게도 일찍 들어가시더니, 남편분과의 오붓한 시간을 위해서였나요?"

아델 백작 부인이 그리 말하며 입을 가리고 웃었다. 그러고는 문득 생각났다는 듯 테리오드에게 안부를 물었다.

"몸이 편찮으시다고 들었는데 괜찮으신 건가요? 가벼운 감기라 듣긴 하였는데……."

"신년제는 워낙 많은 이들이 모이는 행사라 혹여 누가 옮으면 큰 일이니까요. 한데 자고 일어나니 완전히 나아서, 과한 걱정이 좀 민망하게 되었죠."

아스티나의 걱정이 무색하게도 테리오드의 응대는 자연스러웠다. 대공과 좀 더 길게 대화할 핑곗거리를 찾아, 아델 백작 부인은 장안의 화제를 꺼내 들었다.

"어제의 소식은 들으셨나요? 아, 물론 대공비 전하께서 전하셨겠지만……."

"황제 폐하를 위협한 배덕한 종자들 말씀이십니까?"

"예, 어쩜 대범하게도 신년제 같은 큰 행사에서 일을 벌인 건지……. 보통 담이 아니라고밖에 말할 수 없네요."

아델 백작 부인이 유감이라는 듯 침중한 표정을 지었다. 테리오드가 걱정 말라는 듯 신임 어린 목소리로 답했다.

"제국의 기사들은 유능하니 금방 실마리가 잡히겠지요."

"폐하께선 충격을 받으시곤 바깥에 걸음하지 않으시다던데, 일을 벌인 치들이 부디 마땅한 벌을 받으면 좋겠네요."

아델 백작 부인은 대공 부부가 썩 대화에 집중하고 있지 않다는 사실을 알아챈 모양이었다. 방금 꺼냈던 이야기를 빠르게 마무리 짓고는, 이번엔 아스티나 쪽으로 시선을 돌렸다.

"그런데 어쩜, 두 분께선 정말 금슬이 좋으세요. 이렇게 연극까지 같이 보러 오시고 말이에요."

역시나 아첨에 재간이 있는 여자다. 늘 새롭게 칭찬 거리를 찾아 내는 점이 대단하게 느껴지기까지 했다. 문제가 있다면 지금의 아스티나와 테리오드가 오붓한 연인으로 평가될 만한 사이는 아니라는 점일까. 아델 백작 부인은 지난밤 그들에게 어떤 일이 벌어졌는지, 아스티나가 어떻게 테리오드의 가슴을 찢어 놓았는지를 평생이 가도 알지 못할 것이다.

아스티나가 조용히 웃으며 대답했다.

"사실은 저희 집사가 아주 유난이랍니다. 같이 외출하겠다고 하니 이런 표까지 구해 주더군요."

"좋은 선택을 하신 거예요. 워낙 오래된 고전으로 만든 극이긴 하지만, 개중에선 가장 구성이 재밌더라구요."

아델 백작 부인이 그리 말하며 눈을 찡긋였다.

"요즘 워낙 같은 자리에 참석하는 일이 없으셔서 잠깐 두 분의 불화설도 돌았었는데 말이죠. 이렇게 사석에서만 함께 다정히 얼굴을 비치시는 건가요?"

"부부 사이가 화목한 것이야 당연한 일인데 뭣하러 남에게 내보이려 애쓰겠습니까."

테리오드가 의연하게 대답했다. 덕분에 대공 부부를 보는 아델 백작 부인의 눈에 약간의 부러움이 담겼다.

어떤 답이 돌아오든 기꺼이 감탄해 줄 각오가 되어 있었던 아델 백작 부인이었지만, 지금만큼은 그녀도 진심 어린 반응을 내보일 수밖에 없었다. 귀족들의 부부 사이라 하면 보통 남에게 내보일 때만 겨우 신경 쓰게 되기 마련이다. 한데 대공 부부는 오히려 반대로 타인의 눈이 있는 자리를 마다하고 남몰래 함께 시간을 보내고 있었던 것이다.

"좋은 남편분을 두어 정말 부럽네요, 대공비 전하."

아델 백작 부인이 진지하게 말했다. 아스티나는 입꼬리를 끌어

올리고는, 고마운 칭찬이노라 작게 답했다.

극이 시작될 시간이 가까웠기에 아델 백작 부인은 이후 눈치 있게 뒤로 빠져 주었다. 호감을 사고 싶은 이에게는 귀찮게 굴지 않는 게 그녀의 사교 생활 신조였다.

아델 백작 부인의 평가대로 아스티나를 향한 테리오드의 애정 어린 눈은 평소와 같았다. 자연스럽게 맞춰지는 보폭과 이따금 향하는 시선마저도 이전처럼 다정했다. 아스티나는 2층으로 올라가 자리에 앉을 때까지 마치 구름을 걷는 듯한 느낌을 받았다. 기분이 좋았기 때문이라기보단 워낙 현실감이 없었던 탓이다.

곧 사방이 완전히 어두워지며 막이 올랐다. 그러나 정작 극장 나들이를 원했던 테리오드는 시큰둥한 기색이었다. 그가 직원에게서 넘겨받았던 팸플릿을 무심히 들여다보며 말했다.

"저는 이야기책으로만 보았던 작품이라 새롭네요. 부인께선 극으로 관람하신 적이 있으십니까?"

그가 꺼낸 '부인'이라는 말이 감회가 남달랐던 통에, 아스티나는 잠깐의 여유를 둔 후에야 대답할 수 있었다.

"예, 이전에 한 번 본 적이 있습니다."

"그 사람과요?"

테리오드가 대수롭지 않은 기색으로 되물었다. 아스티나는 칸나와의 극장 나들이를 설명하려다 말고 입을 다물었다. 그녀의 표정이 천천히 굳어 들었다.

그런 반응은 예상치 못했다는 듯, 테리오드가 매끄러이 웃어 보였다.

"농담이었어요. 고작 몇십 년 전 작품이 아닙니까."

기분이 상한 건 아니었다. 오히려 그녀는 테리오드를 염려했다. 아무렇지 않은 척하는 저 얼굴이, 정말 아무렇지 않아서는 아님을 알기 때문이다.

테리오드는 팸플릿 위 한 단어를 가만히 손끝으로 덮었다. 그에게만 있는 물건이었기에 아스티나는 숨겨진 글자가 어떤 것인지 짐작해 낼 수 없었다.

이윽고 그가 가만히 입을 열었다.

"……그대가 나를 사랑한다면, 나는 저주에서 풀려난 것보다 그 애정 쪽을 더욱 기꺼워하겠죠."

테리오드는 곧 흥미 잃은 얼굴로 종이를 탁상 위로 치워 두었다. 그가 되뇌듯 말했다.

"우리는 어떻게 해야 할까요. 나는 언제나 괴롭고, 그대는 언제나 그런 나를 동정할까요?"

극에서의 주인공들은 현실보다 빠르게 움직였다. 첫눈에 서로에게 반한 남녀가 볼을 붉히며 무대 밖으로 사라진다. 그다음으론 여주인공의 행복을 두고 보지 못하는 악역이 나와 발을 구른다. 아스티나는 그가 심술궂게 보이도록 얼굴에 덧그린 주근깨까지도 눈에 담을 수 있었다. 정면으로 시선을 보낸 것은, 차마 테리오드의 얼굴을 마주 볼 자신이 없었던 탓이다.

"그런 생각을 했습니다. 만약 그대가 오지 않았다면, 내가 홀로 고꾸라져 죽었다면 차라리 나았을까."

테리오드의 눈빛 속에 스스로에 대한 혐오가 담겼다. 그가 고개를 내저으며 말을 이었다.

"나를 사람으로 만들었다고 그대가 나를 사랑할 필요까진 없어요, 나도 알아요."

"……."

"하지만 나는 그저……."

테리오드는 잠시간 말을 잇지 못했다. 어디에도 초점을 두지 못한 듯했다.

아스티나는 그의 고통을 회피하진 않기로 했다. 그녀가 처음으로 진심 어린 사과를 전했다.

"그대에겐 미안하다는 말밖에 할 게 없어."

"그게 나를 가장 비참하게 하는 점이에요, 아실 텐데."

테리오드가 스치듯 웃었다. 그러나 그것도 잠시, 그의 입가가 찬찬히 굳었다.

"당신은 내가 그대를 차마 원망할 수조차 없게 이성적이고, 형식적으로 다정해. 아무도 그대의 흉을 보지 못할 거야."

테리오드는 우습게도 아스티나를 이해했다. 그녀가 왜 그래야만 했는지 스스로에게 필사적으로 해명하고 싶었기 때문이다.

"당신은 나를 살렸고, 또 숨 쉬게 했지. 하지만 썩은 물에 빠진 물고기를 밖으로 건져 주어 봤자 죽음은 예견된 일이야."

그는 난파선에 매달린 마지막 선원이다. 갈증을 참지 못해 그만 바닷물로 목을 축였다. 죽어 가는 줄도 모르고 순간의 달콤함을 음미하다가 지금에 다다랐다.

테리오드는 아스티나와 시선을 맞췄다.

아스티나는 그를 응시하는 것과 눈을 피하는 것 중, 어느 게 그를 덜 상처 입힐 수 있는 방법인지 도통 분간할 수가 없었다.

그녀가 떨리는 음성으로 말했다.

"나도 그대가 소중해."

그녀의 비정한 말에 테리오드는 황홀하게 웃었다.

나의 바다. 물놀이를 하는 가벼운 마음으로 그만 그 광활한 품에 몸을 묻었지. 이제는 거센 파랑 아래로 내 전부를 삼켜 버릴 거대한 재앙이다.

"마티나, 나를 두 번 죽이진 마요."

그 마음이 누구를 향한 것인지 나는 아니까.

테리오드가 아스티나의 손등을 그러쥐었다. 아스티나는 무의식적으로 몸을 크게 움찔했다. 그의 입가에 떠오른 미소는 너무도 다정하여 시리게까지 느껴질 정도였다. 잘 벼려 내어 계산된 수식이 그의 피부 아래 있었다.

"나는 압니다, 당신이 내게 원하는 게 이런 거란 걸. 정이나마 들었기에 나를 버리지 못하고 있는 것도."

"……."

"당신은 내가 원하는 걸 줄 수 없지만, 그럼에도 날 동정하잖아."

그가 고개를 돌려 무대 쪽으로 시선을 돌렸다. 사랑하는 남자를 그리는 여주인공의 노래가 크게 울려 퍼지고 있었다.

"그대가 언젠가 내게 말했었죠. 연기에 재능이 있다고."

그가 언젠가의 추억을 더듬듯 말했다. 믿을 수 없는 얘기겠지만, 그날까지의 그는 말을 아낄지언정 남을 속이기 위해 거짓을 말한 적은 없었다. 아스티나가 그에게 알려 준 모든 것들은 대체로 질이 나빴다.

거짓말, 상처, 미련, 기만, 사랑과…… 배신.

"저 배우들을 봐요, 서로를 사랑하지 않지만 상대가 없으면 살지 못할 것처럼 애절한 눈을 하죠."

"……."

"그렇게 하면 됩니다. 우리에게 그리 어려운 일은 아닐 거예요. 합이야 이미 여러 번 맞춰 봤으니."

노래가 끝났다. 테리오드는 기꺼이 연기자를 위해 박수를 쳤다. 아스티나가 마른 입술을 열어 물었다.

"괜찮겠어, 정말?"

테리오드가 의아한 얼굴로 그녀를 돌아보았다. 마치 그게 무슨 뜻이냐는 듯 묻는 것만 같아, 순간 아스티나는 지금 자신이 꿈속에 있는 건 아닌가 착각했을 정도였다.

테리오드가 얼굴에 미소를 지우지 않은 채 대답했다.

"당신이 내 전부인데, 내가 어떻게 괜찮을 수 있겠어."

✤　✤✤✤　✤

"괜찮으십니까?"

벤자민이 자리에 앉자마자 꺼낸 질문이었다.

황제는 침대 헤드 보드에 등을 기댄 채 피곤한 얼굴로 벤자민을 응시했다. 이시스가 그를 위해 몸을 던진 덕에 크게 다친 곳은 없었지만, 정신적인 충격을 해소하는 데는 약간의 시일이 소요되었다. 마음고생 탓인지 황제는 평소보다 낯빛이 좋지 못했다.

안 그래도 연로한 나이의 남자다. 아끼던 아들의 실각을 겪으며 완전히 늙어 버린 듯 그는 이전보다 약한 모습을 보였다. 황제는 얼굴에서 수심을 지우지 못했다. 그가 침통한 음성으로 중얼거렸다.

"안 좋은 일만 연속해 일어나는군."

"범인에 관해서 새로 들어온 소식은 없는지요?"

"흔적도 없더구나. 뭐, 내게 불만을 가진 세력이 살수를 보내는 거야 하루 이틀 일도 아니지."

황제가 자조적으로 비아냥거렸다. 일국의 정상이란 어떤 면에서든 모두의 표적이 될 수밖에 없는 존재였다. 그러나 이번 습격만은 그에게도 감회가 남달랐다. 유사시에 나라를 맡길 이가 내정되어 있던 때와 달리, 지금은 그의 뒤를 이을 인물이 없었기 때문이다.

"내가 그대로 죽었다면 후계자도 없이 나라는 혼란에 처했겠지."

황제는 그리 말하고는, 과거에 모든 것을 주려 했던 아들의 얼굴을 떠올려 보았다. 프리모가 부끄러운 짓을 저질렀다고는 하나 그래도 그의 핏줄이었다. 황제가 오랜 기간 보아 왔으며, 무던히도 정을 주었던 아이기도 했다. 아들의 몰락을 지켜보는 마음이 편할 리는 없었다.

황제는 프리모를 지방으로 내칠 때의 기억을 회상했다. 프리모는 그때까지도 자신이 무슨 상황에 처했는지 채 깨닫지 못한 눈치였다. 이 모든 게 이시스의 계략일 거라며, 아니면 대공비의 모략이라며 횡설수설하는 못난 아들을 보고 황제는 결국 손을 올렸다. 그의 큰 손이 매섭게 허공을 가르며 프리모의 뺨 위로 떨어졌다. 황제는 아연한 기색의 아들에게 노성을 질렀다.

'멍청한 놈! 이시스가 선처를 구했기에 그 정도로 그친 것이다. 이시스가 얼마나 네게 중요한 존재였는지 아직도 모르겠느냐? 그

아이가 없었으면 네가 그 자리에 오를 수나 있었을 것 같아!'

프리모는 곧장 이 모든 게 이시스의 계략이라며 발악했다. 그 절규가 이시스에 대한 황제의 평가를 달리하진 못했다. 외려 아들에 대한 황제의 마지막 기억이 더없이 추하게 장식되었을 뿐이었다. 언제나 남 탓만 하는 아들이었기에 새롭지도 않았다.

그러나 황제는 개인적인 애도를 끝마치기도 전, 곧장 현실적인 문제에 당면했다. 바로 후계자의 부재였다. 그동안 황후는 프리모의 득세를 위해 싹이 보이는 황자를 모두 치워 냈다. 황권을 안정시키기 위해 용인했던 행위가 그의 목을 죄고 있었다. 살수가 나타났다는 사실을 알아챘을 때, 그는 목숨만큼이나 그의 빈자리를 걱정했다. 아무 대책 없이 그대로 죽음을 맞이했다고 가정하면 모골이 다 송연하였다.

황제는 물끄러미 눈을 돌려 제 앞에 앉은 벤자민을 응시했다. 그의 또 다른 아들은 어릴 적부터 영민하여 시선을 끌었었다. 황제의 눈이 애정으로 누그러졌다.

"벤자민, 얘야."

"하명하십시오, 폐하."

"네가 이러려고 궁에 들어온 듯싶구나."

벤자민이 놀란 듯 눈을 크게 떴다. 황제의 말이 너무도 의외였기 때문이 아니라, 오히려 이 상황을 예견하는 말을 이미 들은 적이 있었던 탓이다. 벤자민은 고개를 숙여 쓰게 일그러지는 입매를 숨겨 냈다.

'어쩜 누님의 판단과 한 치도 다른 바가 없군.'

계획의 성공을 축하하는 벤자민을 앞에 두고 이시스는 아직은 아니란 듯 고개를 내저었다. 의아해하는 벤자민에게 이시스는 다음 후계자는 그가 될 공산이 크다고 말했다. 자신이 쌓은 공적이라곤 존재하지 않았기에 벤자민은 그녀의 말이 기우라고 생각했다. 그러나 황제가 중요하게 보는 것은 능력이 아닌 다른 부분에 있었던 모양이다.

벤자민은 두고 보자고 호기롭게 말하던 이시스의 표정을 떠올렸다. 뿌리 깊은 패배감과 그에 대한 반발심이 동시에 공존하는 눈이었다. 그녀는 지금 이 상황을 눈에 그리기라도 했다는 듯 이어 이렇게 조언했다.

'네가 할 일은 폐하의 가장 아끼는 아들이 되는 거야. 그의 아픈 손가락은 내가 치워 줄 테니 어디 한번 아양을 떨어 보렴.'

"폐하, 저는 황위에 뜻이 없습니다."

벤자민이 부드럽게 거절을 꺼내었다. 황제는 예상했다는 듯 옅은 한숨을 흘렸다.

"내 그걸 몰라서 이러겠니. 이 아비의 마지막 소원이다 생각해라. 지원이야 얼마든지 해 줄 것이고."

황제가 이어 덧붙였다.

"그래. 네 어미도 이젠 빛을 좀 보아야 하지 않겠니."

일순 벤자민의 표정이 굳어졌다. 벤자민은 두 손을 주먹 쥐지 않으려, 그래서 분노를 드러내지 않기 위해 애썼다. 벤자민의 어머니가 황후의 매서운 눈을 피해 숨어든 지가 벌써 몇 년째인가. 그간은 잘도 모른 척 안면 몰수하더니 이제야 그녀를 입에 담는 황제가 참을 수 없이 경멸스러웠다.

아니, 애초에 프리모가 실각되기 전 황제가 벤자민을 진심으로 염려해 본 적이나 있나. 황제가 핏줄까지 체스 말로 사용할 수밖에 없는 존재란 걸 머릿속으로는 이해했으나, 벤자민은 그걸 용납할 수 없는 사내기에 황위에도 뜻을 두지 않았었다.

벤자민은 가까스로 준비된 답을 뱉어 냈다.

"폐하, 비단 제 의사만 문제가 되는 건 아닙니다. 저는 자격이 없는 사람이에요."

"네게 내 아들이라는 것 이상의 자격이 필요한지 궁금하구나."

"제가 후계로 나선다고 황궁에 대한 불신이 가라앉을까요? 프리모 형님과의 일로 사이가 벌어진 아탈렌타는요?"

황제는 벤자민의 말에 잠시간 대답하지 못했다. 그는 가까스로 기억에서 도움이 될 만한 단서 하나를 끄집어냈다.

"네가 대공비와 친분이 있다고 하지 않았느냐?"

벤자민은 곧장 가당치도 않다는 듯 말을 잘랐다.

"제가 그녀를 어떤 마음으로 생각했는지 아시지 않습니까. 전 대공에게 그리 매력적인 협력 상대가 아닙니다."

결국 황제의 미간 사이가 깊이 파였다. 여자 하나를 돕기 위해 아탈렌타행을 결정했을 때부터 그 행동의 동기가 우정이 아니라는 사실은 이미 인지하고 있던 바였다. 대공비와 금슬이 좋은 대공이라면 당연히 벤자민과 계속 얼굴을 마주쳐야 하는 상황이 부담스러울 것이다.

벤자민은 정치를 위해 연심을 버리기엔 지나치게 낭만적인 성정의 아들이었다. 마음 같아서는 벤자민을 다그치고 싶었지만, 그를 달래 후계를 잇도록 해야 하는 상황에선 그조차 불가능했다. 벤자민도 아니라면 또 누굴 그의 후계로 세울 수 있겠는가. 황제의 얼굴에 다시금 고민이 어렸다.

이때 벤자민이 쐐기를 박듯 말했다.

"폐하, 이시스 누님을 후계로 세우세요."

"이시스라니?"

벤자민의 말에 황제는 몹시 당황한 표정을 떠올렸다. 언제나 제가 황제가 되겠다는 자식들만 보아 왔지 기회가 왔는데도 걷어차는 경우는 처음이었다. 게다가 이시스와 벤자민 사이엔 별다른 연이 있는 것도 아니지 않은가. 본인이 아무런 이득을 볼 일이 없는 후보지를 내놓았다는 건 벤자민의 판단이 객관적임을 증명했다. 벤자민의 주장에 신뢰감이 담기는 건 당연한 일이었다. 황제는 무의식적으로 벤자민의 이야기에 집중했다.

"지금 가장 동정표를 받고 있는 건 이시스 누님입니다. 프리모 형님에게 죽을 뻔한 이시스 누님께서 후계를 물려받는다면 대공가도 안심할 겁니다. 자신을 죽이려고 한 자에게 반목하지 않을 자는 없을 테니까요. 그에 비해 저는 존재감이 미미한 편이지요."

확실히 벤자민은 여러모로 약한 후보지였다. 그가 영민하고 똑똑한 것은 사실이었으나, 뒷받침하는 가문도 쌓아 둔 세력도 보잘것 없었다. 벤자민이 이제 와 정치적 기반을 다지려고 한다면 큰 힘이 들 것이다.

그에 반해 이시스를 후계로 세운다면 문제가 보다 간편해졌다. 초대 황제가 바로 마티나였으니, 제국법상 카라벨라는 황녀를 후계자로 세우는 것도 가능했다. 다만 지금껏 그 누구도 그럴 생각을 품지 못했을 뿐이다. 지금까지는 한 번도 선택지에 넣지 않았던 딸이었지만, 벤자민의 말을 듣고 보니 이만한 패가 또 없다 싶었다.

지금까지 왜 그런 생각을 한 번도 하지 못했는지 스스로가 다 바보 같이 느껴질 정도로.

"하기야 프리모를 유력한 후계로 만든 게 이시스이니 어련히 잘 하겠느냐만……."

황제는 수긍하면서도 망설이듯 말끝을 흐렸다. 황제라는 자리를 이시스가 과연 감당할 수 있을까. 쉽사리 결정할 수 없는 문제였다.

"이시스 쪽이 사내였으면 더 볼 것도 없으련만."

황제가 안타깝다는 듯 혀를 찼다. 그가 고민 섞인 음성으로 말했다.

"이시스가 과연 이 중책을 받아들일지도 걱정이구나. 몸도 다 낫지 않은 상황에 아탈렌타와의 관계까지 중재해야 할 텐데, 그 애에게 너무 무거운 짐을 지우는 것은 아닐까?"

"짐이라니요?"

"지금껏 프리모의 뒷바라지를 시키느라 그 애의 혼인은 마냥 뒷전으로 미뤄 두었었지. 그것만 생각하면 항상 마음이 무겁구나. 여자의 행복이란 모름지기 좋은 곳에 시집가서 남편의 사랑을 받는 것인데……."

황제는 이시스의 결혼을 미룬 것이 진심으로 미안하다는 표정이었다. 그건 이시스에게 있어 더없는 기회였음에도 말이다. 벤자민은 겨우 실소를 삼켰다. 이시스가 이 말을 직접 들었다면 웃음을 참지 못했을 것이다. 아니면 크게 분노하며 주먹을 말아 쥐었을는지도.

그러나 벤자민은 깊이 동의한다는 듯 고개를 주억였다. 이시스에게 무거운 짐을 지우는 게 저 역시도 무척이나 가슴 아프다는 듯 얼굴을 일그러뜨리기까지 했다. 벤자민은 기꺼이 간언하는 충신의 모습을 뒤집어썼다. 고지는 눈앞에 있었고, 그는 황제의 고민을 조금 덜어 주기만 하면 되었다.

"폐하, 대의를 보십시오. 이시스 누님께는 제2의 마티나라는 좋은 정치적 이미지도 씌울 수 있습니다. 다시 전통을 짚고 넘어가기에 딱 좋은 시점이 아닙니까?"

✢ ✣ ✢

고귀한 여인의 등장에 모두가 머리를 조아렸다.

황후는 꼿꼿한 자세로 복도를 걸어 한 문 앞에 다다랐다. 시녀를 통해 방문 소식을 전하자 머지않아 문이 열렸다. 황후는 방 안으로 천천히 걸어 들어갔다.

"오셨습니까, 황후 폐하."

이시스가 웃는 낯으로 방문객을 맞이했다. 황후는 이렇다 할 대답을 하는 대신 먼저 소파에 앉았다. 이시스는 당황하지도 않고 시녀에게 일러 차를 내왔다. 차오르는 찻잔을 내려다보던 황후가 불쑥 말했다.

"황제 폐하와 얘기를 나누고 돌아오는 길이다."

이시스가 제 몫의 잔을 들다 말고 멈칫했다. 그러고는 의연한 낯을 유지한 채 되물었다.

"뭐라고 하시던가요?"

"너를 후계로 세우는 게 어떨지 논의하시더구나."

이쯤 되면 다른 선택지가 없다는 사실을 깨달았으리라 예상은 했던 바다. 그러나 이 모든 일을 꾸민 이시스조차 마음속에 설마 하는 의심을 지우지 못했었다. 만일 황제가 구제할 수 없을 만큼 고지식한 인간이었다면 이시스는 정말 그를 죽여야 했을지도 모른다. 그의 변심은 이시스에게나 그 본인에게나 다행인 일이었다. 이시스가 피식 웃으며 포만감 어린 미소를 띠었다.

"드디어, 이제야……."

짧은 중얼거림 후 이시스가 건배하는 것처럼 잔을 들었다. 그녀가 눈썹을 반쯤 추켜올리며 이어 말했다.

"마지막의 마지막이 된 후에야 저를 눈에 담으시니, 제가 앞선 이들을 모두 치워 버릴 수밖에 없지 않겠습니까?"

황후는 입술을 깨물었다. 이시스가 '치워 낸' 이들 중엔 황후의 가장 아픈 손가락도 포함되어 있었다. 목숨을 잃은 다른 경쟁자들과 달리, 그녀의 아들은 목숨이라도 부지했으니 망정일까.

그러나 황후는 이시스가 남겨 준 것보다는 앗아 간 것들에 주목했다. 황후가 손을 가볍게 주먹 쥐었다가 폈다. 악력과 함께 성대에 담겨 있던 힘을 풀어내기 위해 무던히도 애쓰며.

"그래서 하는 말인데……."

황후가 조심스럽게 말문을 텄다. 이시스가 의아한 시선을 들어 그런 어머니를 응시했다. 황후가 침을 한 번 삼키고는 물었다.

"네 오라비는 앞으로 어떻게 할 예정이니?"

"……무슨 말씀을 하시는 건지 모르겠군요."

이시스가 우아하게 차를 한 모금 머금었다. 바닥을 향한 속눈썹이 미세하게 떨렸다. 몸이 단 황후가 이시스에게 상체를 가까이했다. 황후의 얼굴엔 약간의 희망과 초조함, 그리고 심려가 어려 있었다.

"프리모가 요즘 어떻게 지내는지 아니?"

"글쎄요, 혈육이라고는 하나 저를 독살하려 한 자와 사이좋게 왕래하는 취미는 없어서요."

이시스가 나긋한 음성으로 답했다. 선을 긋는 듯한 이시스의 말에 황후는 더더욱 다급해졌다.

"얘, 네 오라비가 어떻게 살아왔는지 알지 않니. 항상 좋은 것만 먹고 걸치며 살아왔는데, 외진 곳으로 내려간 후엔 냉골에서 잠을 청하며 끼니를 거른다고 하더구나."

"누가 그러던가요?"

황후는 말문이 막혀 입을 다물었다. 황궁 밖으로 추방당한 이후 프리모는 외부와 연락을 주고받는 일도 금지받았다. 아무리 이빨 빠진 맹수가 된 황후라도 감시를 피해 아들에게 소식을 전하는 일쯤은 할 수 있었다. 이도 걸리지 않았을 때의 일이었지만.

꿀 먹은 벙어리가 된 어미를 보는 이시스의 입꼬리가 비틀렸다.

"혹, 어머니께 자비를 비는 오라버니의 절절한 편지에서?"

황후가 자리에서 벌떡 몸을 일으켰다. 그녀의 얼굴은 어느새 새빨갛게 달아올라 있었다. 본인에 의해 자식을 잃은 여자가 난동을 피웠을 때는 손끝으로만 치워 냈던 사람이, 제 아들의 불행에는 도통 체통을 지키지 못하고 있었다.

황후가 치맛단을 그러쥔 채 소리쳤다.

"그래, 연통을 넣었었다! 그 애가 지은 눈물이 떨어져 잉크가 다 번져 있더구나! 어미와 아들이 연락하는 게 무어 흠이라고 내가 잘

못한 양 말하는 게야!"

"기껏 오라버니와의 연결 고리를 끊어 자리를 지키게 해 드렸더니 그 고마움은 다 잊으셨습니까?"

황후가 흠칫 턱을 당겼다. 첫째가는 지원군인 친모가 아들이 실각한 여파를 피할 수는 없었다. 심지어 그녀가 썩 청렴한 인생을 살아왔던 것도 아니다. 위기에 처한 황후를 구제해 준 게 바로 이시스였다. 병을 주고 약을 주는 형상이긴 했으나, 그럼에도 이시스가 없었다면 황후는 자리조차 보전하지 못했을 것이다. 이시스는 주고받음이 확실한 성격이었기에 황후의 배부른 태도가 마음에 차지 않았다.

이시스는 다리를 외로 꼰 채 느슨한 시선으로 황후를 응시했다. 불손한 기색을 느낀 황후가 참지 못하고 소리쳤다.

"내가 가진 권위도, 내 아들도 앗아 가더니 나한테서 뭘 더 뺏어 가려는 작정이야! 이제 다 네 뜻대로 되었지 않아?!"

"제 뜻대로요?"

이시스가 가만히 되물었다. 황후가 진저리 치며 대꾸했다.

"그래, 후계가 되고 싶다고 하지 않았느냐. 지금 그 소망을 다 이룬 참이고! 네 오라비의 모든 것을 빼앗아서 말이다."

황후가 그리 말하며 제 딸을 노려보았다. 상대의 험악한 태도와 다르게 이시스의 입가엔 인자한 미소가 떠올랐다. 너무도 온화한 표정이었던 나머지 황후는 순간, 그들이 싸우고 있었다는 사실도 잊을 뻔했다.

이시스가 가만히 물었다.

"기억하십니까?"

"무얼—"

"제가 어렸을 때 말입니다. 일곱 살 무렵, 체형 관리를 해야 한다며 시녀들은 제게 군것질거리를 일주일에 한 번 정도만 겨우 내주었지요. 사탕이나 과자 같은 별것 아닌 음식들이었는데 그땐 그게 얼마나 입에 달았는지 모릅니다."

황후가 얼굴을 구겼다. 갑자기 이시스가 왜 뜬구름 잡는 소리를 꺼내는 건지 알 수 없었던 탓이다. 이시스는 아랑곳하지 않고 노래하듯 말을 이었다.

"그런데, 어느 날 오라버니께서 제 머리를 쥐어박더니 그 사탕 한 알을 굳이 빼앗아 먹더란 말입니다."

"대체 무슨 말을 하는 게야?"

황후가 답답하다는 듯 되물었다. 황후는 이시스가 어느 때를 말하는 건지조차 알 수 없었다. 그도 그럴 것이 너무도 일상적이고 별것 아닌 일이 아니던가.

이시스는 기억하지 못하는 황후를 위해 천천히 그때의 일을 읊어주었다.

"제가 이 일을 말하며 엉엉 울었더니 어머니는 가만히 웃으면서 시녀를 부르셨죠. 제게 새 사탕을 내어 주려고요. 그런데 바깥에서 뛰어놀던 오라버니께서 돌아와 제 옆에 앉으니, 그에게도 하나를 더 꺼내 주시더군요. 그땐 그게 어찌나 속이 상하던지……."

이시스가 유감이라는 듯 턱 끝을 문질렀다. 황후는 어이없는 얼굴로 헛웃음을 터트렸다.

"그래서 그게 서운했다고 지금 한풀이를 하겠다는 게냐? 그깟 사탕이 뭐라고 되도 않는—"

"어머니의 말대로 그냥 그건 사탕 하나였습니다. 조금 나이가 들어서는 저도 어머니처럼 생각했죠. 그까짓 게 뭐라고 그리 서럽다며 어리게 굴었나."

이시스가 귀엽지 않냐는 듯 어깨를 으쓱였다. 그러고는 고개를 오른편으로 젖히며 멍하니 천장 부근을 응시했다.

"그런데 그로부터 시일이 지나고 또 곰곰이 생각해 보니, 사탕이 문제가 아니더란 겁니다."

그리 말을 맺으며 이시스가 황후를 똑바로 응시했다. 마치 자신의 말을 이해했느냐 묻는 듯한 기색이었다.

황후는 가시에 손을 찔린 사람처럼 무심코 뒤로 물러섰다. 그러면서도 표독한 눈빛은 도통 가시지 않은 채였다.

"난 너희 둘 모두를 똑같이 아꼈어!"

"그랬다면 제 앞에서 감히 프리모의 안위를 묻진 않으셨어야죠."

마침내 이시스가 싸늘하게 일갈했다. 그 뒤로 황당하다는 듯한 웃음이 잇따랐다.

"돌아온 프리모가 제게 무슨 짓을 저지를지 정말 모르십니까? 아니면 모르는 척하시는 건지요?"

"그건……."

황후는 좀처럼 대답하지 못하고 우물쭈물거렸다. 프리모의 성정 상, 황궁으로 귀환했을 때 이시스가 무탈하리라 보긴 어려웠다. 이시스가 프리모의 의중을 읽어 내 위기를 피할 수는 있을지라도, 프리모가 가슴속에 품은 살의는 가시질 않을 것이다. 황후는 이시스에게 목숨의 위기를 떠안는, 그야말로 멍청한 선택을 하라고 말하고 있는 셈이었다.

결국 황후가 다급한 목소리로 이시스를 붙잡았다.

"황궁으로 돌아오게 하는 것까진 바라지도 않아! 다만 그 애가 조금이라도 더 편하게 지낼 수 있도록 편의를 봐줄 수 없겠니? 응? 내 얼굴을 봐서라도 말이다."

황후의 얼굴엔 이루 말할 수 없는 간절함이 어려 있었다. 그러나 이시스는 제 혀끝까지 치닫는 혐오감을 느꼈다.

독한 저주가 입 밖으로 새어 나오기 전, 이시스는 급히 숨을 들이켰다. 싸늘한 공기가 폐부를 채웠다. 잠시 머리에 올랐던 열이 가신 듯도 싶었다. 이시스가 상냥하게 웃으며 말했다.

"어머니, 이만 돌아가세요."

황후는 제자리에 서 꿈쩍하지 않았다. 애원하는 눈빛으로 딸을 바라보기만 했다. 결국 이시스는 손을 흔들어 시녀들을 불러들였다.

"애들아, 황후 폐하를 처소까지 모셔다드리렴. 다리를 못 움직이시는 걸 보니, 아무래도 거동이 불편하신 모양이다."

이시스의 명을 받은 시녀들이 황후를 둘러쌌다. 그럼에도 황후가 움직이지 않자 결국 팔까지 붙들었다. 황후와 함께 왔던 시녀들은 문 밖에서 기다리고 있었기에 제 주인을 구할 수 없었다. 무엇보다 지금 실권을 쥐고 있는 건 힘없는 황후가 아닌 득세한 황녀 쪽이었다.

"이거 놔! 놓지 못하겠어!"

황후가 핏발이 선 눈으로 소리쳤다. 황후는 제 팔을 붙잡은 시녀들의 얼굴을 하나하나 눈에 담았다. 모두 이전에 그녀에게 공손히 고개를 조아렸던 귀족가의 여식들이었다. 자신이 직접 이시스의 밑으로 넣어 준 아이도 존재했다.

황후가 참지 못하고 이시스를 향해 힘껏 악을 썼다.

"네가 사람이야, 아니면 짐승이냐! 인륜을 저버리고도 천년만년 떵떵거릴 줄 알아!"

소란은 길게 지속되지 못했다. 황후가 시녀 여럿의 힘을 당해 내지 못하고 문밖으로 내쫓긴 탓이다. 황후는 끌려 나가는 와중에도 쉼 없이 딸을 비난했다.

"네가 권좌에 눈이 멀어, 그래서 이렇게 어미를 배신하고 네 오라비를 진창으로 처박아!"

문이 닫히며 황후의 목소리가 점점 멀어졌다. 벽 너머로 얼핏 들리는 울음소리에 이시스가 피식 웃음 지었다.

"사탕이 문제가 아니라니까."

배는 순풍을 등에 업고 부드럽게 나아갔다. 황제가 다음 후계로 이시스를 점찍었다는 소문이 장안에 파다하게 번진 것이다. 아버지를 위해 몸을 사리지 않은 황녀의 모습을 모두가 지켜본 참이었다. 이시스의 명망이 높아지는 건 자연스러운 수순이었다. 어찌 되었든 후계자 자리는 비어 있었고, 왕은 노쇠했으며, 이시스 황녀 외의 굵직한 인물이라곤 존재하지 않았다. 황제에게 그러했듯, 불특정 다수에게도 이시스는 가장 나은 선택지로 보였다.

이시스는 그녀를 떠받들어 주는 말들을 굳이 억누르려 하지 않았다. 그녀를 우러르는 눈이 많아질수록 미래의 위상도 함께 높아질 것이었다. 황녀는 아탈렌타와 뜻을 함께한다는 걸 모두에게 드러내고 싶어 했기에 대공가도 관심의 중심이 되었다.

아스티나는 테리오드와 함께 부부 동반 모임이나 파티 홀에 여러 번 쏘다녀야 했다. 자신했던 것처럼, 테리오드는 타인의 앞에서 다정한 남편을 흉내 내는 데 어색한 티를 내는 법이 없었다. 극장가에서 마주쳤던 아델 백작 부인이 그러했듯 귀부인들이 부러움을 드러내는 일이 잦았다. 그런 칭찬에 귀를 기울이고 있노라면 문득 그들 사이에 벌어졌던 일들이 꿈처럼 느껴질 때도 있었다. 그러나 마차를 타고 대공저에 돌아오는 길은 어김없이 조용했다.

잠시도 떨어져 있기 싫다는 듯 바로 옆에서 그녀의 손을 지분거리던 사내는 더 이상 없었다. 그들은 싸늘한 달빛 아래 마주 앉아 시선조차 겹치지 않은 채 한참을 침묵했다. 그 의미 없는 동행조차도 목적지에 도착하고 나면 지속되지 않았다.

근래의 테리오드는 서재 옆의 작은 휴식 공간에서 잠을 청하곤 했다. 더 이상 부부 침실이라 부를 수 없게 된 공간을 아스티나 홀로 배회했다. 둘이 함께여도 넓었던 공간을 홀로 쓰니 언뜻 휑하게 느껴지기까지 했다. 아스티나는 곧바로 잠들지 못하고 넓은 침대 위에서 한참을 뒤척이곤 했다. 그녀는 점점 무언가 잘못되어 가고 있는 느낌을 받았다. 그게 무엇인지는 그녀도 알 수 없었지만.

길어진 불면은 기상 시간을 늦췄다. 늦은 아침 아스티나는 부스스한 머리칼과 함께 일어났다. 정오에 가까운 시간이라서인지 속이 허했다. 어쩌면 숙취와도 비슷한 감각이었다. 그 탓에 뜻밖의 방문 소식이 들려왔을 때 약간의 이질감까지 느꼈을 정도였다.

아스티나의 당혹감은 방문객을 맞으러 내려가 얼굴을 마주했을 때 정점에 달했다.

"오랜만이지?"

칸나가 활달하게 웃으며 인사했다. 지금은 벨라체의 방학 기간이었다. 칸나가 수도에 있을 이유가 없는 시기라는 뜻이다. 심지어 아스티나는 칸나가 이번에 레테 영지로 내려가기 전, 직접 얼굴을 보고 작별 인사를 나누기까지 했었다.

아스티나는 멍하니 칸나의 얼굴을 응시하다가, 어지러운 관자놀이를 문질렀다. 잠이 덜 깬 건가 싶었지만 오히려 시야는 갈수록 또렷해졌다.

"……칸나?"

칸나는 부담스럽게 눈을 반짝이며 고개를 끄덕였다. 품엔 한 아름 짐 가방을 끌어안은 채였다. 칸나와 같은 귀족가의 여식들은 직접 무거운 것을 들지 않는다. 힘을 쓰는 일을 천하다고 여기기 때문이다.

그러나 칸나는 도와줄 하녀 하나 없이 홀로 수도까지 올라왔다. 이는 그녀의 방문이 비공식적으로, 그리고 부모님의 인가 없이 이루어졌다는 사실을 의미했다. 덕분에 아스티나의 입 밖으로 얼떨떨한 목소리가 나왔다.

"여기까진 어쩐 일이야?"

"방학 동안 잠깐 신세 좀 져도 될까? 내 동생 어떻게 사는지 보고, 친구들도 좀 만나고."

"지금은 본가로 돌아가 있어야 하잖아."

"수도 나들이가 하고 싶어져서 말이야."

"그건 벨라체에 다니면서도 충분히 할 수 있었던 거지. 진짜 목적이 뭐야?"

"방도 많은데 나 좀 그냥 재워 주면 어디 덧나니?"

칸나가 삐죽한 투로 되물었다. 아스티나가 완강한 태도를 유지하자 결국 항복하고 말았지만.

"사실은 부모님이랑 좀 싸웠어."

칸나가 털어놓듯 말했다. 팔짱을 끼고 있던 아스티나의 입술이 조금 벌어졌다. 평생 부모님께 한 번 반항한 적 없는 칸나다. 심지어는 괴물 대공과 결혼해야 한다는 말도 안 되는 요구에도 수긍했던 그녀가 아닌가. 원체 얌전했던 성격을 생각하면 이런 막무가내식의 방문이 조금 당황스러운 것도 사실이었다.

가지고 있는 패를 먼저 내보이고 만 칸나가 주눅 든 표정을 지었다. 아스티나에게서 '마차를 내어 줄 테니 괜한 반항은 말고 집으로 돌아가라' 같은 말이 돌아올까 걱정하는 기색이었다. 칸나는 황급히 선수를 쳤다.

"만약 불편하면 다른 친구네 갈게. 너 혼자 사는 곳도 아니니까."

"애초에 수도엔 날 만나러 온 거 아니야?"

"그건 아니야. 내가 가장 잘 아는 곳이 우리 영지 아니면 바실이니까, 그래서 그냥 여기로 왔어. 근데 도착하고 나니까 네 생각이 나더라."

"여기까진 어떻게 왔는데?"

"마차 삯쯤은 챙겨 왔지, 당연히."

아스티나는 짧은 한숨을 내쉬었다. 그러고는 하녀를 불러 칸나의 짐을 손님방에 놓아 달라 일렀다. 지금 돌려보내 봤자 곧이 집으로 향할 것 같지도 않았다. 무엇보다 칸나가 평소 같지 않은 행동을 저지른 이유를 알 수 없었다. 이게 사춘기의 징조라면 관심 있게 지켜보는 편이 좋으리라.

승낙의 기색에 칸나의 얼굴이 밝아졌다. 아스티나가 꼬질꼬질해진 칸나의 얼굴을 보며 물었다.

"식사는 했어?"

"아니, 너는?"

"나도 방금 일어난 참이야. 그럼 일단 뭐라도 내오라고 할게."

"좋네, 대공 전하는 안에 계셔?"

아스티나가 멈칫했다. 아스티나는 하녀를 부르려던 손을 거둔 후 칸나 쪽으로 고개를 살짝 틀었다. 그러고는 아무렇지 않은 척 되물었다.

"그건 왜?"

"왜냐니, 당연히 네 남편한테도 인사를 해야지. 나를 불쑥 집에 찾아와 놓고 얼굴 한 번 안 비치는 예의 없는 사람으로 만들 생각이니?"

타당한 요구였다. 문제가 있다면 아스티나가 그런 요구를 하기에 조금 민망한 상태라는 데 있다. 안 그래도 황녀를 위해 바깥에 불려 다니는 시간만 해도 넘칠 정도로 많았다. 테리오드에게 언제나 시혜적인 입장이었던 그녀였건만, 최근 들어서는 그에게 죄책감을 느끼는 일이 잦아지고 있었다.

칸나는 동생의 속도 모르고 좋은 생각이 났다며 손뼉까지 쳤다.

"그래, 같이 식사라도 하면 좋을 것 같은데."

아스티나는 잠시간 침묵했다. 여기서 끝까지 대공을 부르지 않겠다고 하면 칸나가 이상하게 여길 것이다. 아스티나는 결국 부드러운 목소리로 하녀를 불러들였다.

"언니가 방문해서 그러니, 대공께 혹 점심을 같이할 수 있겠냐고 여쭈어라. 일이 바쁘면 굳이 나오지 않으셔도 된다고 전하고."

만남을 거절하고 싶을 땐 바쁘다는 핑계를 대는 것이 제일이다. 이리 단서를 붙이면 상대 쪽에서 알아서 거절해 주지 않을까.

하녀가 공손하게 고개를 조아리며 사라졌다. 아스티나는 지체하지 않고 자리에서 일어섰다. 테리오드가 귀찮게 칸나와 만나는 자리까지 나와 주리라는 생각은 들지 않았다.

"우리 먼저 가 있을까?"

"그래, 안 그래도 지난번에 맛봤던 주방장 솜씨가 눈앞에 아른거리던 참이야."

기대하는 칸나의 앞을 가로막으며 아스티나가 선수를 치듯 경고했다.

"워낙 언니가 급하게 방문했으니. 대공께서 안 나오셔도 어쩔 수 없어."

"꼭 오늘이 아니어도 괜찮아. 여기 하루만 있을 건 아니잖아."

칸나가 별 상관 없다는 듯 어깨를 으쓱였다. 그 대답이야말로 아스티나의 기분을 가장 저조하게 만들었지만.

아니나 다를까 칸나와 아스티나가 식당에 도착하고, 손 빠른 주방장이 전채 요리를 내올 때까지 대공은 나타나지 않았다. 하녀가 불참을 알리지 않는 게 조금 의아하긴 했지만 확인해 보지 않아도 결과는 뻔했다. 칸나 역시 아스티나와 생각이 같았던 모양이다.

칸나가 스푼을 내려놓으며 말했다.

"우리끼리만 식사하게 되려나 보네."

아스티나가 기대하지 말라고 하지 않았냐며 말을 보태려 할 때였다. 식당 문이 열리며 누군가 안으로 들어섰다. 그의 얼굴을 확인한 칸나가 자리에서 일어섰다.

"대공 전하."

"오랜만에 뵙는군요."

테리오드가 성큼성큼 다가와 칸나의 손등에 입을 맞췄다. 그는 생각보다 멀끔한 얼굴이었다. 아니, 그런 표현을 하기엔 조금 애매한 구석이 있었다. 근래의 테리오드는 그들 사이에 있었던 일을 원체 내색하는 일이 없었기 때문이다. 전보다 마른 뺨은 그를 더욱 어른스럽게 보이게 만들었을 뿐이다.

갑작스러운 등장에 칸나가 의외라는 듯 말했다.

"일이 바빠서 안 나오시려는 줄 알았어요."

"아무리 바빠도 얼굴 한 번 안 비칠 순 없죠."

테리오드가 그리 말하며 사람 좋게 웃었다. 그러고는 꺼내는 것이 상대를 미안하게 만드는 곤란한 목소리다.

"한데 이를 어쩌죠. 제가 지금 하고 있던 일이 있는데 아무래도 사안이 급해…….."

"어머, 저는 신경 쓰지 마세요. 이렇게 인사드린 걸로 됐어요. 아스티나랑 둘이서 할 이야기만 해도 얼마나 많은데요."

칸나가 손까지 내저으며 거절했다. 테리오드는 이해해 줘서 고맙다며 재차 칸나의 손등에 키스를 남겼다. 그가 이어 성큼성큼 아스티나에게로 다가왔다. 그의 손이 자연스럽게 아스티나의 어깨 위로 올라왔다.

"가족이 왔는데 길게 나와 보지 못해서 미안합니다. 다음에 저녁이라도 함께하도록 해요."

그가 그렇게 말하고는 상체를 숙여 아스티나의 뺨에 짧게 입을 맞췄다. 아스티나의 몸이 얼핏 굳었다. 그러나 테이블 아래로 손을 숨긴 상태였기에 그 당황은 보이지 않는 곳에 숨겨졌다.

애처가라는 인물이 아내의 자매와 인사를 나누는 와중, 배우자에게 아는 체도 않고 사라질 리는 없었다. 그리고 모르는 사람이 보기에 가장 자연스러울 모습을 테리오드가 알맞게 연기하고 있는 것도 맞았다. 그에게 거짓을 가르쳤던 경력이 보잘것없게도, 오히려 형편없는 배우로 전락한 건 아스티나 쪽이었다.

테리오드가 미련 없이 상체를 일으켰다. 그는 방금의 행동이 아무렇지 않았던 듯 곧장 작별 인사를 전했다.

"그럼 즐거운 시간 보내세요."

칸나는 아쉽지만 식사는 다음에 하자며 말을 받았다. 테리오드는 들어왔을 때처럼 서두르지 않고, 그렇다고 이 장소에서 시간을 오래 지체할 생각은 없다는 듯한 걸음걸이로 밖을 나섰다.

문이 닫히고 테리오드가 보이지 않게 됐을 때, 칸나가 홱 고개를 돌리며 물었다.

"근데 나랑 부모님은 그렇다 치고, 넌 남편이랑 왜 싸웠어?"

아스티나가 당황한 표정을 떠올렸다. 아무리 생각해도 테리오드의 응대엔 어그러짐이 없었다. 칸나가 어디서 이상한 점을 알아챘는지 알 수 없을 정도로.

그들이 보여 준 극에 문제가 없다면 단순히 칸나의 눈치가 빨랐던 걸까. 아스티나가 몰래 대공령으로 떠났던 새벽 기민하게 따라붙었던 게 그저 요행은 아니었나 보다.

아스티나가 짐짓 태연한 체하며 되물었다.

"무슨 말이야?"

"분위기가 좀 지난번과 다른 것 같은데."

"분위기?"

"내가 전에 왔을 땐 뭐라도 챙겨 주고 싶어 했었잖아. 오늘은 영 담백하시네?"

확실히 지난번 칸나가 방문했을 때의 테리오드는 지극정성이었다. 반복해서 칸나의 안위를 살폈고 아스티나의 어릴 적 이야기를 듣고 싶어 했다. 자매와의 시간을 살뜰히 챙겨 주긴 했으나 그건 아스티나에게 잘 보이고 싶어 한 양보에 가까웠다. 아마 칸나가 그러라고만 했다면 둘만의 자리에도 끼어들었을 것이다.

아스티나는 스푼을 접시 위로 가져갔다가, 이미 음식을 다 비워 냈다는 사실을 상기해 냈다. 소스가 묻은 바닥을 가볍게 긁자 기분 나쁜 소리가 번졌다. 아스티나가 덤덤히 대답했다.

"말했잖아. 바빠서 그렇다고."

"무슨 일 있는 건 아니고?"

"무슨 일이 있긴."

칸나의 눈이 가늘어졌다. 아스티나는 그 기색을 놓치지 않고 스푼 끝으로 칸나를 겨냥했다.

"자꾸 이상한 소리 하지 마."

"그거야 차차 두고 보면 아는 문제고."

칸나가 그리 말하며 어깨를 으쓱였다. 그러고는 '너도 말 안 했으니까 나도 여기 왜 왔는지 안 알려 줄래.'라고 얄밉게 덧붙였다. 아무래도 동생 부부의 불화에 관심이 갔다기보단, 제 흠을 감출 기회가 생긴 걸 반기는 눈치였다.

안 그래도 테리오드의 일만으로도 머리 아픈데 칸나까지 등장하다니.

아스티나는 내색하지 않고 좋은 술을 꺼내 달라 일렀다. 일단 알코올이 들어간 상태라면 칸나도 조금 솔직해지지 않을까 싶어서였다. 칸나가 술을 잘하는 편은 아니었기에 특별히 당도가 높은 물건으로 엄선했다. 입맛에 맞는 술을 섭취한 칸나는 역시나 눈에 띄게 풀어진 반응을 보였다. 맛 좋은 디저트와 함께 와인 반병을 비운 후에야 칸나는 약간의 실마리를 풀어놓았다.

"곧 졸업이잖아."

그리 운을 떼며 칸나가 힘없이 포크를 떨구었다. 방금 해치웠던 음식들의 여파인지 그녀는 거의 드러누워 있었다. 어쩌면 사람들의 눈이 없는 자리이기 때문일 수도 있고.

칸나가 흥미 없는 손끝으로 테이블 위를 짚었다. 그녀가 중얼거리듯 덧붙였다.

"그럼 바로 결혼이고."

아스티나가 의외라는 듯 되물었다.

"결혼하기 싫어?"

칸나는 그야말로 이상적인 레이디였다. 부모님께 잘 교육받고 자라 학식을 갖춘, 교양과 외모를 겸비한 준비된 신붓감. 새삼 결혼을 다시 생각하는 말이 나오는 게 어색하게 느껴질 정도였다.

"딱히 그런 건 아니야. 어쨌든, 인생의 분기점이 다가왔다는 거지. 결혼하고 나면 사는 집과 이름 뒤에 따라붙는 성. 입는 옷 스타일까지 바뀔 테니까."

그리 말한 칸나가 아스티나 쪽을 돌아보았다. 동생을 머리부터 아래까지 살핀 후 방금과 상반된 평가를 내놓았다.

"넌 별로 안 바뀐 것 같긴 해."

칸나의 의도를 나쁘게 받아들인 건 아니었지만, 아스티나는 공격받았다고 느꼈다. 아스티나가 변명하듯 말했다.

"많이 바뀌었어, 나도."

"아니, 넌 하나도 달라진 게 없어."

칸나가 단언하듯 말했다. 그러고는 술에 취한 사람 특유의 일장연설을 시작했다. 부모님과 왜 싸웠는지를 털어놓을 줄 알았더니, 아무래도 아스티나에게 훈계를 할 요량인 듯싶었다.

"어머니가 결혼은 포기의 과정이라고 했었던 것 기억해?"

당연히도 기억했다. 레테 백작 부인은 그들 자매가 어렸을 때부터 결혼 생활에 대한 조언을 건네길 즐겼다. 칸나와 아스티나에겐 포도 주스를, 그리고 본인의 잔에는 와인을 채워 놓고 기세 좋게 건배까지 나누었다. 어린 아스티나가 어머니의 잔을 눈독 들였던 것만 빼면 그럭저럭 오붓한 시간들이었다.

아스티나가 불만족스럽게 턱을 들며 되물었다.

"타인을 완벽하게 이해할 수 있다는 자만을 포기해야 깨달음이 찾아온다, 였나?"

"대충 그랬던 것 같아."

"전부터 생각했지만 너무 체념 조의 이야기 아닌가?"

"하지만 함께 사는 사람에게 절대 바꿀 수 없는 단점이 있다면, 결국은 체념하는 수밖에 없잖아?"

그리 이해가 가는 바는 아니었지만 아스티나는 수긍했다. 언쟁을 길게 해 봐야 다음 이야기를 들을 기회를 놓칠 뿐일 것이다.

"갑자기 그 얘긴 왜?"

"어쨌든, 결혼은 희생의 한 종류라는 거지."

칸나가 그리 대답하고는 크게 한숨을 내쉬었다.

확실히 심란해질 시기였다. 칸나의 졸업은 머지않았고 그녀는 곧장 결혼 시장에 뛰어들어야 할 것이다. 칸나가 결혼한다면, 그녀의 말마따나 아주 많은 게 바뀔 터였다. 아스티나는 천천히 자신의 결혼 생활을 되짚어 보았다. 스스로에게도 그러한 변화가 존재했는지를 알아보기 위해서. 그러나 칸나가 지적한 대로 아스티나는 자신이 달라질 수 없는 사람이라는 사실만 체감했을 뿐이었다. 그 잔인한 깨달음에 다친 건 비단 아스티나뿐만도 아니었다.

칸나가 그런 아스티나를 비난하듯 물었다.

"어쩌면 넌 아무것도 포기하지 않은 거 아니야?"

지적당한 기분에 아스티나는 결국 짜증 어린 목소리를 내뱉고야 말았다.

"왜, 동생의 결혼 생활에 갑자기 훈계가 하고 싶어졌어?"

"아니, 오히려 그랬으면 해. 난 네가 이 결혼을 행운이라 여길 정도로 행복했으면 좋겠어."

칸나는 테이블 위로 팔꿈치를 올리며 상체를 당겼다. 그녀가 손등에 오른뺨을 괸 채 그윽한 눈으로 아스티나를 응시했다. 그러고는 가만히 뇌까리듯 중얼거렸다.

"미안해서 그래, 내가 너한테 미안해서."

칸나는 아직 죄책감이란 걸 버리지 못했나.

아스티나는 칸나를 잠시 응시하다가, 그만 참지 못하고 시선을 피했다. 애석하게도 그녀는 자매의 바람만큼 행복하지 못했다.

✤ ✤✤✤ ✤

칸나의 체류는 예상보다 길어졌다. 부모님께 편지를 부치자 잠깐만 칸나의 신변을 부탁하겠다는 답이 돌아왔다. 분란의 이유를 밝히지 않은 건 부모님도 같았다. 아무래도 칸나 혼자만의 잘못이나 반항은 아닌 듯싶었다. 아스티나는 작전을 바꿔 인내심 있게 칸나를 방치했다. 물론 이는 굳이 부모님과의 일을 캐묻지 않은 것뿐으로, 칸나가 찾아온 이후 아스티나는 자매에게 대부분의 시간을 할애했다.

아스티나는 지난번 방문처럼 칸나를 데리고 이곳저곳을 부지런히 돌아다녀 주었다. 아스티나가 칸나를 정신없게 하는 동안, 테리오드는 예의 '일이 바쁘다'는 핑계를 들어 셋이 모일 자리를 잘도 피해 갔다. 칸나는 그런 그를 붙들고 주말에 함께 식사하자는 약속을 받아 내는 대단한 성과를 보였다. 그 얘기를 전해 들은 아스티나의 가슴에 답답함이 쌓인 것만 빼면, 그럭저럭 평화로운 동거였다.

"어머, 아직도 일하시는 거예요?"

잠자리에 들기 위해 서재로 향하는 길, 복도에서 칸나와 마주치지 않았다면 테리오드도 그렇게 생각했을 것이다.

"아뇨, 저도 이제 이만 자러 가야지요."

테리오드는 몸을 돌려세우고는 친절하게 웃어 보였다. 그야말로 몸에 밴 친절이었다. 종종 모든 것을 부수고 싶은 파멸적인 욕구가 드는 것과 반대로, 근래의 테리오드는 더욱 상냥하고 여유로워졌다. 그건 먼저 나가떨어지는 건 본인이 아니어야 한다는 오기에 가까웠다.

칸나가 마침 잘되었다는 듯 반색했다.

"그럼 같이 가요. 손님방이 부부 침실이랑 가깝던데요?"

"아, 전 가지고 갈 책이 있어서……."

테리오드가 부드럽게 거절의 말을 꺼낼 때였다. 어차피 그가 잠을 청하는 곳은 부부 침실이 아니었다. 그러나 칸나는 다 이해한다는 양, 그러나 그래서는 안 된다는 듯 고개를 내저으며 이렇게 말했다.

"대공 전하. 싸웠을 때 멀어져 있으면 더 오해가 쌓여요."

그 말에 테리오드의 입가가 조금 굳어졌다. 테리오드가 반쯤 가라앉은 음성으로 되물었다.

"……그녀가 싸웠다고 말하던가요?"

"어머, 물론 짐작이긴 했는데—"

"오해를 하시는 것 같네요. 정말 바빠서 시간이 없는 것뿐이라, 그런 걱정은 하지 않으셔도 됩니다."

테리오드의 단호한 반박에 칸나가 알겠다는 듯이 고개를 끄덕였다. 생각보다 순순히 돌아온 수긍에 테리오드가 돌아서려 할 때였다. 칸나는 뜻밖의 제의를 건넸다.

"그럼 같이 갈까요?"

아무래도 그냥 놓아주지 않을 태세다. 칸나는 둘이 싸우지 않았다는 말을 믿고 있지 않는 듯했지만, 그렇다고 반복해 거절했다간 의심이 확신이 될 터였다. 테리오드는 결국 포기하고 부부 침실로 향하는 길을 밟았다.

그간 복도는 여러 번 지나쳤었지만, 그 문 앞엔 잘 서지 않았었다. 생경한 기분의 테리오드를 배웅하고 칸나는 손님방으로 사라졌다. 테리오드는 칸나의 멀어지는 등을 응시하다가 결국 문을 열었다. 문이 열리는 소리에 제게로 시선이 돌아왔다. 테리오드를 발견한 아스티나가 당황한 얼굴로 그를 불렀다.

"……테리오드?"

테리오드는 마저 안쪽으로 들어가는 대신 문에 등을 기대고 섰다. 몇 걸음 정도 더 안으로 들어간다고 달라지는 점은 없겠지만 심리적인 거부감은 여전했다. 테리오드는 문 뒤편을 넘겨보며 칸나가 어디까지 향했을지를 가늠했다.

그러나 이내 포기하고는 미끄러지듯 벽에 기대앉았다. 같은 공간에서 지내는 이상 계속 속이기가 쉽지 않겠다는 생각이 든 탓이다. 테리오드가 자조하듯 말했다.

"당신의 자매와 당신 사이에 비슷한 점이 없진 않은가 봐요. 결국은 그녀에게 말려든 걸 보면."

아스티나는 어렵지 않게 테리오드가 왜 부부 침실로 들어왔는지 유추해 냈다. 그의 자의일 리는 없으니 지금 입에 담은 상대가 동기를 만들어 주었을 것이다.

아스티나가 약간의 죄책감이 어린 음성으로 되물었다.

"칸나가 뭐라고 하던가요?"

"아니요, 하지만 아무리 바쁘다고 해도 계속 서재에서 지내면 이상하게 비치겠죠."

"다른 누가 여기 있는 게 불편하면 숙소를 내줘도 돼요."

"아내의 자매를 그런 식으로 대접하면 소문이 어떻게 나겠습니까."

"소문이 신경 쓰이시나요?"

테리오드는 고개를 젖혀 뒤통수를 문에 기댔다. 목재로 된 물건
이었지만 머리를 식혀 줄 정도로는 차가웠다.

"당신은 항상 모두에게 괜찮아 보이고 싶어 하니까."

"……."

"우리가 망가진 걸 숨기고 싶잖아요."

테리오드의 말은 틀렸다. 아스티나가 그걸 숨기고 싶어 하는 상
대는 다른 누구도 아닌 바로 그녀 자신이었다. 아니면 지금 눈을
마주하고 있는 테리오드 쪽이든지.

그들의 망가짐은 일방적이었다. 아스티나는 잠시 기우뚱거렸고,
테리오드의 세상은 완전히 뒤집혔다. 한쪽만 돛이 펴진 배는 온전
한 방향으로 향할 수 없는 법이다. 그들은 비틀린 항로를 채 바로
세우지조차 못했다.

아스티나는 목 아래를 간지럽히는 어떠한 감정을 느꼈다. 안타까
움인지 비탄인지, 혹은 그 외의 무엇인지는 알지 못했다. 아스티나
가 가라앉은 음성으로 물었다.

"우리가 망가졌다면, 내가 망가뜨린 걸까."

"……."

"그대는 나 때문에 망가졌나."

말을 꺼낸 당사자인 아스티나조차 제 저의를 알 수 없었다. 그게 사
실인 걸 알면서도 아니라는 답이 듣고 싶었던 걸까. 아니면 자신 때문
에 괴로워하는 그를 보며 그릇된 충족감이라도 채우고 싶은 건가.

물끄러미 아스티나를 응시하던 테리오드가 자리를 털고 일어섰다. 그가 스치듯 웃으며 중얼거렸다.

"꼭 생각지도 못한 사실처럼 말하네요."

그가 그대로 문을 나설 것이라 예상한 것과 다르게, 테리오드는 그녀를 향해 걸음을 디뎠다. 테리오드가 아스티나의 앞에 멈춰 섰다. 아스티나는 그가 화난 얼굴을 하고 있으리라 생각했지만, 실제로 올려다본 그의 표정엔 아무 감정이 비치지 않았다. 테리오드가 불쑥 입을 열어 말했다.

"그녀가 왜 여기로 왔는지 알아봤었습니다."

이름을 언급하지 않은 탓에 아스티나는 테리오드가 누굴 지칭한 것인지 곧장 알아듣진 못했다. 근래 대공가엔 방문객이 많지 않았기에 '왔다'고 표현할 만한 인물은 손에 꼽았다. 그가 기억해 내고 언급할 사람이라면 더더욱 그러하다. 아스티나는 곧 그가 칸나에 대해 이야기하고 있음을 깨달았다.

당사자가 여기 있었기에 아스티나는 칸나를 구슬리기만 했지, 따로 사람을 쓸 생각까진 못했었다. 답은 의외로 타인의 입을 통해 쉽게 찾아낼 수 있었던 걸까. 아스티나가 의외라는 듯 조금 눈을 크게 떴다.

"무엇…… 때문이라던가요?"

"레테 백작 부부가 장녀의 혼사에 저희 가문의 도움을 받고자 했다더군요."

아스티나는 그 말로 지금까지의 정황을 완벽히 이해했다. 자연히 술에 취해 몇 번이고 미안하다는 말만 꺼내던 칸나의 모습이 떠올랐다.

아탈렌타가 내민 손으로 파산은 면했지만, 레테 백작가는 이미 체면을 구겼다. 호기로 사업을 망칠 뻔한 사내와 사돈을 맺고 싶어 하는 가문은 그리 많지 않았다. 차녀가 아탈렌타 대공과 혼인하여 기사회생하긴 하였으나, 대공이 아내의 자매와 결혼할 남자까지 도울지는 미지수였다.

불확실한 일에 판돈이 걸릴 리 없다. 레테 백작 부부는 아탈렌타 의 지원을 보다 '확실하게' 만들고 싶었을 것이다. 그들이 그리 염 치없는 인물들은 아니었던지라 다른 편의를 봐 달라는 요청은 한 번도 꺼냈던 적이 없었다. 하지만 자신들의 과오로 딸이 받을 취급 을 생각하면 그들도 비굴해지지 않을 수 없었을 터였다. 테리오드 가 한마디 말만 하면, 그리고 약간의 편의만 봐준다면 해결될 문제 였다. 과거의 그였다면 얼마든지 기쁘게 내어 주었을 호의이기도 했다. 그들 관계의 민낯이 까발려지지 않았을 때라면.

"부모님께 말할게요, 그렇게까지 할 순 없다고."

아스티나가 선수를 치듯 거절했다. 차라리 이시스의 손을 빌릴지 언정 테리오드에게 또다시 신세를 지고 싶진 않았다. 이런 일은 고 작 한 번의 수고로 끝날 문제도 아니었다. 그러나 테리오드는 의중 이 모호한 말을 했다.

"사이좋은 부부간에, 사돈 되는 가문의 중매조차 못 서 준다니 말이 안 되는 것 같은데요."

"당신에겐 그럴 의무가 없어요."

"세간의 눈을 말하는 겁니다. 내가 갑작스러운 방문에도 당신의 자매를 이 집에 두었듯이."

아스티나는 도대체 테리오드가 왜 아무것도 모른다는 듯 구는지 알 수 없었다. 아니면 연기를 제안했던 지난번처럼, 단순히 모른 척을 하려는 거지도 모른다.

"내가 당신한테 이보다 더 염치없어질 수 있겠어?"

아스티나가 헛웃음과 함께 반발하듯 말했다. 테리오드도 그 뜻을 모르지 않았다. 오히려 그는 그에게로 아스티나의 기대가 더욱 기울길 바랐다.

"난 그대에게 짐을 지우는 게 좋아요."

"……."

"딱 그만큼은 나를 봐주거든."

말문이 막혔다. 아스티나는 그만 입을 다물었다. 테리오드는 아스티나가 왜 그를 상처 주지 않으려 애쓰는지 알고 있었다. 그녀가 행동하는 동기는 언제까지나 부채감에서 기인했다. 그가 말도 안 된다는 듯 되물었다.

"내가 당신을 원망하지 않길 바라요? 비겁하게도?"

"내게 미안하다는 말을 들어도…… 그대는 구원받지 못하잖아."

아스티나의 말은 언뜻 무감하게도 들렸으나, 그것이 사실이었다. 테리오드는 문득 언제나 이성적으로 남을 수 있는 그녀가 부럽다고 생각했다. 그리고 동시에 자신은 결코 그렇게 될 수 없다는 사실도 알고 있다. 테리오드는 그녀에게 사랑을 구걸하는 자신이 몹시 못났다고 여겼지만, 기실 그들의 관계는 태초부터 같은 모양새를 유지해 왔다.

"나는 당신에게 언제나 그 정도였죠."

"……."

"좋아하는 것도, 마음 쓰는 것도, 심지어는 동정하는 것까지, 어디까지나 그대가 이성을 유지할 정도로만. 결코 간절하지는 않게."

아스티나는 대답하지 않았다. 테리오드는 말없이 그녀가 걸터앉은 시트 위에 자리 잡았다. 테리오드가 아스티나와 눈을 마주하며 말했다.

"이전에는 그대를 뒤흔들 수 있는 사람이 존재는 하느냐고 묻고 싶었어."

"……."

"그대를 사랑하게 된 후엔 그게 나이길 바랐고."

테리오드는 눈을 돌려 불확실한 어딘가를 응시했다.

나아갈 수도 물러설 수도 없다면, 그들은 그저 제자리에 머무를 뿐인가?

"지금은……."

테리오드는 더 이상 말을 잇지 않았다. 그의 속내는 울림을 얻지 못했다. 대신 테리오드는 의미를 알 수 없는 눈으로 그녀를 응시했다. 아스티나가 그 막연한 기대에 대답했다.

"난 당신에게 줄 수 있는 게 없어."

"알아요, 내가 원하는 걸 당신이 절대 줄 수 없다는 건."

"……."

"하지만 그런 척은 할 수 있잖아. 다른 사람 앞에서도 했던 연기니까."

테리오드가 손을 뻗어 아스티나의 뺨 위에 대었다. 테리오드는 언니의 영위를 조건으로 들었지만, 애석하게도 아스티나는 부모에게도 벌을 주려 했던 사람이었다. 부모의 과오로 벌어진 일들은 오롯이 그들의 몫으로 여겼다는 뜻이다.

그럼에도 아스티나는 떨리는 입술을 열었다.

"사랑해."

혀가 딱딱하게 굳은 탓에 발음마저 불분명했다. 아스티나는 제 뺨을 그러쥔 그의 손등을 감쌌다. 그녀는 진실로 궁금했다. 그는 기만 속에서 괜찮을 수 있는지.

"이게 그대에게 위안이 돼?"

아스티나의 얼굴을 빤히 들여다보던 테리오드가 헛웃음을 지으며 고개를 숙였다. 그가 얼굴을 들지 못한 채 물었다.

"이런 내가 경멸스럽습니까?"

"아니."

"그렇다면 나를 동정해?"

"나도…… 모르겠어. 당신이 나한테 무슨 의미인지."

아스티나가 갈라진 음성으로 대꾸했다. 그녀 역시 칸나 때문에 그를 붙잡은 건 아니었다.

아스티나는 이윽고 그녀를 누르는 힘에 이끌려 넘어졌다. 바로 위에서 나풀거리는 은빛 머리칼이 시선을 잡아끌었다. 아스티나는 그 바로 아래, 테리오드의 그림자 진 낯을 보지 않으려 눈을 감았다.

반대로 테리오드는 아스티나의 위에 올라탄 채 그녀를 잠시간 내려다보기만 했다. 테리오드의 손이 아스티나의 가슴 위, 목 바로 아래에 닿았다. 아스티나는 짧게 침을 삼켰다. 쇄골 부근에서 압박감이 느껴졌다. 그리고 약간의 떨림 역시, 느꼈다.

테리오드가 토로하듯 말했다.

"난 그대를 증오해."

아스티나는 가슴 한편이 베였다고 느꼈다. 그의 음성에서 진심을 읽어 냈기 때문이다. 테리오드가 그 반면에 다른 감정을 숨기고 있다는 것도 알았지만, 그의 사랑은 아스티나에게 죄책감을 더해 줄 뿐이었다. 차라리 그가 자신을 지긋지긋하게 여겨 정을 뗐으면 좋겠다 싶기도 했다.

이윽고 테리오드가 몸에 힘을 빼고 상체를 뒤로 물렸다. 그의 머리가 오른편으로 기울어졌다. 그는 잠시간 사람이 아닌 기이한 무언가를 보는 눈으로 그녀를 내려다보았다.

"난 왜 당신을 사랑했을까."

"……."

"왜 하필 당신이었을까."

길거리에서 스쳐 지나갔다고 해도 그녀를 알아봤을까. 다른 어느 곳에서 마주쳤어도 같은 감정을 느꼈을까. 테리오드는 그들이 운명이라 불릴 만한 무언가는 되는지 궁금했다. 그것도 아니라면 그가 왜 이런 상처 속에 있는지 설명할 수 없었기 때문이다.

테리오드는 고개를 숙여 그녀의 입술을 삼켰다. 아스티나에게선 미동조차 느껴지지 않았다. 그는 스스로를 관성적으로 비참하게 만들고 있었다. 테리오드는 욕지기를 참으며 몸을 일으키려 했다.

"보름이 머지않았으니까."

그런 그를 골리기라도 하듯, 아스티나의 손이 테리오드를 붙잡았다. 늘 그러했듯 그녀의 친절은 질이 나빴다.

"이번에도…… 한낱 미물이 되기 싫어서 그랬다고 변명해요, 우리는 어쩔 수 없었다고."

테리오드는 자신을 올려다보는 아스티나의 눈을 마주했다. 테리오드가 회의감을 느낄 때마다 그녀는 이런 식으로 그를 붙잡는다.

테리오드가 젖은 웃음과 함께 되물었다.

"전부 거짓말인데도?"

"하지만 둘 다 잠깐은 속잖아."

거짓을 말하는 혀는 달콤했다. 결국 테리오드는 그를 충동질하는 입술을 놓지 못했다.

✤ ✤✤✤ ✤

다음 날 테리오드는 이야기만 나누고 내내 미뤄 두었던 식사 약속을 실행에 옮겼다. 목적지로 출발하기 전 테리오드는 두 자매를 위해 마차를 따로 타겠다고 제안했다. 칸나가 자신과 있으면 불편할 거라며 배려하는 것처럼 말했지만, 사실은 그 본인이 아스티나와 함께 있는 자리를 피하고 싶어서였다.

그러한 속내까지 깊게 파고들진 않은 듯 칸나도 흔쾌히 승낙했다. 아무래도 그녀는 테리오드의 의중보다는 다른 부분에 정신이 팔린 모양새였다. 마차에 탈 때부터 입이 가려운 표정을 짓던 칸나가 문이 닫히자마자 재빠르게 물었다.

"그래서, 지난밤은 어땠어?"

알 만한 질문이었지만 아스티나는 모른 척하기로 결정했다. 아스티나가 성의 없이 커튼을 젖히며 되물었다.

"무슨 말이야?"

"어휴, 내가 어제 네 남편 침실로 보내 줬잖아. 또 바가지 긁은 건 아니지? 화해는 좀 했어?"

아스티나는 새삼스레 짜증이 조금 솟는 걸 느꼈지만, 아무것도 모르는 칸나에게 화풀이를 할 수도 없는 노릇이었다. 무엇보다 테리오드의 방문이 정말 자신에게 불만스러운 일이었다고 말할 수도 없었다. 애초에 대화를 피하려고 하는 건 테리오드 쪽이지 그녀가 아니었기 때문이다. 어젯밤 떠나야 할 그를 붙잡은 것도 다름 아닌 그녀였다.

"몇 번을 말해? 애초에 안 싸웠다니까."

아스티나가 평온한 투로 대답했다. 의심으로 세모꼴이 되었던 칸나의 눈이 곧 맹숭맹숭하게 흐려졌다. 아스티나를 캐 봐야 더 얻을 게 없다고 생각한 듯 알아서 결론을 내리기까지 한다.

"뭐, 어차피 오늘 외식이 잡힌 걸 보니 뻔한 일이네."

아스티나가 빤히 쳐다보기 시작하자 칸나가 먼저 시선을 피했다. 다행히도 칸나의 깐죽임은 그쯤에서 그쳤다.

저택은 시가지와 가까운 편이었기 때문에 알아 둔 식당으로 향하는 것도 금방이었다. 그들은 곧 마차에서 내려섰다. 귀빈의 방문에 지배인이 등장해 정중하게 안내했다. 칸나와 테리오드, 아스티나는 따로 마련된 독실로 들어갔다.

안내받은 곳은 볕이 잘 드는 창가 자리였다. 해가 질 즈음이라서인지 흰 테이블보 위엔 빨간 물이 들어 있었다. 미리 방문 시간을 언질해 둔 덕분에 자리에 앉자마자 음식이 나왔다.

식사 분위기는 화기애애했다. 테리오드는 몹시 유려하게 대화를 끌어갔고, 그가 던진 농담 몇 마디에 칸나는 얼굴이 빨개질 때까지 웃기도 했다. 아스티나도 그 옆에서 테리오드에게 몇 마디 핀잔을 건네는 것까지는 연기해 낼 수 있었다.

　문제는 메인 요리가 등장하고 주문한 술이 반쯤 동났을 때 발생했다. 테리오드가 식사 자리를 청한 목적이 그제야 드러난 것이다.

　"사실은, 왜 수도에 오셨었는지 저희 나름대로 알아봤었습니다."

　방금까지 하던 대화에서 바로 이어진 듯 전혀 이질감이 없는 목소리였다. 지난밤 따로 나눠 둔 이야기가 있었기에 아스티나는 그다지 놀라지 않았다. 테리오드는 아스티나에게 짐을 지우는 게 좋다고 말했고 칸나는 적절한 핑곗거리였다. 둘 다 비겁하게 칸나의 뒤에 숨어 버린 셈이었다. 이래서야 가출을 행한 철부지보다 더 어른스럽다고 말할 수도 없었다.

　그러나 칸나에겐 전혀 예상하지 못한 화두였던 듯했다. 웃음기 어렸던 칸나의 얼굴이 빳빳이 굳어 들었다.

　"그게 무슨……."

　"말씀을 안 해 주시니까요. 걱정스러웠기도 하고, 아무래도 집을 오래 떠나 계시면 백작 부부 내외께서도 마음이 편치 않으실 듯해서요."

　테리오드가 그리 말하며 친절하게 웃었다. 그가 들고 있던 잔을 내려놓으며 말을 이었다.

　"다행히도 제가 해결해 드릴 수 있는 문제라—"

　"잠깐만요, 대공 전하. 제가 왜 부모님과 싸웠는지…… 아신다고요?"

　칸나가 다급히 테리오드의 말을 멈춰 세웠다. 테리오드가 눈썹을 추켜올리며 되물었다.

　"결혼 문제, 아니었습니까?"

　칸나는 모욕이라도 당한 사람처럼 얼굴을 붉혔다. 그녀가 커트러리를 거의 내동댕이치다시피 하며 황급히 손을 테이블 아래로 숨겼다. 예상보다 과민한 반응에 테리오드가 부담 갖지 말라며 덧붙였다.

"신랑감 소개쯤이야 저희 가문에선 얼마든지 해 드릴 수 있습니다. 따로 이야기가 오가던 집안이 있다면 지원을 약속드릴 수도 있고요."

"말씀은 감사하지만…… 그럴 필요는 없으세요."

마음을 정리한 칸나가 단호한 거절을 남겼다. 그녀가 강조하듯 재차 고개를 저었다.

"그렇게까지 신세를 질 순 없어요."

"문제 될 것이 있습니까?"

테리오드의 물음에 칸나가 그를 응시했다. 칸나는 그의 말이 끝나기가 무섭게 반문했다.

"문제가 되다마다요. 그게 말이나 되는 일이라고 생각하세요?"

언뜻 표독스럽게까지 느껴지는 음성이었다. 칸나는 아예 자리에서 일어나려고까지 했다. 그녀가 무릎 위에 올려 두었던 냅킨을 치우며 몸을 일으켰다.

"제가 잘못했네요. 그런 말을 들었더니 아스티나 생각이 나서. 애초에 여기 오지 말았어야 했는데 실수했어요."

테리오드만큼이나 아스티나도 당황했다. 아스티나는 반사적으로 칸나를 따라 일어섰다. 아예 손을 붙잡자 칸나가 우는 듯한 얼굴로 돌아보았다. 아스티나는 가지 말란 듯 고개를 내저었다. 칸나는 아스티나를 떨쳐 내기 위해 몇 번 손을 흔들었지만, 아스티나가 놓아 주지 않았다.

결국 칸나는 마지못해 다시 자리에 앉았다. 칸나는 입술을 깨문 채 잠시 제 앞의 접시만 노려보았다. 이윽고 그녀의 잠긴 음성이 울렸다.

"대공 전하, 아시나요? 원래 여기 오기로 했던 건 저였다는 걸요."

"……압니다."

"모든 것이 잘 풀린 와중 이런 이야기를 꺼내기도 외람되지만, 본디 대공가로 '팔려 가기로' 했던 건 제 쪽이었습니다. 아스티나가 비겁한 언니를 대신해 먼저 나선 것이고요."

"예, 덕분에 저는 그녀를 만났지요."

거기까지 말한 테리오드가 짧게 스치듯 웃었다. 사랑에 빠진 남자가 할 법한 말이었지만 그래서 더욱 이질감이 들었다. 이는 아스티나만 알아챌 수 있었던 찰나의 일로, 그는 곧장 칸나에게 이렇게 되물었다.

"그게 이 일과 무슨 상관이 있습니까?"

칸나는 침착하게 숨을 한번 크게 들이마셨다. 심호흡을 마친 그녀가 언성을 높이지 않으려 애쓰며 말을 이었다.

"물론 호의로 해 주신 말씀인 것, 저희에게 과할 만큼 잘해 주고 계신 것 모두 압니다. 하지만 그게 제 직접적인 편의로까지 이어지는 건 바라지 않아요. 이상한 고집이라고 보셔도 좋습니다. 하지만 제가, 어떻게 저를 위해 목숨을 내놓은 동생의 덕을 볼 수 있겠어요?"

"그런 식으로 생각하실 문제가—"

"저에겐, 맞습니다. 더 이상 권하신다면 저를 구제 못할 파렴치한으로 생각하신다고 받아들일게요. 이 얘기는 더 꺼내지 않았으면 좋겠네요. 영지엔…… 곧 돌아가겠습니다."

칸나가 듣지 않겠다는 듯 테리오드의 말을 잘랐다. 테리오드는 그런 칸나를 보며 등받이에 등을 기댔다. 시선이 잠시 아스티나 쪽으로 향했지만, 곧 비껴갔다.

테리오드가 물 잔을 들어 입을 한 모금 축였다. 어쩌면 당연히도, 그는 칸나의 주장에 그다지 수긍하지 못한 표정이었다. 그가 곤란한 얼굴로 되물었다.

"글쎄요, 그거야말로 이기적인 말씀 아니십니까?"

칸나가 이해가 가지 않는다는 얼굴로 테리오드를 응시했다. 테리오드가 눈을 가늘게 뜨며 이어 말했다.

"안 그래도 마음고생이 심했던 아내입니다. 그런 그녀가, 하나뿐인 자매가 변변찮은 영식과 혼인하여 평생을 괴롭게 사는 걸 지켜봐야겠습니까?"

"그건……."

"자존심, 혹은 마지막 남은 양심. 아마 본인께서도 어떻게 표현하셔야 할지 모르실 듯하지만 전 알맞은 단어가 있다 싶군요. 어리광이라고."

테리오드가 딱 잘라 말했다. 내내 보았던 친절한 모습과는 다른 냉철한 응대였다. 틀린 말이 아니었기에 칸나도 이렇다 할 반박을 내놓진 못했다. 칸나에겐 결코 저버리고 싶지 않은 한 가지가 있었고, 그건 스스로와 가족들을 동시에 이해시킬 수 없었다.

테리오드가 쐐기를 박듯 되물었다.

"말씀하신 결정에 청렴하게 살았다는 잠깐의 충족감은 있을지 모르겠군요. 그렇다면 그 후는 어떻습니까? 자매의 불행을 볼 제 아내의 심정은 생각지 않으십니까?"

테리오드가 손끝으로 물 잔의 모서리를 매만지며 덧붙였다.

"어리시군요."

칸나는 울컥한 표정을 지었지만, 이번에도 역시나 입을 열지 못했다. 애석하게도 테리오드의 지적은 칸나를 설득시키기보다는 자존심만 건든 듯했다. 보다 못한 아스티나가 둘 사이를 중재하고 나섰다.

"대공, 잠깐 칸나와 단둘이 이야기를 나눠도 될까요?"

"제가 먼저 나가 있겠습니다."

테리오드가 양손을 들어 올리며 자리에서 일어섰다. 처음 들어설 때의 화기애애한 분위기는 온데간데없었다. 테리오드가 문을 닫고 나서자마자 칸나가 테이블에 상체를 붙였다. 그녀가 목소리를 낮추며 말했다.

"아스티나, 너도 알지. 이건 말도 안 되는 일이야."

"애석하지만 나도 대공과 같은 입장이야. 난 언니가 고생하는 건 그다지 보고 싶지 않거든."

"아스티나!"

칸나가 희게 질린 얼굴로 동생의 이름을 불렀다. 아스티나는 머리 아프다는 듯 관자놀이를 문질렀다. 칸나 성격에 쉽게 받아들이지 않으리라곤 생각했지만, 예상보다 반발이 거셌다.

"우리 도움을 받는 게 왜 그렇게 싫은데? 이건 아무것도 아니야. 언니가 그렇게 난리 칠 만큼 대단한 수고가 필요한 일이 아니라고."

"별일 아닐 수도 있어. 그래, 대공 전하께선 이 정도 도움쯤 크게 신경 쓰이지도 않으실 거야. 하지만 아주 상징적인 문제이기도 하지, 정말 모르겠어?"

아스티나는 잠자코 칸나의 다음 말을 기다렸다. 언성이 높아졌다는 사실을 알아차린 듯, 칸나가 목소리를 낮추며 타이르듯 말했다.

"알잖아, 아스티나. 사람은 받는 게 있으면 주는 것도 있어야 하는 법이야. 일방적으로 누군가가 주기만 하는 관계라는 건 말이 안돼, 누구 하나는 지치게 되어 있다고."

그리 말하며 칸나가 아스티나의 팔을 붙잡았다. 땀으로 젖은 손에서 옅은 떨림이 전해졌다.

"난…… 대공께서 우리 가족이 염치없다고 생각하게 될까 봐, 그래서 네게도 폐가 될까 봐 겁나."

칸나의 가정은 틀렸다. 그까짓 도움으로 테리오드가 백작가를 경멸할 일은 없었다. 오히려 염치없다는 위기감을 가져야 할 사람은 아스티나였다. 그녀가 죄책감을 느껴야 할 부분이 있다면 재물 같은 물질이 아닌, 테리오드에게 받고 있는 일방적인 사랑 쪽일 테니까.

"언니가 생각하는 일은 없을 거야, 문제가 되는 건 다른 부분이지."

아스티나가 거기까지 말하고는 입을 다물었다. 자신조차도 알 수 없다는 듯 이어 물었다.

"칸나, 노력으로 사랑이 될까?"

생뚱맞은 말에 칸나가 인상을 찌푸렸다. 칸나가 무슨 소리냐는 듯 되물었다.

"그게 갑자기 무슨 소리야?"

"……."

"혹시 뭐…… 둘 사이에 문제라도 있어?"

칸나의 표정이 조심스럽게 변했다. 아스티나는 말실수를 했다는 걸 깨달았지만, 답답한 심경을 꺼낸 덕분인지 조금 속이 풀리는 듯도 했다.

소중하여 잃고 싶지 않다. 그가 다정하게 대해 주는 게 좋고, 그를 끌어안을 때 뺨에 닿는 따듯한 가슴팍이 좋다. 그러나 그것이 지난 추억과 겹쳐지는 감정인지 아닌지는 그녀도 모른다. 소름 끼칠 만큼 똑 닮아 있는 얼굴은 종종 상황과 말들, 심지어는 인과까지 어지럽혔다.

달라서 사랑하겠다고 결심했지만 정말 그러했던 건지. 그럼에도 사실은 그저 같은 얼굴을 보고 싶었던 건 아닌지.

아스티나가 힘없는 웃음을 흘리며 물었다.

"우리가 정말 소문처럼 사이좋은 부부 같아?"

"하지만, 너희는 매우 다정한 부부처럼 보였는걸. 저번만 해도 분명—"

"그렇게 보여지는 것뿐이지. 모두가 그렇게 살잖아. 괜찮지 않아도 괜찮은 척, 문제가 있어도 없는 척 말이야."

"대공 전하는 널 매우 아끼시는 것 같았는데."

"그는 그렇지."

"넌 아니라고?"

아스티나는 입을 다물었다. 이어 언뜻 무감하게 느껴지는 음성으로 답했다.

"사랑은 아니겠지."

칸나의 얼굴이 오묘하게 흐려졌다. 칸나는 '좋아한다'는 감정에 대해 그리 깊게 생각해 본 적이 없었다. 이성을 진심으로 마음에 품어 본 적도 없거니와, 애초에 좋고 싫음이 그리 판별하기 어려운 문제라는 생각은 들지 않았기 때문이다.

칸나가 한숨을 내쉬었다.

"넌 가끔 이상한 소리를 하더라. 사랑이 아니면, 그럼 넌 대공 전하를 어떻게 생각하는 건데?"

몰라. 그도 모르고, 나도 모르지. 그래서 우리가 괴로운 거야.

아스티나는 굳이 그 말을 꺼내어 칸나를 더 혼란스럽게 만들진 않았다. 아스티나에게서 대답이 돌아오지 않자 무시당한 느낌을 받았을까. 칸나가 팔짱을 끼며 반박했다.

"넌 말이야, 이럴 때 날 종종 애 취급하는데 나보다 어린 건 너라고. 난 너보다 두 살이나 많단 말이야."

"애 취급한 거 아니야. 하지만 그와 나 사이의 일은 결국 둘만 아는 것들이니까."

"네가 말하기 싫다면 나도 캐묻진 않아. 하지만 둘 사이가 내가 생각했던 것처럼 마냥 좋은 것도 아니라면, 더더욱 대공 전하의 도움을 받을 순 없어."

생각보다 칸나의 고집이 완강했던 모양이다. 아무래도 동생의 말실수가 칸나에겐 결심을 확고하게 하는 계기가 된 듯했다.

아스티나의 눈썹이 들렸다. 어쩐지 테리오드가 이야기를 길게 끌지 않으려 했던 이유를 알 것 같다는 기분이 들었다. 테리오드나 아스티나나 서로 외의 일에 더 할애할 정신은 없는 상황이었다. 아스티나가 확고한 투로 마무리 지었다.

"난 이걸로 더 말싸움하고 싶지 않아. 대공의 말대로야. 난 언니가 이상한 남자와 결혼해서 사는 꼴은 절대 못 봐."

"하지만 아스티나—"

"내가 아탈렌타로 떠날 때, 날 붙잡으면 언니를 원망하며 죽겠다고 말했던 거 기억해?"

"……그 얘기는 갑자기 왜?"

"그때와 같은 기분이야. 내가 이 문제 관련해서 두 번 얘기하는 일이 없도록 해."

아스티나가 말을 자르고는 먼저 자리에서 몸을 일으켰다. 동생의 박력에 칸나가 멍하니 눈만 끔뻑였다. 아스티나는 칸나가 붙잡지 못하도록 서둘러 밖으로 나왔다.

아스티나는 복도를 가로지르다 말고 문득 제자리에 멈춰 섰다. 창문 사이로 새어 들어온 불빛이 눈을 간지럽혔기 때문이다. 문득 복도에 난 창을 내다보자, 가게를 나와 마차에 올라타고 있는 테리 오드가 보였다. 아스티나는 잠시 제자리에 멈춰서 그의 뒷모습을 응시했다.

창틀을 쥔 손에 힘이 들어갔다. 그녀가 스스로에게 주지하듯 말했다.

"이미 죽은 사람이야. 나도 알아."

아스티나는 이를 악물었다. 발걸음이 불규칙한 소리를 내며 멀어졌다.

'언니, 이렇게 자꾸 문제를 틀리시면 어떡해요.'

또 베스의 잔소리가 빼꼼 머리를 내밀었다.

이시스는 읽고 있던 줄글에서 눈을 떼고는 베스 쪽을 바라보았다. 침대 위에 엎드린 자세였기에 시야가 낮았다. 이시스는 베스의 코 아래에 난 작은 점까지도 볼 수 있었다. 속으로 작게 웃은 이시스가 마저 책장을 넘기며 물었다.

'쓸데없이 그런 건 왜 보고 있니?'

'언니가 공부에 손을 놨다는 소문이 온 궁에 파다한걸요.'

그리 말하며 베스가 천장을 향해 종이를 높이 들었다. 안에 담긴 내용을 들여다보던 베스가 문제를 확인하고는 미간을 찡그렸다. 곧 낭랑한 음성이 울려 퍼졌다.

'타르젠국이 멸망한 결정적인 사건을 인과적으로 기술하시오.'

이시스는 책장을 한 번 더 넘겼다. 베스가 의문 어린 얼굴로 이시스를 돌아보았다.

'타르젠은 워낙 작은 나라 아니었나요? 인접한 나라와 붙었던 전쟁에서 졌던 것 같은데.'

정규 교육을 받지 못한 것치고 베스는 아는 게 많은 편이었다. 이시스의 옆에서 이것저것 주워들은 덕도 있을 터다. 이시스가 종이 냄새가 나는 손끝으로 턱을 문지르며 답했다.

'실제로는 그로부터 십여 년 정도는 더 버텨 줬지.'

별것도 아니란 듯 이어진 이시스의 답변에 베스가 눈을 동그랗게 떴다.

'어, 틀린 문제였는데.'

'몰라서 틀렸겠니?'

이시스가 그리 말하며 피식 웃었다. 이시스는 아예 앞에 두었던 책을 치워 버렸다. 그녀가 동화를 읽어 주는 할머니처럼 조곤조곤한 투로 이야기를 시작했다.

'타르젠과 붙어 이긴 상대 나라에선 승리의 대가로 볼모를 원했지. 오겐 왕에겐 세 아들이 있었고 그들 모두가 고향에 남지 못했어. 물론 볼모는 상징적인 굴욕일 뿐, 그들이 나라를 떠날 때의 행렬엔 어마어마한 재물과 노예들도 포함되어 있었지. 문제는 오겐 왕이 자식을 사지에 내몰고도 아무렇지 않을 만큼 모진 성격이 아니었다는 점이겠고.'

'좋은 것 아닌가요?'

'나쁜 거지. 임기 내내 자식들의 안위를 위해 타국에 끌려다니다가 죽었으니까.'

베스는 모든 사람들에게서 장점을 찾아낼 수 있는 착한 심성의 소녀였다. 베스가 무해한 웃음을 지으며 말했다.

'그래도 자식들을 사랑했나 보네요.'

'이기적이고 눈먼 사랑이었지. 눈치를 보느라 아무것도 못 하게 되었으니까.'

이시스는 차갑게 코웃음을 쳤다. 그러고는 고개를 비스듬하게 기울이며 물었다.

'오겐 왕이 마지막으로 발악했을 때가 언젠지 알아?'

'아니요.'

'살아 있던 마지막 아들이 죽고 나서야.'

잠깐의 침묵이 스쳤다. 이시스는 눈을 가늘게 뜬 채 베스의 표정 변화를 지켜보았다. 이윽고 베스가 침을 꿀꺽 삼켰다.

'결과는요?'

'네가 아는 대로, 당연히 졌지.'

예정된 비극도 사람을 울리는 법이다. 베스의 어깨가 힘없이 처졌다. 이시스는 개의치 않고 말을 이었다.

'마지막 전투는 이전처럼 규모가 크지도 않았어. 패국의 군사들은 수가 적었고 사기마저 떨어졌으니까. 왕은 시체조차 보전하지 못했지. 10년 동안 천천히 갉아먹은 국력이 왕의 발목을 잡은 셈이야.'

베스는 무어라 할 말이 남은 표정이었지만, 이시스는 딱 잘라 객관적인 결론을 내놓았다.

'사람은 소중한 게 생기면 약해져.'

이시스가 그리 말하며 그대로 몸을 늘어뜨렸다. 이불 위에 뺨을 대고는 잠시간 베스를 응시했다. 오른편으로 기울어진 세상에서도 베스의 눈은 빛을 받아 반짝였다. 이시스가 곧 손끝을 까딱여 베스를 불렀다.

'문제는 그래서 틀린 거니, 넌 얌전히 와서 내 머리나 빗겨 주렴.'

'……그게 왜 얘기가 그렇게 돼요?'

그리 핀잔하면서도 베스는 이시스의 옆에 가까이 다가와 앉았다. 베스가 허리춤까지 이어진 이시스의 긴 머리칼을 손끝으로 당겼다. 이미 시녀가 한 차례 정리해 주고 간 참이었기에 꼬인 부분은 전혀 눈에 띄지 않았다. 묵묵히 머리칼 끝을 매만지던 베스가 조심스레 말을 덧대었다.

'언니, 전 좀 다르게 생각해요. 나라도 뺏길 위기에 처하고, 아는 사람들은 모두 죽었잖아요. 마지막 남은 자식들이 그 사람을 살게 했을 거예요.'

'비참하게라도?'

'희망이 있었을 테니까.'

그리 말하며 베스는 어렴풋이 미소 지었다. 베스의 따뜻한 말들을 듣고 있노라면 이시스는 스스로가 더없는 악당이 된 기분이었다. 결국 이시스에게서 따분한 음성이 흘러나왔다.

'난 네가 그렇게 따뜻하게 생각할 줄 아는 애라 좋긴 한데, 동시에 좀 짜증 나.'

"구차하십니다."

이시스는 까무룩 감았던 눈을 들었다. 뒤편을 돌아보자 장신의 사내 하나가 그녀를 내려다보고 있었다. 역광 탓에 얼굴은 흐릿하게 보였지만 목소리만으로도 이시스는 그를 알아볼 수 있었다.

벤자민이 자조하듯 물었다.

"죽은 사람이 뭐라고 이러십니까."

"그러게, 난 이제 희망도 없는데."

뜬금없는 말에 벤자민이 이상한 눈으로 이시스를 쳐다봤다. 이시스는 그에게서 눈을 떼어 내고는 다시 얕은 봉우리 위에 시선을 고정했다. 그녀가 덤덤한 음성으로 물었다.

"여긴 어떻게 알고 왔지? 위패를 둔 장소는 따로 있는데."

"제가 누이의 무덤 자리도 몰라서야 되겠습니까."

이시스가 어이없다는 듯 피식거리자 벤자민이 머쓱하게 덧붙였다.

"사실은 종종 누님을 미행했습니다. 누님은 눈치가 빠르신 것에 비해 인기척엔 둔하시니까요."

"무예가 대단치 못해 미안하게 됐군."

이시스가 몹시 유감이라는 듯 답했다. 그러고는 과거의 어떤 지점을 떠올렸다. 잠깐의 침묵 후, 이시스가 감정을 짐작할 수 없는 목소리로 말했다.

"베스가 죽었던 숲이야. 그 자리는 아니지만, 최대한 주변 경관이 비슷한 곳에 묻었어. 잊지 않고 계속 떠올리고 싶었거든."

"무엇을요?"

"그날의 감정을."

이시스는 베스와 즐거웠던 날들만큼이나 그녀가 죽었던 날을 선명하게 기억한다. 젖어 있던 풀숲과 싸늘한 살갗, 파리한 입술과 텅 빈 동공. 그리고 머리 위에서 쏟아졌던 소름 끼치는 웃음까지.

베스가 죽고 이시스는 복수를 다짐했다. 소중한 사람을 한순간에 앗아 간 자에게 똑같은 고통을 맛보여 주고자 했다. 애석한 점이 있다면 프리모에겐 잃어서 가슴 아플 사람이 존재하지 않았다는 사실이다.

프리모가 아낀 건 오로지 자기 자신뿐이었다. 옆에 둔 여자들은 색을 탐할 용도로, 신하들은 고작 쓰고 버리는 패로. 심지어는 어미와 아비도 제게 권력을 줄 쓸모로만. 그게 프리모가 타인을 대하는 방식이었다.

단순히 죽이기만을 원했다면 일은 훨씬 더 간단해졌을 것이다. 암살을 택했대도 이시스 대신 용의 선상에 오를 수 있는 자는 넘치도록 많았을 테니까. 프리모는 그만큼 많은 원한을 사 왔다.

그러나 이시스는 프리모가 모든 것을 잃고 무너지는 모습을 보고 싶었다. 그래서 프리모가 원한 권력과 독단과 재물을, 그 모든 것을 가질 미래를 앗았다. 무시하던 동생에게 짓눌려 저주를 퍼붓던 모습은 충분히 버려 같았다. 그의 추악한 본성에 걸맞을 정도로.

이시스의 입가에 잠시간 담겼던 만족스러운 기색이 곧 부서졌다.

승리감에 취해 스스로를 속이기엔 떠오르는 것이 많은 장소였다.

"뭐, 어차피 다른 사람 눈에 띌까 봐 얼마 전까지만 해도 잘 오지 못했었지만 말이야."

이시스가 어깨를 으쓱였다. 그 몸짓엔 전혀 힘이 담겨 있지 않았다. 말없이 그녀를 넘겨보던 벤자민이 불쑥 물었다.

"복수는, 온전히 베스 누님을 위해서였습니까?"

"아닌 것 같아?"

"전부는 아니리라고 생각했죠."

"넌 내가 정말 진심으로 베스를 아꼈다고 생각하니."

이시스는 그것이 마치 사실이 아니라는 것처럼 말했다. 벤자민은 잠시 주춤였지만, 곧 그의 생각대로 답했다.

"그렇다고 들었었지요. 제 눈으로 보기에도 그러신 것 같고요."

벤자민의 말에 이시스가 힘없이 웃었다. 그녀가 차게 식은 뺨에 손등을 대며 말했다.

"맞아. 난 그 애를 아주 좋아했어. 그래서 죽었을 땐 내 세상이 반쪽이라도 난 줄 알았지."

"제가 궁을 비웠을 때의 일이라 잘 모르겠군요. 베스의 어떤 점이 누님을 그렇게 만들었는지."

"나에겐 아무것도 없었는데, 베스는 내가 자길 지켜 주고 싶게 만들었거든."

모두가 이야기했다. 베스와 이시스는 격이 맞지 않는 조합이라고. 적통한 황녀가 잠깐의 변덕으로 천덕꾸러기 소녀에게 관심을 준 것이라고 말이다. 모두가 보기에 이시스는 베푸는 입장이었고 베스는 그 수혜를 입는 운 좋은 빈털터리였다. 베스조차도 이시스에게 모든 것을 가졌다고 말했지만, 실로는 그렇지 않았다.

물질이야 충분했을지도 모른다. 황궁이라는 곳이 옷가지나 먹거리 따위를 아낄 정도로 궁핍한 공간은 아니었으니까. 그러나 이시스는 외따로 떨어진 베스의 처지가 자신과 똑 닮았다고 여겼다.

황후는 내내 프리모만을 보았고 아버지의 관심조차도 이시스가 지속적으로 매달린 대가로 주어진 것이었다. 유일하게 따랐던 황궁 교사까지 프리모의 잘못으로 영영 빼앗기지 않았던가. 그다지 인정하고 싶진 않았지만, 이시스는 외로웠다.

서로여야만 했던 이유는 당연했다. 붙잡지 않으면 외로워지고 말 외톨이 둘의 도피. 이시스는 사랑받고 싶어서 베스를 사랑했다. 혼자인 그 애의 버팀목이 되면 그녀도 같은 무게로 아낌받으리라 생각했으니까.

이시스가 불쑥 말했다.

"내가 몰랐던 거지. 아무것도 없는 사람은, 처음부터 욕심도 내지 말아야 한다는 걸."

"……프리모의 일은, 불운한 사고쯤으로 봐야 합니다. 괜한 자책은 마세요."

"나라에 재난이 생기면."

이시스가 서늘하게 말을 잘랐다. 목소리가 크진 않았지만 벤자민은 저도 모르게 이시스에게로 시선을 보냈다. 이시스가 그 눈을 마주하며 말했다.

"부랑자들이 먼저 죽어. 집도 절도, 먹을 것도, 치료받을 돈도 없는, 모든 게 부족한 사람들."

"……."

"베스가 꼭 그랬지. 걘 자길 지킬 수 있는 패가 단 하나도 없었거든. 동생은 생사를 모르며 어미는 바깥출입을 하질 않지. 외가는 말만 귀족이지, 작위가 있는 건 친척 쪽이었던가? 죽여도 뒤탈이 없을 텐데 누가 그 앨 찾아 주겠어? 대체 누가 그 앨 소중하게 여겨 줬겠어?"

이시스의 눈에 가학적인 빛이 맴돌았다. 이시스가 재촉하듯 입술을 달싹였다.

"말해 봐, 벤자민."

당연히도 벤자민은 아무런 대답도 하지 못했다. 벤자민은 그만 주먹을 말아쥐었다. 등허리에 땀이 찼다. 베스가 프리모에게 죽은 건 힘이 없어서였다. 벤자민이 안전한 벨라체 아카데미의 울타리 안에 있을 때 베스는 으슥한 풀숲에서 화살을 맞고 죽었다. 사냥이라도 당하듯이.

벤자민의 눈이 감겼다. 그가 힘겹게 입을 열었다.

"제가…… 비겁하게 떠났던 탓입니다."

이시스는 무정히 고개를 돌렸다. 그녀도 벤자민을 원망하는 건 아니었다. 스스로의 거취를 결정하기에 당시의 벤자민은 몹시도 어렸다. 탓할 사람이 있다면 프리모나, 그를 그러한 망나니로 길러 낸 황후 쪽일 것이다. 애초에 벤자민의 어미가 갇혀 살게 된 것도 황후를 두려워해서였으니.

"널 탓하는 게 아니야. 나를 향한 자책조차 아니지. 오히려 이건 깨달음에 가까워."

이시스는 그리 말하며 베스가 묻혀 있을 땅 위를 가볍게 쓸었다. 풀이 어지럽게 자라난 땅속, 정확히 어느 부근에 베스가 있는지는 알지 못했다. 세월이 지나며 식물들이 자라나 주변이 어지러워진 탓이다.

"난 만일 내게 또 소중한 사람이 생긴다면, 그런 식으로 허무하게 잃지 않기로 결심했어. 그게 내가 지금 이 자리에 있는 이유야."

벤자민은 잠시간 하늘을 올려다보다가는, 이시스의 옆으로 와 앉았다. 바닥을 짚은 손에 흙이 묻어났지만 그리 신경 쓰이진 않았다. 벤자민은 이시스를 어떻게 위로해야 할지 알 수 없었다. 애초에 그가 그럴 만한 주제나 되는지 의문이기도 했다. 결국 벤자민이 꺼낸 건 한없이 상투적인 말이었다.

"베스 누님께서도 기뻐하실 겁니다."

이시스의 눈썹이 들렸다. 잠시간 골똘히 생각에 잠겼던 그녀가 곧이어 되물었다.

"글쎄, 난 잘 모르겠어. 넌 네 누나가 그런 사람 같니?"

"가족이라고는 하지만, 일찍이 궁을 떠난지라 저는 베스 누님의 어린 모습만을 기억합니다. 저는 그녀를 잘 몰라요. 하지만 보통의 사람들이라면 그렇겠죠."

"그래, 넌 네 누이를 잘 모르지."

이시스가 딱 잘라 말했다. 그 음성엔 묘한 승리감마저 담겨 있었다. 질투의 한 면모를 본 느낌이라 벤자민은 조금 얼떨떨했다.

이윽고 이시스의 입가에 담긴 미소가 흐려졌다. 그녀가 벤자민을 응시하며 중얼거리듯 말했다.

"난 네게 뭘 기대했을까."

나디아와의 결혼을 종용했을 때 벤자민은 말했다. 그는 베스의 대신이 될 수 없다고. 그런 것쯤은 이시스도 충분히 알고 있었다.

둘이 어떤 점이 얼마나, 또 어떻게 다른지. 그럼에도 기대를 했다. 순간순간 벤자민이 너무도 닮은 웃음을 지을 때마다 누군가를 추억하고 싶어졌기 때문이다.

이시스는 집요히 벤자민의 얼굴 곳곳을 살폈다. 이윽고 그녀가 신랄하게 평가했다.

"넌 베스의 대신이라기엔 너무 형편없어. 볼만한 껍데기 빼고는."

"……껍데기라도 볼만해서 다행이네요."

"말도 안 듣고, 가끔 멍청하게 구는 데다 힘없는 주제에 자꾸 사랑 타령만 하지. 가장 맘에 안 드는 건 널 내 멋대로 할 수 없다는 거야."

반박하려던 벤자민이 문득 무언가를 깨달은 얼굴로 고개를 들었다. 그가 긴가민가한 얼굴로 물었다.

"결혼 얘기를 무르겠다는 소리로 들리는데요, 그거."

"네 맘대로 해, 이젠 어디서 빌어먹고 살아도 책임 못 져."

이시스가 반대편으로 고개를 돌렸다. 베스가 가지지 못했던 것들을 벤자민에게 대신 선물하고자 해도 그것은 의미가 없다.

그는 그녀가 될 수 없으니까.

"전 평생을 가난하게 살았습니다. 부족하지만 부끄럽지는 않게."

벤자민이 크게 미소 지으며 말했다. 불만을 완전히 벗어던지지는 못한 이시스가 삐딱하게 되물었다.

"네가 부끄러워해야 하는 건 네 짝사랑 상대가 유부녀라는 거 아냐?"

"……그녀가 원하지 않는 이상, 제가 뭘 어쩌진 않을 겁니다."

"딱히 변명이 안 된다는 건 알고 있지?"

"좋아하는 것까지 어떻게 할 수는 없잖습니까."

이시스가 포기한 기색으로 자리에서 몸을 일으켰다. 그녀가 바닥에 얽힌 나무뿌리 위를 뛰어넘으며 말했다.

"폐하께 확언을 들었어. 곧 나를 후계자로 발표하는 연회가 열릴 거야. 올 거면 오고, 말 거면 말든지."

"오라는 말씀이시죠?"

벤자민이 그리 말하며 이시스의 뒤를 따라붙었다. 그러고는 생각났다는 듯 덧붙였다.

"곧 제스퍼레오 영지에도 들르셔야겠네요."

후계자가 된 황손이 치러야 할 절차는 여러 가지였다. 개중에는 아버지의 고향과 어머니의 고향에 들르는 순례 의식도 있었다. 황제의 고향이야 수도인 바실이니, 곧 모친이 난 제스퍼레오령까지 다녀와야 할 것이다.

"생긴 지 얼마 안 된 황조치고는 격식이 많단 말이야."

이시스가 불만 어린 음성으로 중얼거렸다. 벤자민이 여상하게 이어 물었다.

"프리모는 언제쯤 처리할 예정이십니까?"

프리모의 목을 벤자민에게 주는 건 당초부터 이야기가 된 사항이었다. 프리모가 쫓겨나고도 잠깐의 여유를 뒀던 건 이목이 사라지기를 기다려서였다.

"아직은 일러. 솔직히 말하면 10년 정도는 더 살려 두고 싶은 지경이야. 프리모가 아주 처절한 무력함을 느꼈으면 좋겠거든."

"그건 제가 좀 기다리기가 힘드네요."

"나도 알아. 오래 끌진 않을게."

"난도질은 안 되겠죠."

"당연히. 감시가 약해질 때를 노려서 외지 생활을 견디다 못해 죽은 것같이 처리해."

이시스가 흘깃 뒤편을 돌아보며 말했다.

"그날이 오면 저기 있는 시신을 가장 밝은 곳에 묻을 거야."

✤ ✤ ✤

"이런 날이 올 줄이야 알았나요?"

"그러게 말입니다. 어쩌면 황녀 전하께는 암살 시도 건이 행운이 었을지도 모르겠네요. 마침내 프리모 전하의 그림자를 벗어나 직접 주인공이 될 수 있었으니……."

"프리모 전하를 앞에 내세우기만 했지, 실질적인 결정은 다 이시스 전하께서 내린다는 소문이 있지 않았나요? 어쩌면 이번 일도―"

"책임질 수 없는 말은 하는 게 아니지."

속닥거리던 두 귀부인이 화들짝 놀라 서로 거리를 벌렸다. 바로 뒤편에 아벨라르 백작 부인이 꼿꼿이 서 있었다. 그녀가 입가에 달콤한 미소를 띤 채 말했다.

"듣는 귀가 많은 자리 아닌가?"

상냥한 음성이었지만 그게 경고의 의미라는 사실은 모두가 알았다. 아벨라르 백작 부인은 공공연한 이시스의 수족이었다.

그들은 빠르게 상황을 수습해 냈다. 머쓱한 웃음을 지으며 자신들의 주책을 탓했다는 뜻이다.

삽시간에 주변이 조용해졌다. 아벨라르 백작 부인은 혀를 한번 차고는 다시 단상 위로 시선을 돌렸다. 황제의 일장 연설이 막 끝에 다다르던 참이었다.

"……하여 이 잔을 늘 짐의 뒤에서 변함없이 보필해 온 충신이자 이 황가의 적녀, 이시스에게 물려주고자 하오."

황제가 그리 말하고는 시종에게로 손을 뻗었다. 고풍스러운 외관의 상자를 받아 들어 조심스럽게 잠금을 풀었다. 곧 그 안에서 반짝이는 잔이 꺼내졌다. 황제가 온화한 미소를 지으며 이시스를 쳐다봤다. 뒤편에 있던 이시스가 조용히 걸어 나와 황제의 앞에 섰다. 완벽한 예의범절을 갖춘 자세로 황제의 앞에 무릎을 꿇자, 기다림에 대한 보상인 양 잔이 내밀어졌다.

이시스는 숙였던 고개를 들어 눈앞의 잔을 응시했다. 조명의 빛을 받아 반짝이는 황금이 몹시 영롱했다. 잔에 가 닿는 손끝이 조금 떨렸다. 그녀의 눈에 숨길 수 없는 희열이 비쳤다.

마침내 수여가 끝났다. 이시스가 굽혔던 무릎을 폈다. 모두의 박수가 쏟아졌다. 이시스는 잔을 받아 들고는 몸을 돌려 인사를 전했다.

선두에 서 있던 아벨라르 백작 부인은 흡족한 미소를 만면에 드러냈다. 그녀는 기쁜 마음으로 진심에서 우러나는 큰 박수를 쳤다. 그 박수는 어쩌면 스스로의 성공적인 선택을 자축하는 것이기도 했다.

'줄을 잘 섰지.'

역시 저물어 가는 해인 황후보다는 떠오르는 이시스의 손을 잡길 잘했다. 아벨라르 백작 부인은 흘긋 단상 위, 황제의 뒤편을 살폈다. 프리모가 잔을 받을 때만 해도 기쁨의 눈물을 글썽였던 황후는 자리를 비운 채였다. 황후는 딸이 황위를 잇게 되었다는 반가운 소식에도 바깥으로 나오지 않았다. 황후의 불참에 몇몇은 그녀가 아직 아들을 애도하고 있나 보다며 조심스럽게 변호했다.

그러나 황후의 성정을 익히 알고 있는 아벨라르 백작 부인은 그러한 포장이 썩 마음에 들지 않았다. 딸이 후계위를 물려받는 경사가 어째서 황후에겐 다르게 받아들여졌을까. 만일 황후에게 '진짜 자식'이 하나뿐이었다면 그러한 반응을 보일 법도 한 일이다.

아벨라르 백작 부인 역시 황후의 마음을 완전히 이해하지 못하는 건 아니었다. 후계위를 장자가 물려받는 게 기정사실화된 사회에선 자식 사랑도 집중될 수밖에 없다. 그러나 동시에, 아벨라르 백작 부인은 황후에게 부모 자격이 없다고 냉철하게 판단했다.

아벨라르 백작 부인은 딸과 아들을 똑같이 사랑하는 보기 드문 인물이었다. 오히려 나디아가 딸로 태어난 탓에 언젠가는 가문을 떠나게 되었으니, 그 사실에 못내 죄책감을 느끼기까지 했다. 아벨라르 백작 부인은 모든 걸 다 가진 아들보다는 나디아 쪽을 더 챙겨 주고 싶었다. 그것이 어미 된 자로서 당연히 품어야 할 생각이 아닌가?

그래서 아벨라르 백작 부인은 이시스에게 더욱 인간적인 정을 느꼈다. 오라비의 흠 때문에 죽을 뻔했음에도 오롯이 일어서 영광스러운 자리까지 얻지 않았던가.

아벨라르 백작 부인의 시선이 옆에 선 나디아에게로 돌아갔다. 그녀는 애정이 담긴 손으로 딸의 뒷머리를 쓸어 주었다. 갑작스러운 손길에 나디아가 어머니를 돌아보았다. 어미임을 확인하고 환한 얼굴로 웃는 모습이 참으로 어여뻤다.

아벨라르 백작 부인이 나디아에게 상냥하게 말했다.

"친구들과 이야기 나누고 있으렴, 난 황녀 전하를 뵈어야겠다."

나디아가 고개를 끄덕이며 멀어졌다. 아벨라르 백작 부인은 이시스가 단상에서 내려오자마자 재빨리 다가갔다. 자신이 이시스의 첫째가는 신하라는 바를 공공연히 하는 것과 같았다.

"경하드리옵니다, 전하."

"아벨라르 백작 부인."

아벨라르 백작 부인을 발견한 이시스가 미소 지으며 그녀를 맞아들였다. 아벨라르 백작 부인은 자신에게 우선해서 주어진 이시스의 관심이 몹시 달콤하게 느껴졌다. 황녀를 오래 보필해 온, 선택된 자만이 받을 수 있는 신뢰였다.

"다 그대가 힘써 준 덕분이지. 언제나 내 든든한 응원군이 되어 주지 않았던가?"

"당연한 일이 아닙니까."

사근사근하게 웃던 아벨라르 백작 부인이 마침 떠올랐다는 듯 말했다.

"그러고 보니 곧 제스퍼레오령으로 떠나시겠군요. 나름대로 길다면 긴 여행이 될 텐데, 부디 별일 없으셨으면 좋겠습니다."

"걱정해 주어 고맙네."

"곧 따라갈 일행도 엄선하셔야 할 텐데……."

아벨라르 백작 부인이 은근한 눈으로 이시스를 보며 말끝을 흐렸다. 이시스는 아벨라르 백작 부인이 원하는 바가 무엇인지 빠르게 알아챘다. 그까짓 청쯤이야 들어주지 못할 것도 없었다.

"내 나디아를 데려가고 싶네만, 허락해 주겠나."

"어머, 당연히도요."

원하는 대답을 얻은 아벨라르 백작 부인의 표정이 밝아졌다. 하지만 이번 부탁은 다음 목적을 위한 수단에 불과했다. 아벨라르 백작 부인이 이어 조심스럽게 진짜 용건을 꺼냈다.

"한데, 벤자민 황자님도 함께 동행하실 예정이신지요? 고맘때 아이들이 정을 싹 틔우기에 아주 좋은 계기처럼 보여서 말입니다."

사랑의 작대기 노릇이 즐겁다는 양 재간스러운 투였다. 그러나 이시스의 반응은 아벨라르 백작 부인의 예상과는 조금 달랐다. 대답을 돌려주는 이시스의 표정에 곤란함이 담겼다.

"벤자민을 데려갈 예정이긴 하네만……."

의외의 반응에 아벨라르 백작 부인도 조금은 당황했다. 이어진 말은 더더욱 그러했다.

"내 실은, 소개를 주선했던 걸 없던 일로 하고 싶네."

"……예?"

"내 벤자민의 의사를 묻고 벌였던 일이 아니라서 말이야. 내가 그 애의 친족도 아닌데, 어디 걱정을 이유로만 혼사를 강제할 수 있겠나?"

이시스가 아벨라르 백작 부인의 손을 끌어다 잡으며 진심으로 사과했다.

"미안하게 되었네. 내가 마음이 앞서 소개를 주선했다가 그만 또 나디아에게 상처를 준 것 같아서, 참으로 면목이 없어."

아벨라르 백작 부인은 진심이느냐며 황녀를 붙잡고 반복해 묻고 싶은 심정이었다. 이시스도 그녀의 기분을 모르지 않을 터였다. 그리고 동시에, 아무리 화가 난대도 아벨라르 백작 부인이 대놓고 불만을 드러낼 수 없다는 사실 역시 알았을 것이다.

아벨라르 백작 부인은 겨우 당혹감과, 약간의 배신감을 삼켜 냈다. 그러고는 이시스를 향해 애써 웃어 보였다.

"하지만 아이들 마음이야 또 어떻게 될지 모르는 법 아닌가요? 전 좀 더 두고 보고 싶습니다. 나디아가 벨라체를 졸업할 때까지 어느 정도 여유가 있기도 하고요."

이 혼담을 완전히 포기하진 않겠다는 뜻이었다. 이시스도 아벨라르 백작 부인의 고집을 굳이 말리진 않기로 했다. 나서서 둘 사이를 주선하지 않겠다는 의사는 전했으니, 나머지는 당사자들이 알아서 할 일이었다. 아벨라르 백작 부인은 벤자민을 사위 삼고 싶어 하는 입장이었다. 벤자민에게 해가 될 만한 일을 벌이지는 않으리라.

이시스도 독단으로 일을 벌였던 것에 대한 죄책감 정도는 가지고 있었다. 이시스는 스스로가 할 수 있는 최선을 말했다.

"그대의 마음이 그렇다면 어쩔 수 없지. 나디아의 혼사 문제와 관련해선 언제든지 나와 상의해도 좋네. 내가 힘쓸 수 있는 선에서 최대한 도움 줄 테니."

"전하의 마음이 하해와 같습니다."

아벨라르 백작 부인이 진심으로 감읍했다는 듯 답했다. 이시스는 이해해 주어 고맙다며 다른 귀족들과 대화하기 위해 멀어졌다.

그런 이시스의 뒷모습을 보며 아벨라르 백작 부인은 입술을 깨물었다. 그녀라고 이시스가 벤자민 황자를 신경 쓰고 챙겨 주는 이유를 왜 알아보지 않았으랴. 아벨라르 백작가 역시 그들에게 내밀어진 패가 쭉정이인지, 아니면 제법 쓸 만한지 정도는 분별해야 했다.

조사를 시작하고 머지않아 아벨라르 백작 부인은 이시스가 연줄 없는 황녀 하나를 곁에 두고 아낀 적이 있다는 사실을 알아냈다. 그리고 벤자민이 그 황녀의 혈육이라는 사실도.

다른 접점이라곤 존재하지 않았기에 벤자민을 곁에 둔 이유를 그 외의 것으로 설명할 순 없었다. 벤자민만 잘 꼬여 내면, 아벨라르 백작 부인은 이시스 황녀가 차마 버릴 수 없는 세력이 될 수도 있었다. 벤자민을 궁에 들여 자리를 주었다는 것 자체가 그를 소중히 한다는 증거 아니겠는가.

황녀는 이 혼담에서 손을 떼겠다고 말했지만, 아벨라르 백작 부인은 벤자민 황자를 놓칠 생각이 전혀 없었다. 궁에 들어온 지 얼마 되지도 않은 애송이 하나를 제 뜻대로 꼬여 내는 게 그리 어렵진 않을 것이다. 그게 사랑 따위의 감정적인 이유라면 더더욱.

아벨라르 백작 부인은 벤자민이 익애한다던, 예의 짝사랑 상대를 떠올려 보았다.

'그나마 좋아하는 상대가 결혼한 상태라 얼마나 다행인지.'

만일 대공비가 미혼인 상태였다면 황자와 이어지기도 쉬웠을 것이다. 레테 백작가는 파산을 겪었으니 벤자민 황자가 내민 손을 거절하지 않았을 터였다. 금전 문제가 있다고는 하나 레테 백작가도 명문이니 제법 잘 어울리는 짝처럼 비치기도 했다.

'대공 부부에게 아이가 생긴다면 나도 완전히 걱정을 덜려만.'

아벨라르 백작 부인은 남몰래 한숨을 내쉬었다. 그런 그녀의 눈앞에 대공비가 스쳐 지났다. 아벨라르 백작 부인은 그다지 망설이지도 않고 상대를 붙잡았다.

"대공비 전하."

대공비가 부름이 들려온 쪽으로 고개를 돌렸다. 아벨라르 백작 부인은 미소와 함께 대공비에게 한 발짝 다가섰다.

"전에도 인사를 드렸었죠."

"아벨라르 백작 부인, 당연히 기억하고 있습니다."

"참으로 경사스러운 날이 아닙니까."

아벨라르 백작 부인이 그리 말하며 환히 웃어 보였다. 가면과 같은 반응은 아니었다. 그녀도 대공비에게 별다른 반감은 없었다. 오히려 일찍이 결혼해 주어 어찌나 고마운지 몰랐다. 나디아에게 좋은 짝을 얻을 기회를 준 셈이니.

아벨라르 백작 부인은 상냥한 웃음을 띤 채 대공의 안위를 물었다.

"아까 대공 전하가 참석하신 걸 슬쩍 보았던 것 같은데, 지금은 자리를 비우셨나요?"

"다른 친우분들과 이야기를 나누러 가신 참입니다."

"어머, 그렇다면 지금이 여자들만의 이야기를 나눌 기회인가 봅니다."

그리 말하고는 아벨라르 백작 부인이 부러움의 한숨을 자아냈다.

"대공과의 사이가 아주 좋으시다고 들었어요. 아델 백작 부인이 지난번 극장에서 뵈었던 일을 말하며 어찌나 부러운 눈을 하던지……."

아벨라르 백작 부인이 눈을 접어 웃으며 은근한 궁금증을 드러냈다.

"한데, 2세 계획은 아직 없으신 건가요?"

"아직은 급하지 않아서요. 저희도 천천히 두고 보는 중입니다."

대공비는 그리 당황하지 않은 눈치로 선선한 응대를 돌려주었다. 상대가 부끄러운 기색을 비치면 살갑게 이런저런 조언을 덧댈 예정이었던 아벨라르 백작 부인은 조금 머쓱해졌다. 어쩌다 제가 타 가문의 자식 농사까지 다 걱정하게 됐을까.

하지만 지금까지 조사한 사실로 미루어 짐작했을 때, 벤자민 황자가 아이 있는 여자를 탐할 만큼 몹쓸 인품의 소유자 같진 않았다. 속으로만 품은 연정이야 어찌 막으랴. 대공비가 낳은 아이의 대부로 나서는 등의 얼간이 짓만 않는다면 얼마든지 묵인해 줄 수 있었다.

아벨라르 백작 부인이 부채로 입가를 가리며 눈을 접어 웃었다.

"하기야 아직은 신혼이시죠. 워낙 두 분 외모가 출중하시다 보니 제가 2세 소식도 기대를 하게 되나 봅니다."

말을 마친 아벨라르 백작 부인이 호탕한 인상을 주는 웃음을 자아냈다. 다행히 그리 기분 나쁘게 받아들이진 않은 듯, 대공비도 기대를 저버리지 말아야겠다며 농담조로 받아쳤다.

아벨라르 백작 부인은 즐거운 체하면서도 내심 쓴웃음을 감췄다. 조용한 말투나 눈에 띄는 외관, 그리고 흠 없는 자태 등이 과연 괜찮은 여인으로 비쳤기 때문이다. 대공비를 딸의 적수라고 말하기엔 어폐가 있겠지만, 어쨌든 넘어야 할 산이라 생각하면 달갑지만은 않았다.

아벨라르 백작 부인이 저조한 기분을 숨기며 물었다.

"참. 곧 황녀님께서 제스퍼레오령으로 떠나실 텐데, 대공비 전하도 함께 이동하시나요?"

"예, 황녀님께서 미리 언질 주시더군요."

아벨라르 백작 부인이 예상한 문제는 이것이었다. 순례 의식에 따라가는 인물들은 후계자의 믿을 만한 수족으로 구성된다. 대공비도 이시스의 세력에 규합된 상태였으니 일행에 포함될 여지가 있었다. 아벨라르 백작 부인이 이시스였다고 해도 대공비를 데려가고자 했을 것이다. 문제는 수도와 멀어진 외진 곳에서, 벤자민 황자가 짝사랑 상대와의 각별한 추억을 만들고 싶어질지도 모른다는 점이다.

아벨라르 백작 부인의 눈이 미세하게 가늘어졌다.

"역시 그렇군요. 저희 아이도 함께 가게 될 예정인데 혹여 불편하실까 걱정되어……."

방금보다 훨씬 조심스러워진 목소리였다. 나디아가 저지른 실수가 있어 아벨라르 백작 부인도 대공비 앞에서 마냥 당당할 순 없었다. 아벨라르 백작 부인의 염려에 아스티나는 잠시 의아함을 비쳤으나, 곧 그녀가 무엇을 이야기하고 있는지 깨달았다.

애초에 나디아가 이시스에게 충동질당해 그런 행동을 했다는 사실을 아는 아스티나로서는 다른 온도로 사건을 인지할 수밖에 없었다. 겉으로만 분란이 있었을 뿐, 실제로는 도움을 받은 형상이었기에 아스티나는 나디아를 나쁘게 생각하지 않았다. 오히려 아스티나는 약혼자를 잃은 나디아에 대한 미약한 연민마저 가지고 있는 입장이었다. 아스티나는 앞으로도 아벨라르 백작가에 프리모와 얽혔던 일을 문제 삼을 생각이 없었다.

아스티나가 걱정 말라는 듯 말을 잘랐다.

"지난번 일은 다 사과받고 넘어가지 않았습니까. 없던 것으로 하겠다고요."

"사람 마음이 어찌 그리되겠습니까. 아무래도 마음이 쓰이는 건 어쩔 수 없네요."

"부인, 전 정말 괜찮습니다. 이시스 전하께서도 저희가 과거를 입에 담길 원치 않으실 테고요."

아스티나가 부드럽게 상황을 일축했다. 어찌 됐든 둘 다 이시스의 편에 서기로 한 입장이었다. 계속 얼굴을 봐야 할 사이에 굳이 반목할 필요는 없었다. 실제로 사건 이후, 이시스의 중재로 두 가문의 화해는 몹시 자연스럽게 이루어졌었다. 그럼에도 피해자와 가해자의 입장은 조금 달랐기에 아벨라르 백작 부인으로선 눈치가 보이던 차였다.

아탈렌타는 황족들조차 함부로 대할 수 없는 이름이었다. 대공비의 무던한 반응에 아벨라르 백작 부인은 조금이나마 안심이 되었다. 대공비가 나디아에 관해 이야기하길 불편해한다면 다음 용건을 꺼낼 수 없었기 때문이다.

아스티나의 반복된 사양에 한발 물러섰다는 듯, 아벨라르 백작 부인이 인사를 전했다.

"그리 생각해 주셔서 감사합니다."

"부인께서도 마음고생이 심하셨을 줄 압니다. 어찌 되었든, 오랜 약속이었던 혼사를 그르치게 되었으니까요."

"그래도 식을 치르기 전이라 참으로 다행이 아니었습니까."

아벨라르 백작 부인이 쓸쓸한 웃음을 자아냈다. 그녀가 이어 자연스럽게 덧붙였다.

"사실은 황녀님께서 새로운 약혼자감을 주선해 주셔서 조금 마음을 놓았었는데, 상대 쪽에서 내켜 하지 않아 아무래도 걱정이 많네요."

"이시스 황녀님께서 소개를 해 주신 건가요?"

처음 듣는 소식에 아스티나의 눈이 조금 커졌다. 혼사를 중재하려 했다니, 이시스도 나디아에게 부채감을 가졌던 걸까. 칸나의 일도 부탁했다면 이시스가 여럿 중매를 서느라 정신이 없을 뻔했다.

"예, 사실은 벤자민 황자님을 소개받았었습니다. 아무래도 황자님은 내키시지 않는 모양이셨지만요."

아벨라르 백작 부인은 그리 말하며 기민하게 대공비의 눈치를 살폈다. 부부 사이가 좋다고 소문이 난 것답게 대공비는 황자가 언급되었음에도 평온한 얼굴이었다. 나디아의 말처럼 대공비는 벤자민 황자와 별다른 연이 없는 모양이었다. 만일 정말 황자를 내연 상대로 두고 있었다면 그가 언급됐을 때 조금쯤은 동요했을 테니까.

"하기야 벤자민 황자님도 아직 미혼이시죠."

대공비가 무던한 투로 답했다. 아벨라르 백작 부인은 대공비를 응시하며 싱긋 웃었다.

"부디 이번 여행에서 황자님께서 조금 마음을 달리하셨으면 좋겠네요. 여행이란 무릇 사람의 다른 매력을 발견하는 계기가 되곤 하지 않습니까?"

대공비는 별 마음이 없어 보인다고는 하나, 어찌 됐든 영역 표시를 해 두는 것 정도는 나쁘지 않았다. 솔직한 속내로는 벤자민 황자가 그리 완벽하게 마음에 들지도 않았지만, 그가 그들이 선택할 수 있는 최선인 건 사실이었다. 프리모 황자가 제 것이었던 황위도 지키지 못하고 제풀에 나가떨어졌으니 아벨라르 백작가로선 차선책이라도 잡아야 했다.

아벨라르 백작 부인이 유연한 투로 화제를 바꾸었다.

"그러고 보니 대공비 전하께선 북부행이 처음이시지 않나요? 그곳 날씨는 제법 매섭답니다."

"그렇다고는 들었습니다."

"대공 전하께도 단단히 일러두세요. 날씨 따위에 굴하지 않는다며 자신감을 보이다가 감기를 얻어 오는 남부 사내들을 꽤 많이 보았습니다."

아벨라르 백작 부인이 농을 던지며 웃었다. 그런데 예상과 달리 대공비에게선 어딘지 곤란한 투의 답이 돌아왔다.

"대공께서는 수도에 남아 계실 겁니다. 이번 여정에는 저 혼자만 참가할 예정이라서요."

"예?"

생각지 못한 반응에 아벨라르 백작 부인이 눈을 동그랗게 떴다. 물론 부인 홀로 여행을 떠나는 경우가 없진 않았지만, 어디까지나 순례 의식은 공적인 일정이었기 때문이다.

아벨라르 백작 부인의 시선이 문득 멀리 있는 이시스에게로 돌아갔다. 황녀의 뒤엔 어느새 벤자민 황자가 붙어 있었다. 황녀의 뒤에서 웃고 있는 벤자민을 보자 아벨라르 백작 부인의 기분은 몹시 저조해졌다. 황궁에서 사랑 타령이나 하고 있는 애송이를 얻겠다며 수를 쓰고 있는 스스로가 영 마뜩잖았다. 감정으로 움직이는 인물이란 그녀가 좀처럼 예상할 수 없는 종류의 사람이었기에 더더욱 그러했다.

대공이 참석하지 않는다면 정말 혹시나 걱정하던 일이 일어날 수도 있지 않을까, 남녀 사이란 어떻게 될지 알 수 없는 법이니. 머리를 스친 위기감에 아벨라르 백작 부인이 부산을 떨기 시작했다.

"어머. 대공과 따로 움직이신다니, 특별한 이유라도 있으신가요?"

부러 키운 목소리에 주변의 이목이 몰렸다. 대공비의 얼굴에 담긴 곤란이 커졌다.

"대공께서는 일이 바쁘셔서요."

"일이 바쁘시다고 부인을 혼자 두는 경우가 어디 있습니까. 대공께서도 참 매정하십니다."

아벨라르 백작 부인이 낭랑히 구슬이 굴러가는 듯한 음성을 뱉어냈다. 대공비가 거짓을 말하고 있다고 생각되진 않았지만 진실이 무엇이든 상관은 없었다. 불화설을 염두에 둔 대공 부부가 되도록 함께 움직이게 하는 게 그녀의 목적이었으니까.

아니나 다를까 약간의 소란에 대공이 대공비가 있는 곳으로 돌아왔다. 대공은 자연스럽게 아벨라르 백작 부인의 손을 끌어가 그 위에 입을 맞췄다. 그가 그림 같은 예법으로 인사를 남겼다.

"안녕하십니까, 아벨라르 백작 부인."

인사를 마친 대공이 곧장 부드럽게 질문했다.

"무슨 얘기들을 하고 계셨습니까?"

대공에게서 견제의 기운을 느꼈으나 아벨라르 백작 부인은 아랑곳하지 않았다. 그녀는 별일이 아니라 답하려는 대공비를 막고 재빨리 선수를 쳤다.

"사실은, 대공비 전하께서 제스퍼레오령으로 혼자 이동하신다고 하셔서 조금 놀라던 참이랍니다."

아벨라르 백작 부인이 가는 눈을 뜨며 이어 은근히 되물었다.

"대공 전하. 일이 바쁘다고는 하나 먼 곳에 부인을 혼자 보내셔서야 되겠습니까? 저희 딸도 홀로 보내기가 걱정되어 오라비를 동행시킬 예정인걸요."

대공은 그제야 둘이 무슨 이야기를 나누고 있었는지 이해한 듯했다. 그는 당황하지도 않고 말끔한 미소를 띠며 말했다.

"역시 그렇지요. 저 역시도 같은 생각을 하던 차였습니다."

아벨라르 백작 부인은 흘긋 대공비 쪽으로 시선을 주었다. 대공비는 어울리지 않게 놀란 기색으로 대공 쪽을 돌아보고 있었다. 계획에 없던 참여에 대공비도 당황한 모양이었다. 대공은 그런 부인을 향해 부드러운 투정을 남기기까지 했다.

"부인, 그것 보십시오. 저를 버리고 떠나는 경우가 어디 있습니까?"

"……근래 일이 많으시니 부담이 되실까 그랬지요."

"제게 부인과 함께 있는 것보다 더 중요한 일은 없을 겁니다."

달콤하게 말을 맺은 대공이 아벨라르 백작 부인에게도 감사의 인사를 전했다.

"아무래도 걱정이 되던 와중인데 부인께서 제게 확신을 주시는군요. 감사합니다."

생각보다 빠르게 돌아온 허락에 아벨라르 백작 부인은 별말씀을요, 하고 다소 떨떠름히 답했다. 대공은 이런저런 인사치레를 남기고는 부인의 허리를 안고 사라졌다. 홀로 남은 아벨라르 백작 부인은 멍하니 그들의 뒷모습을 응시하다가, 이내 어깨를 으쓱였다.

'싱겁군.'

대공비가 고집을 피울까 걱정했는데 생각보다 일이 쉽게 마무리되었다. 대공비의 반응이 그리 기껍지 않았던 걸 보니, 아무래도 결혼하고 처음으로 남편을 두고 떠나는 여행이라 기대라도 했던 모양이었다. 뭐가 됐든 아벨라르 백작 부인이 신경 쓸 문제는 아니었지만.

목적을 달성한 아벨라르 백작 부인이 가뿐한 걸음으로 홀에서 멀어졌다. 애석하게도 그녀는 저 선남선녀가 떨어지는 꼴을 결코 볼 생각이 없었다.

⁜ ⁜ ⁜

"대공, 대공!"

계속된 부름에 테리오드가 발을 멈추고는 뒤를 돌아보았다. 아스티나가 복도를 가로질러 그를 향해 빠르게 걸어오고 있었다. 한창 흥이 오르던 참이라서인지 홀 바깥으로 이어지는 통로엔 아무도 없었다. 테리오드는 잠자코 그녀가 제게 닿기까지 기다렸다. 아스티나가 곧 그의 앞으로 와 섰다.

아스티나가 눈 앞으로 넘어온 머리카락을 쓸어 올리며 잠시 숨을 골랐다. 함께 인사 나눌 인물이 많았기에 아벨라르 백작 부인과 나눈 대화에 대해서는 곧바로 따져 묻지 못했었다. 테리오드가 잠시 바깥바람을 쐬겠다고 빠져나온 후에야 아스티나는 그를 뒤따라 나올 수 있었다.

그녀가 조금은 답답한 표정으로 입을 열었다.

"아까 어쩌자고 아벨라르 백작 부인에게 그런 대답을 하셨습니까. 애초에 이번 여정엔 저만 참석하기로 이야기가 되었던 것 아닙니까."

"아, 그 말씀을 하시려고요."

테리오드가 예상했다는 듯 단조로운 투로 대답했다. 이어지는 설명 역시 준비된 것처럼 군더더기 없기는 마찬가지였다.

"아무리 생각해도 이상해서요. 그리도 아끼는 부인을 여행길에 홀로 보내다니, 모두가 이상하게 여길 것 아닙니까."

"고작해야 2주가량이에요. 그리 긴 기간도 아니지 않습니까."

"남편이 부인을 그리워하기엔 충분한 시간이죠."

테리오드가 그리 말하며 그림 같은 미소를 지었다. 아까 아벨라르 백작 부인의 앞에서 내보였던 것과 똑 닮은 표정이었다. 아스티나가 이를 앙다물었다 놓으며 말했다.

"테리오드, 이젠 둘만 남았잖아."

그 말에 테리오드의 얼굴에서 다정함이 지워졌다. 그는 잠시간 아스티나를 말없이 응시했다. 이윽고 그가 담담한 투로 말했다.

"제가 둘만 있을 때와 다른 이들과 함께 있을 때의 행동을 달리 해야 합니까."

"……단지 솔직해져도 된다는 뜻이었습니다."

"제가 당신을 아끼는 게 솔직한 행동이 될 수 없나요."

"적어도 아벨라르 백작 부인에게 말씀하신 것과 같은 의도는 아니었을 테니까요."

"왜 거짓말이라고 생각해요. 알잖아, 내가 당신을 사랑하는 거."

아스티나의 어깨가 멈칫했다. 그녀는 결국 다른 반박을 내어 놓지 못하고 입을 다물었다. 갑작스러운 고백에 당황한 얼굴로 그를 쳐다보기만 했다.

테리오드는 그녀의 눈빛에 서린 감정을 낱낱이 살폈다. 고백받은 여자의 얼굴이라고는 차마 생각할 수 없는 반응이다. 그가 사랑을 말할 때마다 그녀는 가시에라도 찔린 표정을 짓는다. 사랑을 고백하는 일이 상대를 상처 주기 위해 사용되다니, 이 얼마나 우스운 일인가.

테리오드가 피식 웃음 지으며 말했다.

"너무 복잡하게 생각하지 말아요. 제스퍼레오가는 이시스 황녀의 친척이지만, 동시에 프리모에게도 그렇습니다. 무슨 일이 일어난다면 같이 있는 편이 수습하기 쉽겠죠."

완전히 팽당한 프리모를 위해 나서는 얼간이들이 있으리라 생각되진 않았지만, 그래도 조심해서 문제 될 것은 없었다. 만약 제스퍼레오령에서 보내는 일정이 예기치 않게 더 길어진다면 그녀를 기다리는 동안 테리오드는 짐승으로 머물러야 할 것이다. 이성이 없을 땐 종종 예기치 못한 사고가 일어나기도 하는 법이었다. 효율을 생각하기 시작하면 문제는 한없이 간단해진다. 오히려 그가 함께 떠나지 않는 사실이 몹시 이상하게 느껴질 정도였다.

그가 마침 생각났다는 듯 이어 덧붙였다.

"내가 다시 정신을 놓으면, 당신이 가까이에 있어야 하니 말입니다."

아스티나는 침묵했다. 이윽고 그녀가 잠긴 음성으로 내뱉었다.

"그건, 그대가 그러길 원해서가 아니잖아."

테리오드는 정말 사람으로 남기를 바라는가. 온전한 사람이 되기만을 바랐던 과거와 달리 지금 그는 다른 것을 소망한다. 그에게 사람이 되는 건 이제 축복이 아닌 저주일 뿐이다. 그와 관계를 맺을 때마다 아스티나는 난자되는 마음을 본다. 그가 갈구하는 것은 삶이 아니라 찰나의 온기와 혹시 모를 애정 쪽일 것이다. 채우려 노력할수록 괴로워질 뿐인.

어쩌면 테리오드의 마음은, 처음 아스티나의 과거를 알았을 적 사람이기를 놓아 버렸던 때와 같을 것이다. 이게 네 바람이 아니었느냐 윽박지르듯 그를 붙들어 놓은 건 아스티나 쪽이었다. 그 사실을 모르지 않는다는 듯 테리오드가 매끄러이 대답했다.

"사는 것도, 죽는 것도 모두 당신의 뜻대로."

경건한 목소리는 연극의 한 구절처럼도 들렸다. 아스티나는 스스로를 오롯이 타인에게 바쳐 본 적이 있었지만, 같은 경중의 진심이 저를 향하자 몹시 감당하기 힘겨웠다. 그녀는 언제나 그의 진심이 두려웠다. 그를 상처입힐 것을 염려했고 그가 원하는 게 있다면 이루어 주고 싶었다. 지금도 그 마음과 그리 다르지 않았다. 오히려 죄책감이 더해져 그에게 돌려줄 수 있는 무언가가 생기기를 간절히 바랐다.

아스티나가 다소 떨리는 음성으로 대답했다.

"내가 원하는 건, 당신이 바라는 대로 하는 거야."

"내가 바라는 건 당신과 함께하는 거예요. 아니면 혹, 나와 함께 떠나는 게 부담스럽습니까?"

아스티나는 그만 그에게서 시선을 피했다. 주먹을 한번 쥐었다 펴고는 겨우 대답했다.

"그런 게 아니야. 더 짐을 지우기 싫었던 것뿐이지. 이시스 황녀와 관련된 일은 처음부터 내 몫이었으니까."

"─당신은 모든 일에 계산을 잘하니까."

테리오드가 목소리를 키워 아스티나의 말을 잘랐다. 이어 그가 미소 지으며 덧붙였다.

"항상 주고받는 게 정확하죠."

"……."

"착하게 굴길 잘했어요. 내 걱정을 다 해 주시네요."

아스티나의 일그러진 표정을 보았을까, 그가 덤덤히 "비꼰 건 아니었어요."라고 작게 덧붙였다. 아스티나는 그에게 어떠한 대답을 돌려주는 대신 손에 힘을 주었다. 자연히 테리오드의 시선이 그쪽으로 돌아갔다. 그녀의 나쁜 버릇이었다. 아스티나는 가끔 저렇게 손톱이 깊게 박혀 살에 멍이 들 정도로 제 아픔을 방치하곤 했다.

테리오드는 잠시간 이전처럼 그녀에게 손을 뻗을까 고민했다. 그는 그녀의 주먹 쥔 손을 펴 주는 모습을 상상해 보다가, 문득 그것이 무척 우스운 행동이라는 데 생각이 미쳤다. 테리오드의 팔은 결국 움직이지 않았다. 그가 물끄러미 아스티나의 손을 내려다보며 말했다.

"손 그렇게 쥐지 마요."

"⋯⋯."

"견딜 만하다고 해서 안 아픈 건 아니잖아."

그리 말을 마친 테리오드가 뒤돌아섰다. 목을 조인 타이가 몹시도 불편했다. 테리오드는 다소 거칠게 목 부근을 잡아당겨 옷매무새를 흐트러뜨렸다. 오히려 아무의 방해도 없는 사저에서 머무는 것보다 단체로 제스퍼레오령으로 향하는 길이 더 편할지도 모르겠다. 그는 홀로 그녀를 상대하는 것보다 모두의 앞에서 연기를 하는 쪽이 더 편하게 느껴졌다. 타인의 눈이 있는 자리에선 어떤 고민도 없이 정해진 대로만 행동하면 되었으니까.

무슨 생각을 하든 아내를 우선으로 두며, 자연스럽게 앞서 에스코트를 한다. 그녀의 표정을 살피고 가끔은 다정하게 어깨를 감싼다. 한낱 공식으로 치부한다면 사랑은 그리 어려운 일이 아니었다.

테리오드는 걸음을 우뚝 멈춰 세웠다. 아스티나를 두고 온 쪽을 돌아보았지만, 이미 몇 차례 방향을 틀었기에 당연히도 그녀를 볼 수는 없었다. 그녀의 상처받은 모습이 못내 마음에 걸리는 건 자신이 더없는 얼간이이기 때문일 것이다. 테리오드는 이를 악물었다.

아스티나는 그에게 가장 큰 상처를 주었으면서 동시에 저를 연민하듯 보곤 했다. 한때는 그것이 기만이라 생각했지만, 정작 테리오드도 매 순간 어쩔 줄 모르고 방황하는 건 똑같았다.

테리오드는 성큼성큼 길을 헤쳐 나갔다. 그러나 마지막 모퉁이를 돌았을 때 테리오드가 발견한 건 그가 찾던 사람이 아니었다. 낯선, 아니 어쩌면 익숙한 얼굴이 그에게 경고했다.

"그녀에게 상처 주지 마."

그의 아내를 짝사랑한다던 남자다.

오늘 그를 처음으로 마주친 건 아니었다. 아까 전까지만 해도 벤자민은 이시스 황녀의 뒤에 있었고, 테리오드는 그가 제스퍼레오 령으로 함께 이동하리라는 계획까지 얻어들을 수 있었다. 아벨라르 백작 부인의 참견은 물론 몹시 주책맞은 것이었지만, 그 순간 테리오드에게는 반가운 핑계로 다가왔다. 일행에 벤자민 황자가 포함된다는 말을 들은 이후 테리오드는 내내 신경을 쓰고 있었다. 그 질투심은 자괴감만을 유발할 뿐이었지만.

"무슨 말을 했길래 아스티나가 저런 표정을 짓는 거지?"

벤자민이 흉흉한 투로 되물었다. 테리오드는 망설이지도 않고 코웃음을 쳤다. 아스티나가 부재한 자리였기에 받아치는 테리오드의 언사도 전보다 거침없었다.

"또 같잖은 참견이군."

"말 돌리지 마, 아스티나에게 무슨 얘기를 했기에 저러는 거야."

"뭣도 모르면서 덤비는 점도 달라지지 않은 듯싶고."

그의 부인이 황자에게 둘 사이의 일을 털어놓았을 리는 없었다. 그도 그럴 것이 너무도 말도 안 되는 일이 아니던가. 그녀가 사랑했던 전생의 사람과 자신이 똑 닮은 얼굴을 하고 있다는 건.

테리오드의 입술이 삐뚜름하게 무너졌다.

"틈이 나길 기다리는 마음이야 알겠지만, 조금은 체면을 생각하시는 게 좋겠습니다, 황자 전하."

"내가 아스티나를 따라가지 않고 당신에게 온 걸 보면 모르겠나? 난 진심으로 그녀가 행복하길 바라. 곁에 당신이 있고 없고와는 상관없이."

"대체 무슨 자격으로?"

테리오드가 날카롭게 되물었다. 벤자민은 잠시 망설였지만, 곧장 호언하듯 덧붙였다.

"그녀는 내 유일한 사랑이었어. 이 정도면 참견할 자격은 충분하지."

"홀로 품은 마음이면서 뭐라도 되는 줄 아는군."

싸늘하게 내뱉은 테리오드가 일순 몸을 굳혔다. 황자를 상처 주기 위해 꺼낸 말이 되려 자신의 가슴을 할퀴어 왔기 때문이다.

지난번 벤자민과 마주쳤을 때 테리오드는 그의 앞에서 당당할 수 있었다. 그녀의 남편은 자신이고, 황자는 한낱 타인일 뿐이라 여겼으니까. 그러나 지금의 테리오드는 우습게도 자신이 그보다 나은 위치에 있다고 확신할 수 없었다. 테리오드 대신 저 남자와 혼인했대도 아스티나는 똑같았을 것이다. 선택에 책임을 질 뿐, 상응하는 감정을 돌려주진 않았겠지.

그 약간의 가정만으로도 끔찍한 무력감이 쏟아졌다. 사랑하는 사람에게 대체 가능한 이로 여겨지는 것만큼 비참한 일이 또 없었다. 아니, 오히려 저 황자가 그녀에겐 훨씬 더 나은 선택지가 아니었을까. 그는 테오도르와 전혀 닮지 않았으니까.

벤자민의 얼굴을 보는 테리오드의 표정이 완전히 일그러졌다. 벤자민을 스치듯 지나치며, 테리오드가 한결 험악해진 목소리로 경고했다.

"경고컨대 우리 부부 사이에 더 이상 끼어들지 마, 인내심에도 한계가 있으니."

"대공비 전하는 지루하지 않으세요?"

건너편에서 들려온 목소리에 아스티나는 눈을 떴다. 잠이 든 건 아니었지만, 한참 유리되었던 현실로 끌려 나오니 다소 멍한 기분이었다. 아스티나는 대답을 돌려주기 전 먼저 창 쪽으로 시선을 돌렸다.

바깥 풍경은 마지막으로 확인했을 때와 별반 달라지지 않았다. 애초에 출발하고 얼마 지나지 않은 시점이니 수도와 확연히 다른 무언가를 기대할 수도 없었다. 옷을 벗은 나무들이 늘어진 길은 사뭇 삭막해 보이기까지 했다. 그럼에도 수도에 두고 온 것들에 대한 아쉬움은 들지 않았다. 칸나도 레테 백작저로 돌아간 후이니 대공저엔 의미 없는 물건들만이 남았다.

아스티나는 창에서 건조한 눈길을 떼어 냈다.

"글쎄요, 워낙 여행길엔 이골이 나서요."

아스티나가 그리 대꾸하며 말을 건넨 여인을 응시했다. 나디아의 주변엔 책과 바느질거리가 널려 있었다. 잠깐의 관심이었던 듯 나디아의 손은 빈 상태였다. 홀로 심심함을 견뎌 보려고 했지만 여의치 않았던 모양이다. 흥미 범위에서 밀려난 서적이, 순간 마차가 크게 덜컹임과 동시에 바닥으로 떨어졌다. 당황한 나디아가 몸을 굽히려는 찰나 아스티나가 그녀를 제지했다.

"영애."

나디아가 어깨를 멈칫하며 의아한 눈을 들었다. 아무래도 뜻을 이해하지 못한 모양이라 아스티나는 부드럽게 미소 지었다.

"몸을 숙여선 안 되지요."

"아……."

나디아의 얼굴이 언뜻 붉게 달아올랐다. 의도했든 의도하지 않았든 타인의 앞에서 허리를 굽히는 것은 굴욕적인 행동이었다. 곤란한 처신을 상대가 대신 나서 막아 준 셈이었다.

나디아가 머쓱한 투로 변명했다.

"학교생활을 하다 보니 아무래도 사교계에서 익힌 예법은 종종 잊게 되네요."

사실은 앞에 있는 인물이 인물인지라 평정을 유지할 수 없었다는 게 더 정확한 심정일 테지만 말이다. 아스티나도 나디아의 마음을 모르지 않기에 굳이 더 말을 보태진 않았다.

아스티나가 대공이 아닌 나디아와 함께 이동하게 된 데엔 나름대로 실리적인 이유가 있었다. 본디 행렬은 대개 고귀한 신분으로만 꾸려지는 탓에 이동 규모가 큰 편이었다. 보통은 일행마다 한 마차를 썼고, 따라붙는 사용인들만 해도 수를 헤아리기 힘들 정도였다.

그러나 이시스는 정반대로 궁색하다 싶을 만큼 작은 규모의 경장을 꾸렸다. 프리모를 제치고 후계자 자리를 얻은 입장에, 지나치게 떠들썩한 이동은 빈축을 살 우려가 있다는 이유였다. 레이디가 말을 타고 한참을 달릴 수는 없는 노릇이었으므로 적절한 수의 마차는 필요했지만, 최대한 대수를 줄여 여럿이 함께 타게 했다. 마땅히 나디아와 짝지을 인물이 없었기에 기혼자인 아스티나가 같은 마차를 공유하게 되었다. 그 탓에 정작 부부 사이인 테리오드는 멀리 떨어진 선두에서 말을 타고 이동하고 있었다.

기실 아스티나도 마차에 가만히 앉아 있는 것보단 말을 달리는 쪽이 적성에 맞았지만, 그런 요구를 했다간 필히 눈에 띌 터였다. 아스티나는 잠자코 저 심약한 영애와의 동행을 받아들였다.

"그러고 보니 대공비 전하께서도 벨라체에 다니셨다고 하셨죠."

손끝을 꼼지락거리던 나디아가 재차 말을 걸어왔다. 사교계에서 마주쳤을 땐 죄지은 표정으로 도망치기만 했었는데, 아무래도 아벨라르 백작 부인이 지난번 나누었던 대화를 전한 모양이었다. 대공가와 틀어져 좋을 것이 없으니 지난 앙금은 다 묻고 관계를 회복하고 싶었을 터다.

순간 같은 마차를 타게 된 일에도 아벨라르 백작 부인의 입김이 스며 있는 것인가 하는 의구심이 스쳤지만, 딱히 확신으로 이어질 만한 증거는 없었다. 아스티나가 짧게 어깨를 으쓱이며 답했다.

"예. 휴학을 신청했지만 아무래도 학업을 이을 일은 없을 듯하네요."

"아쉽진 않으세요?"

"영애께서는 방학이 빨리 끝나길 바라시나요?"

"아니요."

나디아의 황급한 대답에 아스티나가 맞받아치듯 고개를 까딱였다.

"그런 느낌입니다."

"아……."

나디아의 입가에 푸슬푸슬한 미소가 떠올랐다. 그녀가 옅게 볼을 붉히며 말했다.

"사실, 계속 말이 없으시길래 저와 함께 있는 게 불편하신가 했었어요. 제 기우였나 봐요."

"원래 조용한 편이라서 그러니, 신경 쓰지 않고 지내시면 됩니다."

아스티나의 말에 나디아는 적잖이 안심한 눈치였다. 그녀는 곧장 경계를 푼 아이처럼 이런저런 이야기를 늘어놓기 시작했다.

"사실 전 부모님 없이 이렇게 먼 여행을 떠나는 건 처음이에요."

"쉽지 않은 결정을 하셨군요. 마냥 편한 여정은 아닐 텐데요."

"전 이시스 황녀님을 아주 좋아하거든요. 그분 덕에 제가 받은 게 아주 많아요. 가능하면 제가 할 수 있는 한 도움 드리고 싶은 마음이에요."

그리 말하며 나디아가 수줍게 미소 지었다.

아스티나는 애매한 기분으로 눈을 흐리게 떴다. 부디 그녀가 평생 이시스의 검은 속내를 모르길 바랄 뿐이었다. 결과적으로 나디아에겐 어떤 일도 일어나지 않았지만, 결국 약혼 상대를 잃고 결혼까지 어렵게 되지 않았던가. 이시스가 그녀에게 좋은 혼담을 주선해 주어야 마음이 좀 편해질 성싶었다. 나디아에게 이시스는 희대의 성녀쯤으로 비치는 모양이었으니.

나디아의 미래를 걱정하던 아스티나는 문득, 아벨라르 백작 부인이 노리고 있는 사윗감이 누구인지를 상기해 냈다.

'그러고 보니 벤자민을 소개해 주려 했다고 했던가.'

상황이 조금 우습게 되긴 했다. 벤자민이 자신에게 마음을 두고 있다는 걸 아는 상황에서, 그와 혼담이 오가는 영애와 이리 실없는 대화를 나누고 있으니 말이었다. 마치 과거에 샬럿 영애를 보았을 때와 같은 느낌이었다. 물론 벤자민이 테오도르처럼 제 연인은 아니었으므로 질투심은 전혀 일지 않았지만.

어차피 아스티나는 이미 결혼한 상대가 있었으므로 이상한 오해를 살 일은 없었다. 아스티나는 잠깐 머리를 스친 상념을 곧장 털어 버렸다.

한정된 공간 안에서 할 수 있는 일은 많지 않았다. 별것 아닌 대화들 끝에 눈꼬리에 졸음이 매달렸다. 아스티나와 나디아는 자리를 펴 짧은 잠을 청했다.

선잠이라 생각했는데 몸이 곤한 탓인지 생각보다 깊이 빠진 모양이었다. 한숨 자고 일어났을 즈음엔 완연한 저녁이 되어 있었다. 마을에 다다른 듯 마차 속도가 느려진 것이 몸으로 느껴졌다.

멍한 눈으로 주변을 살피는데 창가 쪽에서 노크 소리가 들려왔다. 잠을 깬 것은 그 때문인 듯했다. 아스티나는 팔을 뻗어 창을 열었다. 날이 어둑해져 있었지만 사람을 못 알아볼 정도는 아니었다.

"좀 지낼 만한가? 하루 종일 안에만 있으면 좀이 쑤실 듯싶은데."

안부를 물어 온 건 이시스였다. 그녀의 얼굴을 보고서야 아스티나는 자신이 다른 기대를 하고 있었다는 사실을 깨달았다. 아스티나의 입가에 흐린 미소가 떠올랐다.

지금까지 순례 의식을 떠난 후계자는 모두 남성이었으므로 일행 역시 같은 성별로만 꾸려졌었다. 한데 이시스가 같은 자리에 오르고 보니 자연히 여성들도 일행에 포함되었다. 귀족가의 미혼 여성은 추문에 민감했기에 일행은 자연히 성별로 양분된 상태였다. 막상 이동 수단이 갈라지고 나니 굳이 서로를 찾지 않는 이상 마주칠 일은 많지 않았다. 테리오드의 부재는 아스티나를 마음 놓게도, 그리고 조금 불편하게도 만들었다. 아스티나는 가라앉은 기분을 내색하지 않으려 애쓰며 황녀의 물음에 답했다.

"지루하긴 해도 몸이야 편하지요. 말을 타거나 걷는 것보단 무리도 덜하고요. 황녀님께선 괜찮으십니까?"

아스티나에게 건넨 걱정이 무색하게도, 이시스는 가장 선두에서 말을 달리고 있었다. 그녀를 뒤따르는 기사들에게 뒤처져 보일 수 없다는 이유였다. 이시스는 객관적으로 무예엔 소질이 없는 편이었지만, 꽤 괜찮은 승마 실력과 얕보이기 싫다는 오기 정도는 가지고 있었다.

그때 누군가 이시스의 옆으로 와 붙으며 말했다.

"사나흘 정도는 이동이 꽤나 편할 겁니다. 사실 산맥을 넘을 때가 제일 큰 문제죠."

"앤서린 후작님."

상대의 얼굴을 확인한 아스티나가 반갑다는 듯 미소 지었다. 앤서린 역시 마차 대신 말을 이용하여 이동하는 인물 중 하나였다. 눈가에 지친 기색이 밴 이시스와는 다르게 앤서린의 표정엔 아직 활력이 넘쳤다.

아스티나는 창 쪽으로 몸을 더 당기다가 멈칫했다. 제 건너편에 몸을 말고 누운 누군가를 상기해 낸 탓이었다. 당연히도 누운 자세로 황녀를 맞이하는 게 썩 훌륭한 예법은 아니다. 아스티나가 애벌레처럼 담요에 말려 있는 나디아를 가리키며 말했다.

"깨울까요?"

"가만히 두게. 나디아는 곱게 자란 편이거든."

이시스가 낮게 웃으며 대답했다. 아스티나는 안심하고 앤서린에게로 주의를 돌렸다.

"한데 산맥이 복병이라니요. 분명 상인들이 지나는 도로가 있지 않습니까."

통일된 제국에 각 지방으로 통하는 도로가 존재하지 않을 리 없다. 확실히 중부와 북부를 가로지르는 산맥은 산세가 험한 편이었지만, 그 탓에 오히려 더 일찍이 길을 닦아 둔 참이었다. 조금 돌아가야 하긴 하나 대개는 평지로 이어지는 길을 사용했다.

아스티나의 의문에 앤서린이 애석한 표정으로 답했다.

"예, 보통은 그 산을 에둘러 만든 큰길로 가죠. 하지만 저희 주군께선……."

앤서린의 시선이 이시스에게로 향했다. 은근한 비난이 섞인 눈빛이었다. 이시스가 변명하듯 맞받아쳤다.

"낭비할 시간이 없어."

"─워낙 성질이 급하셔서."

앤서린이 기다렸다는 듯 눈웃음을 지으며 덧붙였다. 이시스가 헛기침을 하며 해명했다.

"빨리 정식으로 관을 써야 다른 일도 시작할 수 있지 않겠나."

"오래 기다리신 일이니까요."

아스티나가 동조하듯 대꾸했다. 그 반응에 이시스는 흡족한 표정을 짓고는, 그것 보란 듯 앤서린을 돌아보았다. 앤서린은 가만히 어깨를 으쓱이기만 했다.

"어쨌든 바퀴가 굴러갈 만한 길이 아니라 산맥에 도달하고 나서부턴 마차 이용이 힘들 겁니다. 아마 함께 말을 타셔야 할 거예요."

그리 설명한 앤서린이, 이어 진짜 본론을 꺼내듯 눈을 찡긋였다.

"물론 대공비 전하께서 원하신다면 저와 함께—"

"대공비는 대공과 같은 말에 타야겠지."

아까의 복수라도 하듯 이시스가 싸늘하게 말을 잘랐다.

그러나 아스티나에게도 앤서린의 제안은 혹할 만한 것이었다. 같이 말을 타면 자연히 몸이 밀착될 텐데, 아스티나도 테리오드와 그 상태로 오랜 시간을 함께 이동할 만한 변죽은 없었다. 차라리 앤서린의 부탁을 거절하기 힘들었던 것처럼 상황을 꾸며 내는 게 나을 수도 있었다.

아스티나가 이렇다 할 대답을 꺼내기도 전, 마차가 멈춰 섰다. 창밖을 내다보자 커다란 2층 건물이 눈에 들어왔다. 평소에 지내던 저택과는 비교도 되지 않을 수준이었지만 여행 중 휴식을 취하기엔 나쁘지만도 않은 숙소였다.

앞서가 잠자리를 알아보았던 시종이 이시스에게로 다가왔다. 그는 방이 몇 개 정도 있는지, 말을 어디다 두면 되는지를 상세하게 설명하고는 일행을 인도하러 사라졌다.

아스티나는 잠든 나디아를 깨우려 어깨를 흔들었다.

"다 도착했습니다."

아스티나의 말에 나디아가 굼뜨게 고개를 들었다. 창문이 열려 있는 상태였기에 나디아는 눈을 뜨자마자 앤서린과 이시스를 발견하고야 말았다. 나디아가 벼락이라도 맞은 듯이 황급히 몸을 일으켰다. 이시스는 눈치 있게 시선을 다른 곳으로 돌렸지만, 앤서린은 조금 달랐다. 앤서린이 눈웃음을 지으며 말했다.

"단잠 덕에 새벽이 길어지실까 걱정이군요."

달콤한 꿀을 바른 듯한 목소리에 잠결인 와중에도 나디아의 낯이 붉게 달아올랐다. 나디아가 황급히 잠기운이 묻은 얼굴을 가리며 횡설수설했다.

"어, 저…… 깨워 주셨으면, 제가 예의 없이 이렇게……."

"레이디께서 곤히 주무시는데 어떻게 깨우겠습니까?"

앤서린의 버터 내음 나는 응대에 이시스가 질린 듯한 얼굴로 고개를 내저었다. 앤서린은 아랑곳 않고 말에서 내려서, 아예 마차 문을 열어 주기까지 했다. 앤서린이 나디아에게 손을 뻗어 자연스럽게 에스코트했다. 멀리서 걸어오던 나디아의 오라비가 조금 당황한 표정으로 이를 응시했다. 앤서린은 그에게까지 눈을 찡긋이는 담대한 행각을 보였다. 앤서린이 얼어붙은 남매를 둘러보더니, 나디아의 귀에 속살거리듯 덧붙였다.

"영애, 방이 모자라다고 하니 빨리 가지 않으면 짚으로 만든 침대에서 주무셔야 할 겁니다."

"앗, 네, 네."

나디아가 붉어진 뺨으로 홀린 듯 고개를 끄덕였다. 아스티나는 황급히 건물을 향해 떠나가는 나디아와 그의 오라비를 잠시간 응시했다. 결혼 상대로 점찍어 둔 벤자민이 같은 행동을 했대도 저보다는 못한 반응이 돌아왔을 거라 판단하면 과한 망상일까. 아스티나가 마차 아래로 앤서린을 내려다보며 첨언했다.

"후작님은 여전히 농담을 좋아하시는군요."

"이래야 대공비 전하와 조금 더 이야기를 나눌 것 아닙니까."

앤서린이 그리 말하며 다시금 눈을 찡끗했다. 아스티나는 순순히 앤서린이 내민 손을 잡고 바닥으로 내려섰다. 아스티나가 장난스럽게 눈썹을 들어 올리며 말했다.

"방이야 이미 인원에 맞춰 배정되었을 텐데요."

"예, 이번에도 대공비 전하께서는 나디아 영애와 같은 방을 쓰셔야 합니다. 대공께선 밤이 조금 외로우시겠군요."

보다 못한 이시스가 둘의 대화에 끼어들었다.

"대공비, 속지 말게. 나는 분명 부부에게 같은 방을 내주어야 한다고 하였는데 앤서린 경은 조금 다른 결과를 바라더군."

"전하, 인간적으로 제가 원했던 대로 대공비 전하와 같은 방을 쓰게 해 주셨으면 억울하지나 않겠습니다."

"나도 매우 통탄스러워. 자네 뱃속에 검은 뱀이 드글거리는 줄 내 미처 못 알아봤지 뭔가."

이시스가 그리 답하며 아스티나의 어깨를 감쌌다. 아스티나를 보호하듯 제 쪽으로 당겨 안는 행동엔 경계심이 어려 있었다. 앤서린이 쓸쓸한 얼굴로 고개를 내저었다. 아까부터 함께 이동하기를 권하더니, 그게 비단 말을 같이 타는 일에 국한되지는 않았던 모양이다. 앤서린이 진심을 매도당한 슬픔을 호소하며 달라붙었지만, 이시스는 친절히 아스티나를 나디아가 있는 방까지 배웅해 주었다. 아스티나는 피식 웃으며 방 안으로 들어섰다.

앤서린에게 속아 넘어간 나디아는 이미 방 안에서 그녀를 기다리고 있었다. 마차 안에서 꽤 오랜 잠을 청하긴 했어도 오래 마차를 탄 여파인지 몸이 곤했다. 다행인 점은 미리 물을 끓여 둔 주인장 덕분에 목욕물을 얻을 수 있었다는 점이다. 평소처럼 향유나 꽃잎 같은 걸 띄우고 호화롭게 씻진 못했지만, 쌓인 피로를 풀 정도로는 뜨거운 물에 몸을 담글 수 있었다.

아스티나와 나디아는 곧 나란히 열이 오른 발간 뺨을 얻었다. 방이 모자라다던 말은 사실인지 그들에게 주어진 건 그리 크지도 않은 사이즈의 침대 하나였다. 아스티나는 망설임 없이 자리에 몸을 누였지만, 나디아는 의외로 잠시간 망설였다. 그녀는 아스티나가 일찍 자야 다음 날 편할 거라며 권하고 나서야 이불 안으로 몸을 들였다. 그러고서는 주저하며 꺼내는 말이 왠지 모를 사과였다.

"죄송해요."

어떤 연유로 나온 말인지 알 수 없어 아스티나는 의아한 눈을 깜빡이기만 했다. 나디아가 쭈뼛거리며 말을 이었다.

"대공 전하와 같은 방을 쓰고 싶으셨을 텐데, 제가 여자 형제가 없어서…… 그렇다고 오라버니랑 같은 방을 쓸 수도 없고요."

그런 이야기였나. 이 어린 아가씨는 자신이 적절한 핑계를 얻었음에 얼마나 안도했는지 모를 것이다. 하기야 테리오드를 피하면서도 그의 방문을 고대하곤 하니 영 틀린 추측만은 아닐까.

아스티나가 담담한 음성으로 대꾸했다.

"괘념치 마세요. 이번 여행뿐만이지 않습니까."

"그래도 대공 전하와 함께 있고 싶지 않으신가요?"

아스티나의 입술은 잠깐의 망설임 끝에야 벌어졌다.

"……물론 그렇습니다만, 영애께서 사과하실 일은 아닙니다. 영애는 죄송할 일이 많으시군요."

"대공비 전하라서 그런가 봐요."

나디아가 머쓱하게 대답했다. 아스티나는 그녀의 가슴께 위로 이불을 덮어 주었다. 나디아의 상기된 얼굴을 보자 마냥 챙겨 줘야 할 아이처럼 느껴진 탓이다. 나디아는 그런 아스티나의 행동을 호감으로 받아들인 듯, 어머니에게 첫사랑 이야기를 조르는 딸처럼 이렇게 물어 왔다.

"대공 전하를 사랑하시나요?"

나디아의 눈엔 반짝이는 호기심이 담겨 있었다. 아스티나는 다소 곤혹스러웠지만 곧 자연스럽게 받아쳤다.

"……이상한 질문을 하시는군요."

"두 분께선 사이좋은 부부로 유명하시잖아요. 저도 늘 그런 걸 바랐어요. 저희 부모님도 언제나 사이가 좋으시거든요. 그런 가정이 저에게도 당연히 주어질 것이라 생각했던 적도 있고요."

나디아가 그렇게 말하며 가볍게 어깨를 으쓱였다. 지금은 그렇게 생각하지 않는다는 듯한 모양새다.

아스티나는 자세를 틀어 나디아 쪽으로 돌아누웠다. 아스티나가 눈썹을 들어 올리며 물었다.

"지금은 생각이 달라지셨나요?"

"그게 과분한 바람이라는 건 알았죠. 애초에 제가 제 남편을 고를 수 있는 처지도 아니고요."

나디아가 힘 빠진 웃음을 지으며 대꾸했다. 아스티나는 잠시간 그런 나디아를 응시했다. 이윽고 아스티나가 조용히 입술을 열었다.

"제가 처음 대공을 만났을 때, 우리는 아무런 사이도 아니었어요."

흥미로운 서두에 나디아가 아스티나를 응시했다. 아스티나도 스스로가 정확히 무언가를 말하고자 하는지는 알 수 없었지만, 나디아를 위로하듯 두서없이 말을 이어 나갔다.

"정략결혼이 늘 그렇듯 처음에 전 그 사람에게 아무런 관심이 없었지요. 하지만 그가 저를 염려하고 다정하게 행동할 때마다 점점 생각이 달라졌어요. 배우자를 인생의 반려라고 말한다면, 이 사람에게 내 나머지를 충분히 바칠 만할 것이라고."

아스티나는 잠시 뜸을 들였다. 그들은 실패했지만, 그렇다고 어린 나디아에게 굳이 차가운 진실을 알리고 싶진 않았다.

애초에 나디아는 아스티나가 아니었다. 아스티나는 마침내, 스스로가 불행해질 수밖에 없는 종류의 사람이었음을 인정했다. 나디아처럼 고민 없는 웃음은 결코 지을 수 없는.

아스티나의 입가에 망설임 어린 미소가 떠올랐다.

"마음이 없는 상대와의 결혼이라 해서 꼭 불행해지진 않으리란 뜻입니다."

아스티나의 말이 퍽 다정하게 들렸는지 나디아가 해사하게 웃어 보였다.

"두 분께선 참 좋아 보이세요. 전 그게 너무 부러워요."

아스티나는 손을 뻗어 나디아의 머리칼을 쓸어 주었다. 결 좋은 긴 머리칼이 부드럽게 손에 감겼다. 아스티나의 손등을 응시하던 나디아가 문득 입을 열었다.

"사실 저…… 알아요. 벤자민 황자님께서 좋아하시는 분이 대공비 전하라는 거요."

"……."

"신년제에서 화살이 날아와 정신없을 때, 두 분께서 따로 이야기 나누시는 거 봤거든요."

아스티나의 손이 굳었다. 알고서도 지금껏 언급을 하지 않았단 말인가. 딱히 나디아가 부정적인 의도를 가지고 있는 것 같진 않았지만, 아무래도 조심스러워지는 건 어쩔 수 없었다.

한 번쯤 상상해 봤던 상황이라서인지 생각보다 해명은 자연스럽게 나왔다.

"오해는 안 하셨으면 좋겠네요, 전 그를 그저 친구로—"

"오해 안 해요. 대공비 전하는 대공 전하를 진심으로 사랑하시는 것 같으니까."

나디아가 고개를 내저으며 아스티나의 말을 잘랐다. 아스티나는 머뭇거렸지만, 반박하지 않고 입을 다물었다. 그들의 연기가 제법 쓸 만했다는 사실이 마냥 기쁘지만은 않았다. 그녀가 그를 사랑하는 눈을 그럴듯하게 연기해 냈다면 테리오드는 왜 속지 않았을까. 그건 아마 테리오드가 가지고 있던 게 진짜였기에 그러했을 것이다. 그녀는 결코 가질 수 없는.

"대공비 전하를 질투하는 것도 아니에요. 저도 벤자민 황자님을 좋아하는 건 아니거든요."

나디아가 그리 말하며 조용히 웃었다. 하기야 그녀가 벤자민을 정말 사랑했다면 아스티나 앞에서 이렇게 무해한 표정을 보일 순 없었다. 나디아가 이어 씁쓸한 투로 덧붙였다.

"하지만 그분과 결혼하지 않으면 어머니가 많이 실망할 거예요. 전 그게 슬퍼요."

"……왜 영애께서 황자님과 결혼하지 못하는 게 어머님께 누가 되나요?"

"어머니는 항상 제 불행을 못 견디시거든요. 그래서 저는 어머니가 저를 계속 행복한 사람으로 봐 주었으면 좋겠어요."

이상한 말이었다. 어머니를 위해 행복해지는 게 아닌, 행복한 사람처럼 보이기로 결심했다고 한다. 두 명제는 비슷하면서도 달랐다. 그리고 그 차이점은 사람을 꽤나 감성적으로 만들었다.

아스티나는 잠시 망설이다가는 이렇게 대답했다.

"영애, 행복해지세요. 불행하지만 행복한 척하는 대신."

어쩌면 스스로에게 말하듯이.

❖ ❖ ❖

귀족들의 생활은 해의 움직임과 비껴가곤 하나 가끔은 예외가 생긴다. 그들의 상사가 부지런을 떠는 별종일 경우에 특히 그러하다. 이시스를 따르는 일행들에겐 상당히 이른 출발이 예정되어 있었다. 이시스의 조급증 덕분으로 이번 여정에서 느긋한 휴식은 찾아볼 수 없을 듯했다. 성실과는 거리가 먼 인물들도 권력의 힘에는 비척비척 몸을 일으켰다. 다만 잠과 아침 식사로 양분되는 유구한 선택의 기로에는 각기 다른 답을 돌려주었다.

그 예로 나디아는 아스티나의 권유에도 요기를 포기하고 눈을 감았다. 본래 기상 시간에서 한참 벗어난 때인 데다 몸의 피로까지 겹쳐진 탓이었다. 아스티나가 몸단장을 마칠 때까지 나디아는 쥐 죽은 듯 침대 위에 기절해 있었다. 분명 하룻밤을 쉰 상태인데도 그녀의 피부 상태는 어제보다 푸석해 보였다. 아스티나는 나디아에게 재차 일어나라 권하는 대신 순순히 혼자 아래층으로 내려왔다.

다들 어느 정도는 정신을 차린 듯 식당은 꽤나 북적거렸다. 목재로 된 실내는 세월의 때가 묻어 그리 깔끔하지만은 않았으나, 변두리 시골의 낭만이라고 포장할 만한 정취는 있었다.

물론 이는 제위를 양위한 이후 오래 시골 생활을 지냈던 아스티나에게 한한 감상이었다. 곱게 자라 온 귀족 영식들은 미비한 잠자리에 불만을 표하듯 묘하게 미간을 구긴 채였다. 수도에서 멀어질수록 그럴듯한 숙소를 찾아보기 힘들다는 사실을 모르는 듯했다. 관광 도시로 유명한 지방이라면 이야기가 좀 다르겠으나, 이시스가 택한 경로는 인기 없는 변두리 영지로만 통했다.

뭐가 되었든 노숙보다는 지붕 아래가 낫지 않겠는가. 족히 나흘은 더 이어질 행군에 불만을 가져 봤자 기분만 저조해질 터였다.

아스티나는 우울한 낯의 귀공자들을 지나쳐, 어느 한 지점에 이끌리듯 멈춰 섰다. 테리오드는 문가와 가까운 테이블에 혼자 자리 잡고 있었다. 아스티나는 굳이 그를 지나쳐 가진 않았다. 부부가 테이블을 따로 쓰는 것도 이상하게 비칠 터였다. 오히려 그녀는 지금 기쁜 얼굴로 그에게 달려가 인사를 해야 하는 입장이었다.

아스티나는 문득, 타인에 의해 강제되는 대화가 썩 불만스럽지 않다는 사실을 알아차렸다. 오히려 굳이 그를 피하지 않아도 되는 상황이 조금 기껍게 느껴지기까지 했다. 아스티나는 내색하지 않고 그의 건너편에 앉았다. 인기척을 느꼈는지 그의 시선이 아스티나에게로 돌아왔다.

먼저 입을 연 건 테리오드였다. 그가 건조한 웃음과 함께 그녀에게 인사했다.

"안녕히 주무셨습니까."

그의 목소리는 자연스러웠다. 일상적인 인사에선 이질감마저 느껴지지 않았다. 아스티나는 문득 고개를 들어 주변을 둘러보았다. 웃음소리와 밀려드는 졸음에 대한 푸념, 식기가 부딪치는 소음 속에서 아스티나가 대답했다.

"예, 대공께선 편한 밤이셨는지요."

그러고는 마차 앞에 서성거렸던 인물이, 이시스가 아닌 다른 누군가였을 경우를 가정했다. 이전의 그라면 지난밤 몰래 방문을 두드렸을 것이다. 붙어 있을 짬이 없어 아쉽다며 함께 달빛 아래를 걸었을 것이다. 어쩌면 그녀가 계단을 내려오기도 전, 그가 먼저 그녀를 찾았을 것이다. 아스티나는 잃어버린 것들을 떠올리지 않으려 애썼다.

유실물이 된 애정은 껄끄러운 흔적을 남겼다. 아무렇지 않은 척 대화를 시도할 때마다 텁텁하고 혼탁한 무엇이 목 아래에 쌓였다. 아스티나는 부채감에서 시선을 돌려 여급에게 간단한 식사 거리를 부탁했다.

홀에 있는 사람들은 모두 같은 목적지를 공유하는 일행이었다. 부담 없이 타인의 대화에 끼어들기에 이상하지 않은 상황이었다. 아스티나가 주문한 음식이 나왔을 무렵, 눈에 익은 얼굴이 다가왔다. 나디아의 오라비인 칼로스 아벨라르였다. 그는 넉살 좋게 아침 인사를 건네고는 대공의 옆에 자리 잡았다. 빈 테이블이 없어 안면

이 있는 쪽을 찾아든 모양이었다.

"안녕하십니까 대공비 전하, 간밤에 제 누이가 폐를 끼치진 않았는지 모르겠군요."

"잠버릇이 얌전하시던걸요. 오히려 침대를 넓게 써서 좋았습니다."

"대공께선 조금 생각이 다르신가 보던데요. 간밤에 잠을 좀 설치시던데……."

칼로스가 그리 말하며 어깨 너머로 테리오드를 가리켰다. 아스티나가 나디아와 같은 방을 썼으니, 그 오라비는 테리오드와 함께 엮였던 모양이었다. 잠을 설친 건 무슨 이유였을까.

아스티나의 시선을 알아챘는지 테리오드가 스치듯 미소 지었다. 그는 당황하지도 않은 표정으로 곧장 이렇게 대꾸했다.

"부인 생각에 잠이 오지 않아서 말입니다."

"하하, 이해해 주세요. 저희도 사이좋은 부부를 떨어뜨려 몹시 가슴 아픕니다만, 남매라고 해도 나디아는 다 자란 성인이지 않습니까."

호탕하게 웃던 칼로스가 중재하듯 말을 이었다.

"그래도 산맥에 들어서면 나디아는 제가 태우고 이동하기로 했습니다. 그땐 두 분의 오붓한 시간을 보장해 드리지요."

아스티나의 눈이 조금 크게 뜨였다. 어제까지만 해도 앤서린에게서 함께 말을 타자는 제안을 들었었는데, 그녀도 모르는 사이 짝이 지어진 것일까. 아스티나가 되도록 덤덤한 목소리를 자아내며 물었다.

"앤서린 후작님은 누구와 함께 이동하신다던가요?"

"이런, 대공비 전하께서도 그분의 열렬한 팬 중 하나셨나요? 애석하게도 그분은 다른 여성분의 손아귀에 이미 붙들리셨답니다.”

그리 말하며 칼로스가 턱짓으로 뒤편을 가리켰다. 아스티나는 칼로스의 시선이 향한 쪽으로 고개를 돌렸다. 앤서린은 그리 멀리 떨어지지 않은 곳에 앉아 있었다. 앤서린 바로 옆에 딱 달라붙어 종알거리고 있는 영애 하나가 눈에 들어왔다. 처음 궁을 출발할 때 얼굴을 익히기야 했지만, 정확히 누구인지는 모르고 있던 인물이었다.

“어떤 분이신가요?”

“듣기로는 앤서린 후작님과 아카데미를 함께 다닌 학우라고 하더군요. 수도에 올라온진 얼마 되지 않은 듯하던데, 아무래도 앤서린 후작께서 이시스 전하께 소개해 드린 모양새지요?”

칼로스가 대수롭지 않게 대답했다. 앤서린이 어린 영애들에게 유달리 인기 있다는 점은 이미 알고 있는 바다. 아스티나는 납득한 표정으로 고개를 끄덕였다. 그렇다면 결국 이렇게 테리오드와의 동행이 확정된 걸까.

아스티나가 눈을 들어 테리오드 쪽을 응시했다. 시선이 마주치자 테리오드가 곧장 친절한 태도로 물어 왔다.

“식사는 마치셨습니까? 아니면 뭐라도 더 주문해 드릴까요.”

“……아침이라 그리 식욕이 돌진 않아서요. 되었습니다.”

그리 말하며 아스티나는 접시를 밀어 두었다. 테리오드와 이야기를 좀 나눌 수 있을 것이라 생각했는데, 타인이 끼어든 탓에 그조차 여의치 않게 되었다. 살얼음판 같은 경계선을 아슬하게 걷고 있는 기분이었다. 어떤 것도 해결되지 않았는데 그들은 진실을 마주하기보다 늘 의미 없는 대화만 택하고 있었다. 아스티나는 한숨을 삼키며 자리에서 일어났다.

아스티나가 위층으로 올라갔을 즈음엔 나디아도 깨어나 있었다. 요깃거리를 마친 일행들이 슬렁슬렁 짐을 챙겨 떠날 준비를 마쳤다. 아스티나는 처음 출발했을 때처럼 나디아와 같은 마차를 탔다. 마차가 진입할 수 없는 산맥에 도달하기 전까진 쭉 그녀와 같이 지내야 했다. 나디아는 수줍음이 많은 편이었지만 한 번 물꼬를 틀자 곧 이런저런 이야기들을 잘 늘어놓았다. 화해해야 할 사람과의 대화는 내팽개쳐지고, 다른 이와의 친목을 다지고 있자니 조금은 묘한 기분이 드는 것도 사실이었다.

델타스 산맥까지는 꼬박 이틀이 걸렸다.

물자 수급을 위해 들른 마을 규모도 변변치 않아 하루는 민간인들의 집까지 빌려야 했다. 귀족들의 기준에서 농민들의 자택은 들판과 비교해 하등 다른 점이 없었다. 난데없는 노숙에 당황한 귀공자들을 제외하면, 여정은 그럭저럭 순조로웠다.

산맥과 가까운 기슭에 접어들며 일행은 이동 형식을 개편했다. 우선 근처 마을에 들러 마차를 맡겼다. 산맥을 넘어가면 다음 마을에선 새 마차를 빌릴 계획이었다. 정상 등반이 목표가 아니기에 말까지 두고 갈 필요는 없었다. 마차는 지날 수 없는 길이지만 울퉁불퉁한 바닥에 바퀴가 제대로 굴러가지 않아서일 뿐, 그리 험하지만도 않았다. 적당한 승마 실력이 있으면 순조롭게 지나갈 수 있는 정도였다. 짐이 많지 않은 행상이나 파발들은 곧장 이용하던 행로이니만큼 문제 될 건 없었다.

"승마에 더 익숙하신 분이 뒤에 타십시오. 앞 사람을 받쳐 줄 수 있게요."

인도를 맡은 기사가 뒤편까지 가 닿도록 크게 소리쳤다. 비등한 실력을 가진 이들 사이에 알게 모르게 기 싸움이 벌어졌다. 테리오드가 아스티나에게 고삐를 쥔 손을 내밀며 물었다.

"뒤에 타시겠습니까?"

테리오드의 물음을 농담으로 인식했는지 근처의 있던 영식 하나가 피식 웃었다. 그러고는 윽박지르듯 친구를 앞에 앉혀 '더 좋은 승마 실력'을 증명해 냈다. 아스티나는 잠시 그쪽을 물끄러미 보다가 고개를 저었다.

"되었습니다."

아스티나는 순순히 테리오드의 앞에 탔다. 승마 실력은 차치하고서라도 테리오드만 한 거구가 미끄러질 때 완벽히 붙잡아 줄 자신은 없었다.

아스티나는 안장 앞에 돌출된 손잡이를 잡고 몸을 바로 세웠다. 테리오드의 팔이 아스티나의 허리를 감쌌다. 이전이라면 편하게 그의 가슴에 기대었을 테지만 지금은 옷깃이 스치는 것까지 신경 쓰였다. 그럼에도 맞닿은 부분에서 전해지는 온기까진 어쩔 수 없었다.

빳빳한 어깨에서 긴장이 전해졌을까. 테리오드가 손을 뻗어 아스티나의 허리를 잡았다. 제게 기대도록 상체를 뒤로 당기는 손엔 은근한 힘이 배어 있었다.

"허리에서 힘 빼요."

"……."

"말이 긴장하지 않습니까."

나직한 음성이 귓가에 와 닿았다. 목덜미에 느껴지는 숨결이 더웠다. 어깨를 움츠리고 싶은 기분이었지만, 아스티나는 짧게 알았다고만 대답했다. 허리를 잡았던 그의 손은 곧 미련 없이 떨어져 나갔다.

산길의 초입은 비교적 완만한 편이었다. 다만 세 시간 정도가 지났을 때부턴 조금씩 문제가 두드러졌다. 훈련받은 군대의 이동이 아니었기에 말을 타긴 했어도 개개인의 속도는 차이가 심했다. 자연히 행군에 지친 일행들이 뒤처져 선두를 지키던 이들과 양분되었다. 늦는 쪽을 배려하며 이동했다간 속도가 나지 않을 것이기에 선두 행렬이 먼저 이동했다가, 휴식하며 후발대의 도착을 기다리기로 했다.

이시스는 다른 영애를 태우고 함께 달리고 있었기에 자연히 뒤로 빠지게 되었다. 영애들은 승마와 관련하여 수준 높은 훈련을 받지 못했기에 대부분 후발대에 포함되었다.

아스티나와 테리오드는 혼성 조합으로는 흔치 않게 선두 행렬에 속했다. 두 사람이 타면 혼자 균형을 유지하기가 조금 벅차기 마련인데, 말의 움직임을 아는 아스티나가 부담을 덜어 준 덕분이었다.

조금 더 고도가 높아지자 앞서가던 이들의 표정에서도 여유가 사라졌다. 이틀 전 내린 눈이 이제야 녹기 시작하고 있었던 것이다. 질척한 바닥에선 말이 헛발질하기 십상이었다. 곡예를 할 정도로 뛰어난 기마사라면 또 모르겠으나 단체가 다 같이 말을 타고 이동하기엔 무리가 있었다.

결국 일행을 이끌던 기사가 멈춰서 손을 흔들었다.

"눈이 녹아 길이 미끄럽습니다. 여기서부턴 걸어서 가죠."

아스티나는 잠자코 지시에 따라 바닥에 내려섰다. 테리오드에게 과하게 붙지 않으려 애썼더니 몸이 다 뻐근하던 참이었다.

그러나 모두가 순순히 말을 포기한 건 아니었다. 아까 전 테리오드와 아스티나의 실랑이를 보고 웃음 지었던 영식 하나가 비아냥거리듯 말했다.

"산을 넘으려면 아직 한참 남았는데, 말을 포기하면 어느 세월에 도착하려고?"

"하지만 길이 이래서야 아무래도 낙상 위험이……."

"그래서 지금 나보고 이 산길을 걸으란 말인가?"

영식이 으름장을 놓듯 되물었다. 이시스가 없는 자리라서인지 언성을 높이는 데 주저가 없었다. 이시스가 있었다면 명령에 따르라며 중재라도 해 줬겠지만, 그녀가 없는 자리에서 일개 기사가 강력하게 의견을 피력할 수는 없었다.

안내를 맡은 기사는 귀공자의 반발에 이렇다 할 응대를 하지 못했다. 아니, 오히려 가다가 넘어지기라도 바랐을까. 제지하던 기사는 조금 쌩한 태도로 뒤돌아섰다.

실랑이 끝에 영식은 말 위에 올라탔다. 안 그래도 지친 와중 벌어진 소란에 누군가가 '어지간히도 게으른가 보네.' 하고 입 모양으로 중얼거렸다. 아스티나도 그에 심심찮게 동의하는 바였지만 저렇게 상식이 통하지 않는 인물과 말을 섞어 봐야 좋을 게 없었다.

겉으로나마 소란이 잠재워졌으므로 모두는 다시 발을 움직이기 시작했다. 고도가 높아질수록 길에 쌓인 눈은 원형에 가까운 모습을 보였다. 질척거리던 진흙탕보단 걷기 쉬워지만, 아무래도 지면에 닿는 발이 시려 오는 건 어쩔 수 없었다.

오전부터 시작된 긴 산행에 모두의 얼굴에 지친 기색이 어렸다. 말에 타고 있던 영식이 그것 보란 듯 으스댔다.

"그러게 말 위에 타라니까. 아니, 왜 멍청하게 이동 수단이 있는데 안 타는 거야?"

"사람 둘을 태우고 말에게 눈길을 걸으라고 한다고? 저런 홈에 잘못 발을 들이기만 해도 바로 고꾸라질 텐데?"

그와 함께 말을 탔던 사내가 툴툴거리며 지면을 가리켰다. 그 지적에 기분이 상한 듯 말 위에 탄 영식이 고삐를 당겼다.

"그러니까 조심해서 가면 되는 문제 아니야."

"사고는 조심해서 피할 수 있는 게…… 이봐!"

친우가 팔을 뻗어 붙잡기도 전, 말의 다리가 휘청이며 그 위에 타고 있던 사내도 중심을 잃었다. 경고하기가 무섭게 물기가 어려 표면이 매끈해진 돌 위에 발을 잘못 디딘 것이었다.

중심이 무너진 남자와 말은 정확히 근처에 있던 아스티나 쪽으로 쏟아졌다. 아스티나는 사고를 감지하자마자 곧장 옆으로 비켜섰다. 문제는 그와 동시에 테리오드가 아스티나를 밀치러 본래 그녀가 서 있던 쪽으로 다가왔다는 점이다. 테리오드는 떨어지는 남자에게 휘말려 그대로 뒤편으로 굴렀다.

"아……!"

아스티나의 얼굴이 희게 질렸다. 지면 위에 안전하게 안착한 원흉과 다르게 타인의 무게에 휩쓸린 테리오드는 비탈길을 굴렀다. 벌목하고 남은 나무 기둥 뿌리에 부딪히고 나서야 그의 추락이 멈췄다.

아스티나는 황급히 그를 따라 비탈길을 뛰어 내려갔다. 벤자민이 그녀를 붙잡으려 나섰지만, 타인의 눈을 의식한 것인지 곧 제자리에 멈춰 섰다. 거칠게 기침을 쏟아 내던 테리오드가 신음하며 발목 부근을 감쌌다. 아스티나가 그의 어깨를 붙들고 안색을 확인했다.

"괜찮, 괜찮습니까?"

"……눈길이라 그리 심하게는, 윽."

테리오드가 대답하다 말고 인상을 찡그렸다. 고통스러운 표정을 짓고 있긴 했으나 생각 외로 생채기는 많지 않았다. 문제가 있다면 접질렸는지, 부러졌는지 감이 오지 않는 발목 쪽일까.

사고를 인지한 기사들이 황급히 아스티나를 따라 아래로 내려왔다. 테리오드는 그들에게 이끌려 금방 길 위로 돌아올 수 있었다.

아스티나가 그러했듯 기사들은 우선 테리오드의 상태부터 확인했다. 생명에 지장이 갈 만한 부상은 없었지만 여행 중엔 작은 상처도 걸림돌이 되기 마련이다. 사고를 일으킨 영식은 덜덜 떨며 테리오드를 멍하니 쳐다보기만 했다. 그가 타고 있던 말마저도 다리가 부러진 듯, 관절 어느 한 부분이 기괴하게 꺾여 있었다. 이 일로 무사한 건 그뿐이었다. 테리오드가 몸으로 막은 덕에 아래로까지 굴러가진 않아 약간의 타박상 외엔 멀쩡했던 것이다.

아스티나는 그에게로 다가가 멱살부터 붙잡았다. 그녀가 쇳소리 섞인 음성으로 흉흉하게 되물었다.

"지금 장난하나?"

"대, 대대공비 전하."

"그 고귀한 다리 두 짝을 움직이기 싫었던 마음까진 이해해. 뭣 모르는 애송이의 어리광이야 새로운 일도 아니지."

아스티나가 위협하듯 그의 목깃을 당겼다. 숨통이 죄인 남자가 컥컥거렸다.

"한데 지금 그 말도 안 되는 고집으로 대공께서 다쳤군. 보답으로 자네의 양다리를 분질러도 이 기분이 나아지지 않을 것 같은데, 어떻게 생각하지?"

"저, 정말, 죄, 죄송······."

영식이 울상을 지으며 겨우 대답했다. 금방 눈물이라도 떨굴 모양새였다. 아스티나는 처음부터 그를 꾸짖지 않았던 자신의 멍청함에 욕이 나올 지경이었다. 사고가 난다면 혼자 다치는 데 그치지 않고 타인이 휘말릴 게 당연한 것을. 끼어들기 귀찮은 마음에 방치했더니 이런 일이 생기고야 말았다.

아스티나는 한참 영식을 노려보다가, 그의 멱살을 놔주었다. 이제 와 그를 질책해 봤자 테리오드가 다쳤다는 사실은 바뀌지 않았다. 아스티나는 테리오드 쪽으로 돌아가 그를 살피는 기사들 뒤에 섰다. 아스티나가 미간을 찡그린 채 물었다.

"상태는 어때 보이나? 뼈가 부러진 건 아니겠지?"

"골절은 아닌 듯한데, 잘 모르겠습니다. 금이 갔을 수도 있으니까요. 다만 산을 넘는 것은 아무래도 조금 무리가······."

아스티나의 표정이 심각해졌다. 산길 한가운데다. 지금까지 온 길을 돌아가려고 해도 환자와 함께 이동할 수 있는 거리가 아니었다. 산을 넘어가는 일도 마찬가지였다.

기사가 결국 한숨과 함께 결론을 내어놓았다.

"일단 저희가 먼저 산을 넘어, 이쪽으로 사람을 보내 드려야 할 듯싶습니다."

"산속에서 기다리란 말인가? 곧 밤이 될 텐데?"

"근처에 산장이 있는 걸로 압니다. 길을 가다 쉬려고 만든 곳이긴 하지만 잠을 청할 수 있는 공간 정도는 있어요."

가만히 듣고만 있던 테리오드가 반발하듯 말했다.

"이동할 수 있소. 조금 뒤처지긴 하겠지만 후발대와 합류하면 돼."

"말이 되는 소리를 하세요!"

아스티나가 벌컥 소리쳤다. 테리오드의 콧등에 어린 식은땀만 봐도 그가 느끼고 있을 통증쯤은 짐작할 수 있었다. 이미 왼쪽 발등이 부어오르기 시작한 상태다. 만약 골절이 아니라고 해도 하루 정도는 찜질을 하며 경과를 두고 봐야 했다.

"부인, 걸을 수 있습니다."

"전 환자의 의견은 듣지 않습니다."

신경질적으로 테리오드의 입을 막은 아스티나가 기사를 돌아보았다.

"산장까지는 얼마나 걸리지?"

"멀지 않은 지점입니다. 거기까진 같이 이동하시죠."

그리 말하며 기사가 행장에서 담요를 꺼내 왔다.

"날이 추우니 이걸 덮고 계세요. 아무래도 대공 전하와 대공비 전하께선 지금까지 온 길을 돌아가서, 마차를 이용해 평지로 이동하셔야 할 듯싶군요. 골절이 아니라도 산행은 무리입니다."

"어떻게 아래로 내려가지?"

"사람을 여럿 보내라 이르겠습니다. 다만 하룻밤 정도는 말씀드린 장소에서 보내셔야 할 듯싶습니다. 누구 대공 전하와 함께 남으실……."

"내가 남겠어."

아스티나가 조금은 다급하게 답했다. 테리오드는 아스티나의 대답을 듣자마자 다른 쪽으로 고개를 돌렸다. 기사가 아스티나에게 걱정스러운 얼굴로 되물었다.

"산에서의 노숙입니다. 괜찮으시겠습니까?"

"내가 아니면 누가 대공의 옆에 남겠나."

아스티나가 싸늘하게 느껴질 만치 단호하게 대답했다. 그녀의 시선이 문득 원흉에게로 향했으나, 같은 자리에 길게 머물진 않았다. 우선은 소동을 빨리 정리하고 안정을 취할 공간으로 테리오드를 옮기는 게 중요했다. 아스티나의 바람대로 일행의 발걸음은 조금 더 부지런해졌다.

이동이 재개되고 일행은 어느 한 지점에서 다시 갈라졌다. 산장은 더 높은 지대로 향하는 길을 통해야 했기 때문이다. 기사 둘이 테리오드를 부축하니 그럭저럭 빠른 이동이 가능했다.

테리오드와 아스티나를 산장으로 인도한 기사는 얼마간의 요깃거리와 물, 담요 정도를 내주었다. 해가 지기 전에 하산해야 했기에 그들의 움직임도 급박했다. 그들은 최대한 빨리 사람을 보내겠다고 재차 말하고는 떠났다.

산장은 넓지 않았지만 그리 좁지만도 않았다. 산 한가운데 지어진 것이라고 생각하면 오히려 과분하다고 말할 수 있을 정도였다. 벽의 두께가 두껍진 않았으나 바람이 새어 들어올 틈은 없었다. 적어도 외풍은 피할 수 있을 듯싶었다.

아스티나는 테리오드를 벽난로 앞에 앉히고 땔감을 넣어 불을 피웠다. 잔가지 정도는 모아 준 기사들 덕에 수고를 덜었다. 젖은 나무에 불이 잘 붙지 않아 한참 연기를 마시긴 했지만, 아스티나는 그럭저럭 불을 피우는 데 성공했다.

타오르는 불길을 보며, 이제까지 침묵하고 있던 테리오드가 문득 입을 열었다.

"오는 길에 보니 말이 애처로운 눈으로 저희를 쳐다보고 있더군요."

테리오드의 말에 아스티나는 조금 당황했다. 다른 일행과 같이 아스티나도 말까진 신경 쓰진 못했기 때문이다.

다리가 부러진 말은 오래 살지 못한다. 심지어 산길에 방치되었으니 밤사이에 습격을 당하지나 않으면 다행이었다. 아니, 오히려 일찍 죽는 편이 그 미물에겐 더 행운이 아닐까.

아스티나는 제 말이 되도록 담담히 들리기를 바라며 대답했다.

"어쩔 수 없지요. 그런 거대한 크기의 동물까지 옮길 여력은 없었으니."

"그 말을 데려왔어야 했다고 말하는 건 아닙니다. 하지만 그게 죽음을 아는 눈이었다는 생각이 자꾸 들어서 말입니다."

그의 시선엔 초점이 없었다. 테리오드는 더 말을 잇지 않았다. 아스티나도 침묵을 택했다. 어떤 말로 일행의 결정을 변명하든 위선 외의 것으로 비치진 않으리란 생각이 든 탓이었다.

테리오드가 조금은 흉측스럽게 부어오른 발목을 내려다보았다. 응급 처치로 붕대를 감아 고정시켜 놓긴 했지만, 그 안에 들어찼을 붓기가 선명히 눈에 들어왔다.

"그대를 처음 만났을 때로 돌아간 기분입니다. 그대가 나를 돌보고, 나는 또 귀찮은 짐이 되어 버리죠."

"절 구하려다가 휘말리신 것, 압니다."

"쓸데없는 걱정이었지만요."

아스티나의 반박에 테리오드가 곧장 자조하듯 대꾸했다. 그러고는 어쩐지 묘한 어투로 말을 이었다.

"그대는 내 도움이 필요하지도 않은 사람인데, 내가 그만 착각을 한 거야."

비단 이번 일만을 말하는 건 아닌 모양새였다.

아스티나는 은연중에 깔린 그의 다른 의도를 의식하지 않으려 애썼다. 이성적으로 판단한다면 테리오드의 도움은 불필요한 것이 맞았다. 그러나 저를 밀치려 나가온 그의 팔을 보았을 때, 아스티나가 느낀 감정은 어쩌면 반가움에 가까웠다. 그에게 자신은 아직 몸을 던져 지킬 만한 사람이다. 그 사실을 위로로 받아들인 아스티나가 테리오드를 비웃을 수는 없을 것이다.

아스티나가 그를 위로하듯 되물었다.

"하지만 그건 애초에 그대가 잘못한 일이 아니지 않습니까?"

"과정의 잘잘못을 논하기 시작하면 불합리한 일이야 많지요. 하지만 결과를 본다면…… 글쎄요."

"제가 다친 사람을 짐으로 여길 것 같아 보이십니까?"

테리오드도 그녀가 자신을 짐으로 여긴다고 생각해 본 적은 없었다. 아스티나의 말대로 그녀는 일행의 부상을 귀찮게 여길 사람이 아니다. 그건 객관적으로 옳은 일이 아니니까.

늘 이성에 따라 움직이는 그녀를 테리오드는 질투했다. 그는 자신을 배려하는 저 눈빛을 마주할 때마다 뿌리 깊은 패배감을 맛본다. 비단 이번 사고에 국한된 문제만도 아니었다. 그들 관계 자체도 테리오드는 그녀의 애정을 조르고, 그녀는 그 부탁을 들어주고자 애쓰는 모양새였으니까.

테리오드는 알았다. 그녀에게 자신은 '노력'을 멈추기로 하는 순간 버릴 수 있는 무게라는 사실을. 이 지경까지 와서도 그녀에게 관심을 구걸하고 있는 그와는 확연히 다른 입장이었다.

애초에 모든 것을 내놓은 그와 발만 겨우 담그고 있던 그녀가 비교 대상에 설 수는 없었다. 폭풍우가 밀려온 순간 그녀는 아직 잠겨 있는 그를 두고 아차 하며 달아났다. 사랑을 전쟁이라고 부른다면 테리오드는 태초부터 패배했다. 테리오드가 아스티나에게 바랄 수 있는 건 승자의 아량 그 이상도 이하도 아니었다.

테리오드가 무감한 음성으로 되물었다.

"저를 걱정하십니까?"

"……당연히요."

의도를 알 수 없는 질문에 아스티나가 선선히 그렇노라 답했다. 아까 문제를 일으킨 영식에게 화를 쏟아 낼 땐 눈앞이 다 하얗게 물들 정도였으니까.

그러나 테리오드는 의문을 버리지 않았다.

"하지만 당신이 적에게 팔을 내어 주었을 때는 제 걱정을 불필요한 것으로 여겼지 않습니까."

아스티나는 잠시 주춤였다. 이전에 제시를 위해 그녀는 검상까지 감수한 적이 있었다. 아스티나가 조금 당황한 듯한 목소리로 반박의 말을 내어놓았다.

"그것과는 관련 없는 문제잖습니까. 저도 제 몸이 아니면 그리 무심하게 반응하진 않습니다."

"왜요?"

아스티나는 대답하지 못했다. 테리오드가 재차 반문했다.

"왜 당신만 아닙니까. 사람이라면 스스로가 가장 소중하기 마련일 텐데."

눈이 마주쳤다. 한참의 동요 끝에 아스티나의 입술이 벌어졌다.

"난…… 내가 소중하지 않으니까."

테리오드가 의문을 가진 건 과거에도 부딪혔던 바로 그 지점이었다. 처음 대공령에 내려왔을 때부터, 어쩌면 마티나의 기억을 떠올렸을 옛날부터 그녀는 텅 비어 있었다. 그녀의 이성은 곧 감정의 부재에서 기인한다. 테리오드는 왜 아스티나가 언제나 결핍과 함께하는지 알았다. 그녀가 스스로보다 사랑했던 존재는 이미 죽고 없었다.

테리오드가 아스티나의 눈을 보며 다그치듯 말했다.

"왜 소중하지 않은데요. 본인이 소중하지 않으면 누가 그대에게 소중하느냔 말입니다."

"……그만 얘기해요."

아스티나가 더 듣기 싫다는 듯 고개를 돌렸다. 약점을 들킨 소동물이 황급히 몸을 말아 숨기는 것과 같았다. 그녀는 부러 자리를 털고 일어섰다.

"피곤하실 줄로 압니다. 모포를 좀 깔지요. 창고에 쓸 만한 나뭇가지가 더 있는지 봐야겠습니다."

자리에서 일어나는 아스티나에게 테리오드가 손을 얽었다. 그가 대답을 종용하듯 말했다.

"왜 그만 얘기합니까, 이게 뭐라고 숨겨요. 차라리 대놓고 말을 해, 그런 사람은 오직 그대의 왕뿐이라고, 그대의 목숨보다 그가 더 중했다고."

테리오드의 입가에 헛웃음이 스쳤다. 아스티나는 제 손이 떨리는 것을 느꼈다. 아마 테리오드에게도 그녀의 불안이 전해졌을 것이다. 그녀가 힘겹게 반박했다.

"그런 게 아니야."

"그게 아니면 뭡니까. 당신이 나한테 계속 말하고자 하는 게 그것 아니었어요? 당신의 옛사랑 때문에 아직도 고통스러우니까, 나한테서 그를 본 것까지도 내가 이해해 주길 바라잖아."

"아니라고 했잖아! 나한테 대체 더 무슨 대답을 바라!"

견디지 못하고 아스티나가 소리쳤다. 테리오드는 그녀의 일그러진 얼굴을 보자마자 비참하게도 깨달았다. 그녀는 테리오드에게 단 한 번도 진심으로 화를 낸 적이 없었다.

사람은 기대에 배반당했을 때 분노를 느낀다. 아스티나는 애초부터 테리오드에게 건 기대가 없었다. 그를 사랑한다고 말했지만 그러지 못하리란 사실을, 그녀 스스로도 알았을 것이다. 테리오드에게 큰 의미를 두지 않았기에 그가 어떤 행동을 해도 흔들리지 않았을 것이다. 지금처럼 그녀의 역린인 테오도르를 건드리지만 않는다면.

테리오드는 얻지 못할 것을 자꾸 욕심내는 스스로에게 욕지기가 치밀어 올랐다. 그의 얼굴이 일그러졌다.

그도 그녀를 흔들고 싶었다.

"그래, 화가 나면 차라리 이렇게 소리를 질러, 지금까지처럼 뭐든지 참아 준다는 표정 따위 짓지 말고!"

아스티나는 치부를 들킨 사람처럼 뒤로 물러섰다. 물벼락이라도 맞은 듯한 기분이었다. 그가 정확히 제 속내를 지적해 오자 아스티나도 동요하지 않을 수 없었다.

마침내 아스티나가 테리오드의 손을 뿌리쳤다.

"날…… 날 더 내몰지 마!"

아스티나가 그대로 제 얼굴을 감쌌다. 망가진 표정을 숨기고 싶었다. 이렇게 서로의 추한 꼴을 마주하고 싶진 않았다. 그녀가 울부짖듯 소리쳤다.

"그래, 내가 그를 사랑했어. 죽을 것처럼 좋아해서 평생 그 같은 사람은 못 만나리라 여겼지. 그런 사람이 내 원수 때문에 자살을 했고!"

아스티나의 눈가에 눈물이 고였다. 아스티나는 얼굴을 감싼 손바닥이 젖어 드는 걸 느꼈다. 그녀가 조소하듯 덧붙였다.

"아, 자살은 아니었나? 칼자루는 내가 쥐었으니까."

테리오드가 왜 새삼 덮어 둔 과거를 까발리려 하는지 알 수 없었다. 아스티나가 테오도르를 향한 사랑을 고백해서 그가 얻을 수 있는 게 뭐라고.

테리오드가 상처받지 않길 원했기에 아스티나는 내내 침묵해 왔다. 테오도르 때문에 테리오드를 사랑할 수 없다는, 그따위 말로 그들 사이를 끝내고 싶진 않았으니까.

눌러 왔던 말은 속에서 응어리가 되었다. 아스티나가 토로하듯 입을 열었다.

"그래, 내가 사랑했던 건 당신이 아니라 그야. 이런 얘기를 들으면 만족해?"

이건 화풀이다. 아스티나 역시 알았다. 일그러지는 테리오드의 얼굴을 보며 아스티나는 그릇된 충족감을 느꼈다. 저열한 승부 심리가 그녀를 조종했다.

"우리 미래에 대해 기대를 했던 게 당신뿐이었을 것 같아?"

테리오드는 굳은 채 그녀를 올려다보기만 했다. 다친 발로는 그녀가 떠난대도 붙잡을 수 없을 것이다. 혹은 아스티나가 뱉어 내는 비수를 막을 수도 없을 것이다.

아스티나는 천천히 숨을 골랐다. 그를 더 몰아세우고 싶었지만 애석하게도 그녀가 꺼내 본 추억들엔 소소한 행복들만 박혀 있었다. 그 안에 숨겨진 사랑들은 달콤한 설탕 조각 같았다.

그 모든 걸 그녀 스스로 놓아 버렸다는 사실을 견딜 수 없었다.

"그래서 내가 처음부터 안 된다고 했잖아, 당신이 그런 날 붙잡고 기다려 주겠다고 한 거잖아. 날 안심하게 만들고, 계속 사랑해 줄 것처럼 다정하게 웃었잖아. 나한테 희망이란 걸 줬잖아……."

아스티나가 뺨을 적신 눈물을 닦아 냈다. 갈라진 음성을 채 추스를 정신도 들지 않았다.

"혹했어. 믿어 보고 싶었어. 나도…… 나도 더 아프기 싫었으니까. 사랑이란 걸 해 보고 싶었으니까. 그러면 안 돼?"

을씨년스러운 정적이 그들 사이를 찾아들었다. 테리오드는 알 수 없는 눈으로 그녀를 쳐다보기만 했다. 아스티나는 그 와중에도 테리오드의 이해를 바라는 자신을 발견했다. 그에게 상처 준 건 자신이면서, 어리석게도. 그는 항상 그녀에게 져 주었으니까.

마침내 테리오드가 입을 열었다. 애석하게도 아스티나의 바람과는 다른 말로.

"난 자꾸 의심하게 돼."

"……."

"그대가 진짜 사랑하고 싶었던 게 누군지."

말문이 막혔다.

아스티나는 그가 제 과거를 알기 전, 아무것도 몰랐을 때로 돌아가기를 바랐던 일이 얼마나 어리석었는지를 깨달았다. 아무 일 없었다고 스스로에게 주지시켜도 정말 시간을 되돌릴 수는 없다.

그들은 부서졌다. 망가지고 찢겨 너절해진 마음을 기워 붙일 방법은 없었다. 그들은 화해할, 혹은 싸울 각오조차 없어 배려라는 이름 뒤에 도망치듯 숨었다. 도망은 도망일 뿐인데도.

아스티나는 인정하고 싶지 않았지만, 그들은 이미 깨져 있었다.

아스티나는 도망치듯 달려 창고의 문을 열고 들어갔다. 몸으로 출입구를 막고는 미끄러지듯 주저앉았다. 좁디좁은 창고는 방이라고 말하기도 애매했다. 이리 도망쳐 봤자 그와 같은 공간에 있다는 사실은 달라지지 않으며, 더욱이 멍청한 짓이라는 걸 알았지만 그의 시선에서 숨고 싶었다.

아스티나는 두 팔로 다리를 감싸 안은 채 쏟아지는 눈물을 삼켜 내기 위해 애썼다. 그에게 울음소리를 들려주기 싫었으니까. 그럼에도 방음이 미비한 벽면은 서로의 소음을 그대로 전했다.

아스티나가 있는 방향으로 인기척이 가까워졌다. 그가 문가에 머리를 기댄 듯, 약간의 진동이 문 너머로 느껴졌다. 그의 중얼거림이 들려왔다.

"내가 자꾸 미운 말을 하죠."

"……."

"내가 아픈 만큼 당신도 아팠으면 하나 봐, 어리석게도."

아스티나는 이를 악물었다. 그녀가 모질게 말했다.

"당신을 사랑하기로 한 게 실수였어."

테리오드는 몰랐겠지만, 그녀도 늘 합리적으로 행동할 수 있는 사람은 아니었다. 그를 상처 주기 위해 애쓰는 지금처럼.

"당신 곁에 남은 걸 후회해."

그 말을 내뱉은 후, 아스티나는 약간의 후련함을 느꼈다. 동시에 찾아든 후회는 들여다보지 않으려 노력했다. 테리오드는 대답하지 않았다. 한참의 시간이 지난 후 그의 숨소리가 조용히 멀어졌다.

아스티나는 눈가 가득 고인 눈물을 손등으로 털어 냈다. 그와 동시에 바깥에서 문이 열리는 소리가 들려왔다. 반사적으로 아스티나의 얼굴이 들렸다. 이 추운 날씨에 무엇 하러 밖으로 나가는 걸까. 아스티나가 그러했듯, 그도 그녀와 한 공간에 있는 걸 견딜 수 없었나.

아스티나는 그가 이 산장 안에 없다는 사실을 알면서도 선뜻 문을 박차고 나서지 못했다. 제 슬픔만으로도 벅차 테리오드를 돌보고 싶지 않았다. 아스티나는 오기처럼 제 몸을 머문 자리에 붙들었다. 그러나 한참이 지난 후에도 테리오드가 돌아오거나, 혹은 산장 문을 두드리는 소리는 들려오지 않았다. 벌써 밤이었다. 어두워진 산속은 시간을 죽이기에도 여의치 않은 장소였다. 왜 돌아오지 않는 걸까.

결국 아스티나는 몸을 일으켰다. 그녀의 예상대로 산장 안은 비어 있었다. 아스티나는 휘청이듯 문을 열고 밖으로 나섰다.

날이 저물며 온도가 낮아져서인지 어느새 진눈깨비가 쏟아지고 있었다. 다행인 점은 쌓인 눈이 발자국을 만들었다는 사실이었다. 아스티나는 그의 것으로 추정되는 족적을 그대로 따라갔다. 아스티나와 테리오드가 크게 싸운 건 맞았지만 어찌 됐건 이 산장에서 같이 밤을 지내야 하는 건 맞았다. 그들이 몸을 섞어야 하는 보름도 고작 하루를 앞둔 시점이었다. 내일 산장을 내려가고 나면, 아마 그들도 어쩔 수 없이 다시 서로를 마주 보아야 할 것이다.

그러나 테리오드가 남긴 흔적의 끝에서 아스티나는 망연히 멈춰 섰다. 무언가 다른 모양의 족적이 이어지고 있었기 때문이다. 사람의 발이 아니었다.

짐승의 것이나.

아스티나의 손이 떨렸다. 추위로 인한 오한은 아니었다. 그녀는 조용히 날짜를 꼽아 보았다.

"일주일하고도 이틀, 나흘⋯⋯."

마침내 아스티나의 얼굴이 파리하게 질렸다.

"날짜 계산을⋯⋯ 잘못했어."

아스티나는 황급히 자리를 박찼다. 발걸음이 위를 향했다면 좋았겠지만, 애석하게도 그의 흔적은 아래로 이어지고 있었다. 아스티나는 우려와 함께 내리막길을 디뎠다.

아니나 다를까 눈이 쌓이지 않은 지점부턴 더 이상 그의 흔적을 찾아볼 수 없었다. 흙으로 된 인도라면 파인 진흙 자국이라도 찾을 수 있겠으나 짐승은 길을 가리지 않고 움직이는 법이다. 바닥에 쌓인 낙엽들이 움직임을 유추할 수 없도록 방해했다.

"어디, 어디로⋯⋯."

아스티나는 황망하게 제자리에 멈춰 섰다. 주변을 돌아보았으나 도무지 갈피를 잡을 수 없었다. 어느 한 방향을 택했다가 그것이 반대 방향으로 이어진다면 탐색은 더 어려워질 터였다. 사람을 풀어 찾고자 해도 이 산중엔 그녀뿐이었다. 기사들이 불러 준다던 인력은 내일 정오가 돼서야 도착할 것이다. 혼자 움직이는 생물을 추적하기에 산맥은 넓고도 넓었다. 한 개체로 비교한다면 사람의 속도가 야생의 그것과 비교될 리 없다.

"테리오드!"

절박한 부름이었지만, 당연히도 응답은 돌아오지 않았다. 아스티나는 떨리는 어깨를 붙들었다. 이성적으로 움직이기 위해 애썼으나, 옳은 판단이 무엇인지 도무지 알 수 없었다. 아스티나는 숨을 고르고 지형을 파악하기 위해 애썼다.

그때 먼 곳에서 짐승의 울음소리가 울려 퍼졌다. 테리오드의 것인지 아닌지는 확신할 수 없었으나, 그렇다고 마땅히 다른 단서가 있는 것도 아니었다. 아스티나는 소리가 들려온 쪽으로 황급히 달려 나갔다.

다행히도 테리오드가 맞았던 듯, 아스티나는 곧 아까 보았던 발자국과 같은 모양으로 파인 바닥을 발견했다. 짐승은 제 발자취를 가리는 데 주의하지 않았다. 한 번 자취를 찾자 그럭저럭 방향을 가늠할 수 있었다. 아스티나는 드문드문 이어지는 흔적을 동아줄처럼 잡고 나아갔다.

한참을 달린 끝에야 아스티나는 발을 멈춰 세웠다. 시선 끝에 익숙한 은빛이 걸린 탓이었다. 테리오드는 가파른 내리막길 앞에 멈춰 서 있었다. 인기척을 느낀 것인지 그의 시선도 아스티나 쪽을 향했다.

오랜만에 보는 짐승의 모습이다. 다만 오늘만은 시린 빛의 푸른 눈동자가 조금 낯설게 느껴졌다. 그의 행동도 평소와는 달랐다. 보통의 경우라면 그녀를 발견하자마자 곧장 달려왔을 텐데, 그저 제자리에서 그녀를 돌아보고만 있었다. 오히려 왜 자신을 쫓아왔느냐 그녀를 나무라는 듯했다.

숨이 턱까지 치달았다. 그러나 선뜻 그의 이름을 부르지 못한 건 가쁜 호흡 때문이 아니었다. 자신이 그를 붙잡는 것이, 정말 둘에게 이로운 일인지를 알 수 없었던 탓이다. 아스티나는 비겁하게도 그를 떠나보냈을 경우를 가늠했다.

테리오드가 이대로 사라진다면 그녀는 자유로워진다. 이게 테리오드가 진정 바랐던 일이라 위안할 수도 있을 것이다. 어쩔 수 없었다고 스스로에게 그럴듯하게 변명하기만 하면 그녀는 비로소 편안해질 수 있었다. 더 이상 그가 존재하지 않는 매일에서, 그녀는…….

아스티나는 불현듯 숨을 들이켰다. 그의 부재를 가정하고, 이어지듯 찾아온 공허는 소름 끼치도록 시렸다.

그가 떠난 자리에 남겨질 자신은 어떻게 되나. 그를 위해 살겠다며 곁에 머물렀는데, 혼자가 된 나는 대체 어떻게 살아야 하지?

그가 있는 동안은 그녀의 삶에도 잠깐 볕이 들었다. 작은 창으로 어두운 밤만 내다보고 살던 그녀에게 그라는 해가 기울었다. 오랜만에 맛본 따스함에 젖어 그녀도 잊고 있었던 거다. 완전히 일방적인 관계란 존재하지 않는다는 사실을. 이때다 싶어 게걸스럽게 먹어 치웠던 애정이 그녀의 안에 분명히 자리 잡았단 걸, 주는 그도 받는 그녀도 몰랐다.

그녀는 혼자서도 잘살 수 있었다. 원래부터 없었던 사랑을 아쉬워하지도 않고. 그 모든 걸 되찾고 싶다는 어리석은 생각마저도 않은 채. 홀로인 채 괜찮았던 그녀를 테리오드가 길들였다. 그의 사랑이 비치지 않는 매일은 괴로웠다. 천천히 그녀를 잠식했던 애정의 부재에 우습게도 그녀는 갈증을 느꼈다.

목이 메었다. 아스티나가 떨리는 음성으로 말했다.

"가지 마."

아스티나가 한 발 앞으로 다가서자 테리오드도 한 걸음 나아갔다. 절뚝거리는 발걸음에서 아스티나는 그의 상처를 봤다. 목이 메이며 눈가가 흐려졌다. 아스티나가 재차 그에게 사정했다.

"이리 와. 내가……. 내가 잘못했어."

아스티나는 앞으로 나아가기를 멈추었다. 더 이상 다가갔다간 그가 정말 자취를 감출 것 같았기 때문이다. 아스티나가 다급히 그에게 사죄했다.

"그래, 당신이 테오도르이길 바랐어. 그러면 안 됐는데, 그러면 안 되는 걸 알았는데 내가 실수했어. 착각하고 싶어서, 내가……."

아스티나는 손을 들어 왈칵 넘쳐 흐른 눈물을 훔쳐 냈다. 불분명한 사과가 끊기지 않고 이어졌다.

"당신에게 상처 줄 걸 알면서도 그 얼굴이…… 당신이, 테오도르와 같은 말을 할 때마다 기대를 했어. 우리가 혹여나 운명일까 봐, 정말 생을 거슬러 만난 인연일까 봐……."

아스티나는 무수히 비슷했던 순간을 기억한다. 테리오드가 자신을 위해 살라 말했을 때, 그가 고백을 받아 준 그녀에게 기쁨을 토로했을 때, 그녀를 끌어안는 어깨와 막연한 사랑의 말들, 혹은 애칭이 불리던 그 짧은 순간. 옛 기억에 매몰되었던 스스로를 안다. 그녀만은 안다.

"다 내가 잘못했어. 그러니까 제발 이리 와. 당신 곁에 남은 걸 후회한다고 했던 것도 거짓말이었어."

사람의 말을 알아듣지 못하는 짐승의 눈은 마냥 맑았다. 아스티나는 이 자리에 부재했되 존재하는 상대에게 마음 놓고 매달렸다.

"나한테 남은 건 이제 당신뿐이야, 아무도 이 안에 안 남기려고 했는데, 그대가 멋대로 자리 잡았잖아. 나한테서 당신을 훔쳐 가지 마."

아릿한 가슴 위로 떨리는 손을 모아쥐었다. 그럼에도 테리오드는 굳건히 제자리에 머물렀다. 아스티나는 한 발짝 그에게 다가가며 손을 내밀었다. 먹이로 날짐승을 유혹하듯, 그녀는 그가 바랐던 한 가지를 다급하게 내걸었다.

"사랑해, 그대를 사랑할게."

이것이 사랑이라면 아마도 비열함의 다른 이름이다.

아스티나는 사랑 때문에 단 한 번도 행복했던 적이 없었다. 잠깐의 수줍은 미소 후로는 매일이 괴로웠다. 그녀를 망가뜨리고 늘 고통스럽게 하는 것이 그 감정의 본위라면, 테리오드에게 품은 죄책감도 같은 뜻으로 명명할 수 있으리라.

"사람은 스스로도 속이니까, 내가 당신을 사랑한다고 하면 사랑이야. 그 사람과의 기억이 사랑이 아니라고 말하면, 그건 사랑이 아닐 거야."

눈물로 젖은 두 뺨이 따가웠다. 아스티나는 고해하듯 사랑을 말했다.

"그대를 위해 거짓말을 할게. 당신뿐만 아니라 나도 속이면서 살게. 그러니까……!"

버티지 못하고 그만 바닥에 무릎을 부딪었다. 눈밭 위를 짚은 맨손이 아리도록 시렸다. 그녀는 숨도 채 내뱉지 못하고 눈물로 손등을 적셨다. 주먹 쥔 손으로 답답한 가슴을 반복해 내리쳤다.

그런 그녀에게 천천히 발소리가 가까워졌다. 그들 사이의 다툼을 모르는 짐승이 어느새 바로 앞에서, 왜 우냐는 듯 그녀를 지켜보고 있었다. 아스티나는 그에게 떨리는 손을 뻗었다. 다시 도망갈까 겁이라도 내는 것처럼 조심스럽게 입을 맞췄다.

짐승의 겉가죽을 덮은 짧은 털이 손 틈 사이로 빠져나갔다. 아스티나는 그를 마주 볼 자신이 없어 숙인 고개를 들지 못했다. 목놓아 우는 약한 모습이 행여나 그를 괴롭게 할까 봐.

테리오드가 아스티나의 양 손목을 쥐어 제 목에서 떨어뜨렸다. 그 손들은 마주 기도라도 하듯, 둘의 허벅지 위에 놓였다.

"날 왜 찾아왔어요."

아스티나는 대답하지 못하고 고개만 내저었다. 그도 아스티나와 똑같은 실수를 저질렀을 리는 없다. 누구보다 짐승으로 변하는 데 민감했던 사내가 셈을 잘못하여 밖으로 나선 건 아닐 것이다. 테리오드가 손을 뻗어 아스티나의 뺨을 쓸었다.

"왜 웁니까, 그냥 떠나게 내버려 두지."

"내가…… 당신이 그렇게 떠나면 기뻐할 것 같았어? 그대를 망쳐 놓았다는 죄책감만 품고 살 텐데?"

아스티나가 빨갛게 달아오른 눈으로 테리오드를 노려보았다.

그가 밉다. 그러면서도 그가 좋았다. 그가 떠났으면 했고, 동시에 곁에 남았으면 했다. 괴로워하면서도 떠나보내지 못하는 것이 마치 미련과 닮았다. 그건 아마 테리오드도 다르지 않으리라.

아스티나의 대답에 테리오드의 입가에 쓸쓸한 미소가 스쳤다.

"그러네요. 다정한 그대는 온전치 못한 내게 평생 미안해하겠죠."

테리오드가 잠시 침묵했다. 차갑게 식은 아스티나의 손을 감싼 채, 잠시간 그 틈 사이로 시선을 떨구었다.

"아스티나."

아스티나는 그의 부름에 대답하지 않았다. 그녀의 침묵에도 아랑 곳하지 않고 테리오드는 가만히 지난 일들을 되짚었다.

"난 그대에게 바라는 게 사랑밖에 없었어요. 그래서 처음엔 생각 했죠, 고작 그 감정이 뭐라고, 그 작은 관심 한 톨이 뭐라고 날 이 렇게 비참하게 만들었을까."

스스로의 비참함을 말하면서도 테리오드는 괴롭게 일그러졌던 아스티나의 얼굴을 떠올렸다.

그들이 왜 이렇게 되었는지를 묻는다면 많은 이유를 꼽을 수 있 을 것이다. 첫째로는 그녀와 책임지지도 못할 사랑을 하고 죽어 버 린 테오도르가 있다. 둘째로는 그를 잊지 못한 채 다시 태어난 그 녀가 있다. 마지막으로는……

"하지만 이제 압니다. 내 단 하나의 바람이, 그대에게 가장 큰 상 처라는 걸."

그의 구애를 원망하는 아스티나를 보며, 테리오드는 그만 깨달 아 버렸다. 애초에 그가 그녀를 사랑하지 않았다면 그들 사이는 내 내 평탄했으리란 걸. 사랑이라는 구실 좋은 폭력으로 애정을 조른 그 때문에 아스티나는 불필요한 죄책감에 젖었다. 애초에 불가능 한 일을 가지고 어리광을 부린 것이 문제였다. 그녀의 자비에 기대 욕심인 줄 알면서도 진심까지 탐했다.

"당신이 내 옆에 있는 게 너무 당연해져서 과분한 걸 요구했어 요. 나만 포기를 하면 해결될 문제였는데, 내가 욕심이 많아서 그만 그대를 붙들고 놓지 않은 거야."

"그건 그대가, 그대가 미안해할 문제가 아니야."

아스티나가 다급히 고개를 내저었다. 그러나 테리오드는 생각을 완전히 굳힌 상태였다. 스스로를 연민하느라 당연한 깨달음을 회피하고 있었던 거다. 사랑이라는 말은 아주 아름답게 들리지만, 허락되지 않은 이들에겐 때때로 몹시 잔악해진다는 걸.

"아니요, 이건 제 실수였어요. 시냇물에게 흐르지 말라고 말할 수 있나요, 아니면 얼음이 차갑지 않길 바랄 수 있나요. 불에 다가서면서도 데지 않길 바랐던 얼간이가 바로 나였어요."

테리오드가 아스티나의 고개를 끌어 시선을 맞추었다. 축축한 두 뺨을 보며 테리오드는 아스티나를 처음 만났을 적, 몹시도 당당하고 고귀했던 그녀의 옛 모습을 떠올렸다. 그녀는 아프지 않고 그는 삶을 열망했던, 모두가 아무것도 잃어버리지 않은 과거를.

"아스티나, 나를 사랑하지 말아요. 진실로, 그러지 않아도 돼요."

아스티나는 그에게 아니라고 말하려 했다. 그런 것을 바란 게 아니라고. 정말 그를 사랑할 테니 한 번만 더 기회를 달라 말하고 싶었다.

그러나 아스티나는 테리오드의 손에 어린 단호한 힘을 읽어 냈다. 테리오드는 마지막이라도 되는 것처럼 그의 사랑을 진득이 시야에 담았다. 마침내 테리오드가 떨리는 눈을 감으며 속삭였다.

"내가 그대를 사랑하지 않을게."

마냥 달았던 첫 설렘과 다르게, 그 끝은 몹시도 썼다.

✤ ✤ ✤

생각했던 것만큼 심각한 부상은 아니었다. 상황 때문에 고통을 확대해 느낀 면이 없지 않아 있었을까, 진단명은 단순 염좌였다. 하룻밤을 방치한 환부였지만 큰 탈은 없었다. 걱정했던 뼈는 무사했고 인대가 조금 늘어나는 데 그쳤다. 의사는 주의하면 곧 나을 것이라 말하며 붕대를 다시 감아 주었다. 부목을 댈까 물어 왔으나 테리오드가 거절했다. 덧나지 않겠다며 유난을 부리는 꼴이 조금 우습게 생각되었기 때문이다.

"이만하길 천만다행입니다, 눈길에서 잘못 미끄러지면 크게 다칠 수도 있어서요."

시골 의사는 뜻밖의 거물이 부담스러운 눈치였다. 진료를 보는 잠깐 사이 그의 콧잔등엔 식은땀이 흥건히 배어 나와 있었다. 그의 긴장을 내려다보던 테리오드가 불쑥 물었다.

"죽는 사람도 있나?"

"운이 나쁘면 그럴 수도 있겠죠. 사실 혼자 산을 오르는 사람들은 발을 헛디디는 것보단 그 후가 더 문제입니다. 비탈길을 못 올라오면 누가 구해 주기 전까진 추위 속에 있어야 하니……."

의사는 묻지도 않는데 동상에 걸려 시름시름 앓다 죽은 환자 이야기를 늘어놓았다. 테리오드가 무사하다는 걸 확인한 아스티나는 출발 준비를 하겠다며 돌아섰다. 처음엔 집중해 듣던 테리오드도 후에 가선 한 귀로 흘렸다. 오랜 투병은 생을 마감하기에 썩 내키는 방식이 아니었다.

말을 끌고 온 이들 덕분에 하산은 크게 힘들지 않았다. 눈이 미끄러운 지점까지는 테리오드가 부축을 받고 내려와야 했지만, 그가 탈것에 올라탄 이후로는 진전이 순조로웠다. 동이 틀 무렵부터 출발한 구호 인력 덕에 해가 저물기 전에 평지에 다다를 수 있었다.

테리오드와 아스티나는 출발 전 들렀던 마을로 돌아가 맡겨 두었던 마차를 되찾고 말을 빌렸다. 산맥을 에워가야 하니 다른 일행들보다 도착이 사흘 정도 늦게 되었다. 이시스가 이동을 서둘렀던 걸 생각하면 대단한 지각이었다. 대공 부부가 이번 행렬에서 대단한 역할을 맡은 건 아니었지만 당초 목적이었던 순례 의식 정도는 참가해야 할 터였다.

목적을 위해 멈추지 않고 흐르는 여정은 몹시 피곤했지만, 구성원에게 잠깐의 동기쯤은 안겨 주었다. 적어도 다음 목표를 위해 움직이는 동안엔 다른 생각이 끼어들 틈이 없었기 때문이다.

문제는 오히려 몸이 편해 생각할 시간이 많아질 때였다. 테리오드가 생각을 진전시키는 건 아스티나에게 전혀 좋은 일이 아니었다. 그들은 다른 방향을 보고 있었으니까.

마차의 흔들림 속에서 테리오드가 불쑥 입을 열었다.

"데니스 사제도 레타 일족의 후손이라고 했었죠."

테리오드의 말에 아스티나가 퍼뜩 고개를 들었다. 그가 왜 갑자기 데니스를 입에 담는지 알 수 없었기 때문이다. 아스티나의 눈에 의문이 어렸다.

그러나 머지않아 그녀는 그가 무엇을 말하고자 하는지 깨달았다. 아스티나는 데니스가 남긴 말의 진위를 찾고자 잠시 그의 친인척을 수소문했던 적이 있었다. 목숨을 내놓고 모든 걸 속여 넘길 담력은 없었던 모양인지 결과는 사실로 판명이 났다. 왈도가 미처 잡아내지 못한, 집시로 살지 않았던 레타의 핏줄은 아직 이 세상에 남아 있었다. 저주가 요구한 건 바로 그 레타라는 이름 하나뿐이었다. 그의 곁에 남을 사람이 꼭 아스티나일 필요는 없을 것이다.

"만일 저주를 푸는 게 핏줄의 문제라면, 썩 내키는 표현은 아니지만…… 우리가 대체재를 찾을 수 있겠다는 생각도 듭니다."

새 희망을 찾은 사람치고 테리오드의 목소리는 몹시 무감각하게 들렸다. 말을 맺은 테리오드가 잠시 쓴웃음을 떠올렸다. 그로서는 굳이 그럴 필요까지 있나 싶기도 했다. 짐승으로 있었던 어젯밤의 일을 그는 기억하지 못했다. 살려고 노력하지 않아도 살아갈 수 있다는 건 지금의 그에게 오히려 기꺼운 일이었다. 그 광활한 산맥으로 파고든다면 사람을 해칠 일도 없을 터였다.

그러나 죽고 살고는 테리오드가 선택할 수 있는 문제가 아니었다. 테리오드는 삶과 죽음을 그녀의 뜻에 맡겼고 아스티나는 전자를 원했다. 그녀를 위한 마지막 신의로 그는 사람으로서 살아 보기로 했다. 하나 조건이 있다면 아스티나를 그 삶에서 도려내기로 했다는 점이다. 이성을 잃는다면 그녀에게 붙잡히는 순간이 무수히 반복될 터였다. 테리오드는 스스로의 본심이 두려웠다. 그 허울 좋은 욕심은 몇 번이고 테리오드에게서 판단력을 앗아 가곤 했다.

내내 무릎께만 내려다보던 아스티나가 고개를 들었다. 입술이 말랐다. 아스티나는 침을 삼켜 목을 축인 다음에야 입을 열 수 있었다.

"굳이 그래야 해?"

"……."

"어차피…… 어차피 내가 있잖아. 그대와 혼인 관계에 있는 것도 나고."

테리오드에게선 대답이 돌아오지 않았다. 아스티나가 다급히 뒷말을 덧붙였다.

"날 사랑하지 않겠다며, 그럼 뭐가 문제야. 날 이용해. 그러면 되는 거잖아."

함께였던 두 사람을 분리해 내는 일은 전혀 아름답지 않았다. 늘 이성적이었던 그녀가 논리 없는 말을 필사적으로 뱉어 냈다.

테리오드는 자신에게 남은 그녀의 흔적만큼이나, 그녀에게도 제가 깊숙이 남아 있음을 알았다. 테리오드는 제 목 언저리에 달라붙는 본심을 뿌리치기 위해 애썼다. 흔적은 흔적일 뿐이라 위안하자 다음 말을 내뱉는 건 어렵지 않았다.

"아스티나, 나는 그대로 인해 너무 아팠어요."

원망은 아니었다. 테리오드는 과장도 축소도 않은 채 사실만을 입에 담았다. 한숨 같은 심호흡을 삼키며 잠시간 창밖으로 시선을 돌렸다. 햇빛을 등지고 옹기종기 모인 집터들은 마치 얼룩처럼 보였다. 창 너머로 멀어지는 마을을 눈에 담으며 테리오드는 묘한 후련함을 느꼈다. 가슴속에 응어리졌던 어떤 것을 두고 가기라도 하는 기분이었다.

내내 피하고 있던 결론에 순응하자 그의 수면은 잠잠해졌다. 원래부터 이랬어야 했던 것을, 잘못된 방향으로 에둘러 돌아오고 있었다는 생각마저 들었다.

버림받은 세상에게서 등 돌리는 건 그리 어려운 일이 아니다.

"상처만 받으면서도 서로여야 한다는 착각에 취해 살았잖아요. 이젠 그러고 싶지가 않아."

테리오드의 입가에 미미한 미소가 떠올랐다. 지난밤 필요 이상으로 쏟아 낸 덕분인지 눈물은 나오지 않았다. 테리오드가 부드럽게 말을 맺었다.

"그만 놓아줄게요."

아스티나는 무릎 위에 올려 둔 손을 천천히 모아 쥐었다. 차갑게 식은 손끝의 감각이 둔했다. 얼굴에 열이 몰리며 눈이 충혈되었다. 상상하지 못한 일이었고, 그래서 아스티나에겐 아직 많은 의문이 남아 있었다.

왜 저렇게 건조한 목소리를 내는 걸까.

어떻게 저리 아무렇지 않다는 듯 굴 수 있는 걸까.

나를 사랑한다고 했으면서, 왜 나조차 포기하지 못한 관계를 버리겠다는 걸까.

"난…… 난 그러고 싶지 않아. 놓아준다니, 내가 원한 게 아니잖아. 왜 나를 위해서인 것처럼 말해?"

"무엇이 옳은 판단인지 아직 몰라서 그런 것뿐이에요. 그대조차 그대가 망가진 걸 모르잖아."

"난! 난 원래부터 이런 사람이었어. 내가 망가졌다고? 이제야 뒤틀린 내 전부를 본 것뿐이겠지! 당신은 내게 아무것도 아니야. 그대는 나를 상처입힐 수 없고, 난 전혀 상처받지 않았어. 그러니 나 때문이라는 변명 같은 건 하지 마!"

당신은 내게 아무것도 아니란 말을, 아스티나는 몹시도 간절하게 내뱉었다. 그녀의 불안정한 모습은 테리오드에게 희망보다는 죄책감을 유발했다. 테리오드는 결국, 그녀를 상처 주며 그를 깊숙이 찔러 넣는 데 성공했던 거다.

테리오드는 그가 그녀에게 품었던 감정이, 혹은 그녀가 그에게 주고자 노력했던 그 마음이 과연 사랑이 맞는지 의심될 지경이었다. 이렇게 사람을 망가뜨리는 건 오히려 죄라고 불리움이 마땅하다.

"이기적이라고 해도 좋아, 내 속없음을 비난하려거든 얼마든지 그렇게 해. 나한텐 그대가 필요해."

아스티나는 매달렸다. 그것 외에 다른 방도를 찾을 수 없었기 때문이다. 그러나 테리오드는 단언하듯 말을 잘랐다.

"그건 실수의 반복일 뿐이에요."

"……."

"그대가 나를 사랑하겠다고 말했을 때와 같아요. 잠깐은 해결할 수 있을 것 같은 착각도 들겠죠. 하지만 우리 모두 알잖아요, 결과가 어땠는지."

그의 목소리는 언뜻 초연하게까지 들렸다. 아스티나는 자신이 그의 결정을 뒤바꿀 수 없음을 깨달았다. 아스티나에겐 그를 흔들 수 있는 패가 단 한 가지도 없었다.

처음 과거를 알게 되었을 때, 그는 그녀를 원망했다. 배신감을 느끼면서도 그녀를 놓지 못해 곁에 남았다. 자신을 붙들고 사랑만 달라고 했다. 그런데 이제는 그 사랑마저 바라지 않는다고 한다. 그는 그녀에게 원하는 게 아무것도 없었다. 자신이 그렇게 인도했다. 그의 바람 중 어느 하나도 제대로 들어주지 않고서 모든 걸 포기하게 만들었다.

아스티나는 몇 번이고 기억을 헤집은 끝에, 겨우 마지막 이유를 붙들었다.

"나한테…… 그대를 위해 살라고 말했잖아."

애석하게도 사람은 이유가 없어도 살아갈 수 있다. 오직 살기 위해 삶을 붙들었던 테리오드가 가장 잘 알고 있는 사실이었다.

"미안해요, 약속 못 지켜서."

테리오드가 손을 뻗어 아스티나의 손등 위로 겹쳤다. 그가 농담하듯 말했다.

"우린 서로가 없을 때 더 괜찮은 사람이었잖아요."

"……."

"나 때문에 울지 말아요."

아스티나는 오기처럼 울지 않았다. 그들 사이의 끝에서, 테리오드보다 더 많은 걸 잃었다는 걸 전시하고 싶지 않았기 때문이다. 그럼에도 승자와 패자의 차이는 극명했다. 결국은 칸나의 말대로 되었다. 테리오드는 일방적으로 감정을 내어 주는 데 지쳤다. 아스티나는 내내 받기만 했기에 그에게서 돌려받을 것이 없었다. 애정을 약탈당한 마음의 빈자리는 초라했다.

아스티나는 텅 빈 스스로를 감추기 위해 제 몸을 감쌌다. 어쩌면 당연하게도, 이전처럼 그가 그녀를 끌어안아 주는 일은 없었다.

✢ ✢✣✢ ✢

"어렸을 때 좋아하셨지요."

뒤편에서 들려온 소리에 이시스는 고개를 들었다. 희끗하다 못해 머리칼이 다 세어 버린 남자가 그녀를 지켜보고 있었다. 그가 손짓으로 이시스가 들고 있던 물건을 가리켰다.

"목각 인형들 말입니다. 아마 별채로 가면 옛날에 직접 가지고 노셨던 장난감도 남아 있을 겁니다."

이시스는 가만히 시선을 내려 그가 언급한 목각 인형을 내려다보았다. 호두나무로 조각된 윤기 나는 말이 그녀의 손안에 있었다. 남자를 기다리다가 지루한 마음에 집어 들었던 물건이었다. 정작 그녀는 이것에 유별난 추억은 가지고 있지 않았다. 이시스가 조용히 조각품을 내려놓았다.

"오셨으면 말씀을 하시지요."

"열중하시는 모습이 보기 좋아 흐트리기가 싫었습니다. 옛 기억도 좀 되짚어 보고요."

"어머니나 다른 친인척들이나, 왜 제게 옛 추억만 이야기하는 건지 잘 모르겠습니다. 커서는 별다른 관심이 없었다는 걸 우회적으로 말하기라도 하려는 건지."

이시스의 심드렁한 대꾸에 남자는 적잖이 당황한 눈치였다. 그러나 노련함을 갖춘 연장자에겐 이 역시 경험의 변주일 뿐이었다. 제스퍼레오 공작은 곧 그의 얼굴에 어렸던 동요를 지워 냈다. 주름진 입가에 부드러운 미소가 떠오른 건 동시였다.

"아무래도 사람은 좋았을 때를 더 인상 깊게 기억하게 되는 법 아닙니까."

'좋았을 때'라, 손안에 두고 마음대로 주무를 수 있었던 미성년이 그들에겐 더욱 기꺼운 존재였을까. 이시스가 제 의지를 가진 이래 그들이 내내 패배를 반복해 왔던 걸 생각하면 객관적으로도 틀린 말은 아니었다. 이시스가 그들을 위해 움직였던 일도 오로지 배신을 위한 초석에 불과했다.

이시스에게서 별다른 반응이 돌아오지 않자 제스퍼레오 공작이 그녀를 소파 쪽으로 안내했다.

"일단 앉으시죠. 진작 자리를 청하고 싶었는데, 지난 이틀은 여독을 푸셔야 할 것 같아 선뜻 이야기를 못 드리고 있었습니다."

길어진 기다림이 미안하다는 투였다. 그러나 정작 이시스는 그와 독대하기 전 주어졌던 며칠의 여유 동안 초조함을 느낀 적이 없었다. 당연히 제스퍼레오 공작에게도 그녀를 간 볼 시간이 필요하다고 여겼기 때문이다. 늙은 뱀은 아마 이시스의 편에 선 세력들을 하나하나 꼽아 보았을 것이다. 이시스에게서 발을 뺄지, 아니면 정말 힘을 실어 줄 가치가 있을지 판단하기 위해서.

뻔한 사실이었지만 이시스는 굳이 짚고 넘어가지 않았다. 때론 알고도 모르는 척하는 게 더 나은 처세인 경우도 있는 법이다. 아직 완전한 아군인지도 모르는 상대에게 감정적으로 굴고 싶진 않았다.

하녀들이 차를 내어 주고 떠나자, 이시스가 곧장 깔끔한 미소로 대화의 물꼬를 텄다.

"그래서, 어쩐 일로 저를 부르셨지요?"

"조부가 손주를 보고 싶어 하는 게 굳이 이유가 필요한 일이랍니까."

"사람 사이엔 맥락이라는 게 있는 법 아닙니까. 지난해 여름엔 제겐 언질도 않고 다른 손주만 눈에 담고 가셨었지요."

"그땐 급하였고……."

"그 급한 와중 누구 하나를 택하였고, 그게 각하에겐 프리모였다는 뜻이지요."

이시스가 듣기 싫다는 듯 말을 잘랐다. 논리 없는 변명을 듣고 있는 건 고역에 가까웠다. 쓸모없는 신변잡기를 하려고 이 자리에 나온 게 아니었다.

이시스가 관자놀이를 문지르며 고운 미간을 찌푸렸다.

"제가 꼭 애정을 조르는 아이라도 된 기분이군요. 굳이 첨언하자면 전 한 번도 각하께 섭섭했던 적이 없답니다. 다만 피차 다 아는 일에 시간을 버리진 말자는 뜻입니다."

제스퍼레오 공작에게서 긴 한숨이 새어 나왔다. 이시스는 허리를 곧추세운 채 의연히 그의 시선을 받아쳤다. 한때는 저런 한숨이나 눈빛 같은 것에 위축되기도 했었으나, 지금의 그녀에겐 어떤 영향도 미치지 못했다.

한참 이시스와 눈을 맞추던 제스퍼레오 공작이 가슴팍에서 무언가를 꺼내 들었다. 작은 보석함이었다. 형태로 미루어 보아 반지가 들어 있을 듯했다. 그가 테이블 위에 상자를 내려놓았다. 이시스가 이게 뭐냐는 듯 시선을 받아치자 그제야 설명을 이었다.

"오래도록 내려오는 우리 가문의 가보입니다."

이시스는 그제야 상자를 열어 보았다. 내용물은 예상했듯 반지였다. 백금으로 된 링의 세공은 제법 고급스러웠지만, 정작 그 위에 박힌 것의 정체가 모호했다. 처음 보는 형태의 원석이 투박한 모양으로 박혀 있었던 것이다. 그 안에서 값비싼 반짝임은 전혀 찾아볼 수 없었다.

이시스가 신랄하게 되물었다.

"이런 돌덩이가요?"

이시스의 반응을 예상했다는 듯 제스퍼레오 공작이 어깨를 으쓱였다.

"들어 보셨을 것 아닙니까. '진실의 반지'를요."

이시스는 잠시간 멍하니 반지를 들여다보았다. 제스퍼레오 공작이 말한 명칭을 모르는 건 아니었다. 제스퍼레오의 핏줄을 타고난 자라면 한 번쯤 들어 봤을 물건이다. 실제로 존재한다고 알고 있긴 했지만 이시스도 실물을 보는 건 처음이었다.

그 옛날 제스퍼레오가의 선조가 북부를 딛고 터를 잡았을 때, 신이 그를 축복하기 위해 하사했다는 돌이다. 부정한 기운의 옆에 있으면 검게 변하는 성질을 띠어 영지를 바르게 이끄는 데 큰 도움을 되었다고 한다. 조금 의외의 물건이긴 했으나, 이시스의 눈은 머지 않아 따분한 기색을 띠었다.

영주가 지어낸 설화는 영지민들을 단속하고 스스로에게 정통성을 심어 주기 위한 장치였다. 이야기를 만들어 내고 증명을 짜 맞추는 건 권력자에게 어렵지 않은 일이다. 어느 곳에나 존재하는 거짓 설화에 이시스는 관심을 둔 적이 없었다.

이시스의 성격을 모르지 않는지 제스퍼레오 공작의 입가에 다소 머쓱한 미소가 떠올랐다. 그도 딱히 이 반지가 '진짜 영물'이라고 믿고 있는 건 아니었다.

"뭐, 그저 상징품일 뿐이지만 말입니다."

"부정한 것의 앞에선 검은빛을 띤다라……."

이시스가 심드렁히 중얼거리며 반지를 들어 올려 빛에 비쳐 보았다. 원석과 링을 잇는 틈새로 말라붙은 잉크 자국이 들여다보였다.

표면은 닦아 냈으되 안쪽까지 새어 든 얼룩은 지워지지 않은 모양이었다.

"악의 세력으로 몰고 싶은 존재가 있다면 색소로 돌을 물들였겠군요, 참으로 미개한 시대입니다, 그렇지 않습니까?"

이시스가 피식 웃으며 되물었다. 모욕으로 받아들일 수도 있었겠지만, 제스퍼레오 공작은 담담히 이렇게 대꾸했다.

"가지십시오."

생각지 못한 발언에 이시스가 멈칫했다. 이 물건으로 또 무슨 꼬투리를 잡으려나 싶었는데, 흘러가는 상황은 이시스의 예상과 사뭇 달랐다.

부러 비웃기는 했으나 엄연히 한 가문에 따라 내려오는 가보였다. 오직 가주의 손을 타고 이어지는 물건을 왜 제게 넘기겠다는 건지 알 수 없었다.

"가주의 것을 왜 제게 주십니까."

"그동안 보아 온 맥락이 있으니 이 정도는 해야 믿으시겠지요. 화친의 표시입니다."

이시스는 제스퍼레오 공작의 눈을 잠시간 들여다보았다. 그 안에 있는 것은 순응이었다. 상대의 항복 선언에 이시스가 어이없다는 듯 헛웃음을 터트렸다.

"제스퍼레오가야 본디 저와 한 핏줄을 타고난 가문이 아닙니까."

이시스의 허세에 제스퍼레오 공작이 쓴웃음을 떠올렸다.

"전하. 저도 압니다. 프리모 전하께서 어떻게 권좌에서 내려오신 것인지요."

이시스의 입술이 굳어 들었다. 황후가 아비에게 상의했다면 충분히 알려졌을 법도 한 일이다. 그러나 표면상으로는 너무도 오래도록 프리모의 실각에서 유리되어 있었던 탓에 이시스는 약간의 억울함마저 느꼈다. 하지 않은 일을 했다고 매도당하기라도 한 듯이.

이시스의 낯에서 웃음기가 완전히 지워졌다. 제스퍼레오 공작이 씁쓸한 투로 말을 이었다.

"황후 폐하께선 아직 받아들이지 못한 모양이지만, 저희 가문은 얻을 게 없는 일에 쓸데없는 고집을 부릴 생각은 없습니다. 직접 얼굴을 보고 말씀드리겠다고 한 것은, 제가 보낸 편지가 제 여식에게 새어 들어갈 것을 알았기 때문입니다."

지금까지 실질적인 도움에 대해 뜸을 들였었던 것은 황후의 눈치를 봤기 때문이었나. 비정한 핏줄 싸움에 지치기라도 한 듯 제스퍼레오 공작은 몹시 연로해 보였다.

"가지십시오, 그리고 제 여식이 방해가 된다 하여 황궁에 비슷한 비극이 반복되지 않게 해 주세요."

"제게는 어머니입니다. 제가 패륜을 즐기는 자였으면 애초에 내친 인물이 하나가 아니었을 것입니다."

"전하의 행동이 패륜이라고 생각하지 않기에 이러는 것입니다. 전하, 상대가 칼을 휘두를 것 같으면 내가 먼저 나서 베어야 하는 법입니다. 저는 그 당연한 방어를, 그럼에도 그녀가 제 딸이기에 피해 가기를 바랍니다."

이시스는 한참 둘 사이에 놓인 테이블을 내려다보았다. 잠깐의 망설임 끝에, 결국 이시스의 손이 대금을 받아들였다. 그제야 제스퍼레오 공작의 입가에 안도의 미소가 떠올랐다. 무슨 일이라도 있었냐는 듯 그는 손윗사람으로서의 조언까지 남겼다.

"수도로 돌아가 관을 받으시면, 리체 지방에서 친목의 자리를 만들어 보시는 것도 좋을 듯합니다."

"리체라면—"

"블란체의 고성 말입니다. 크지 않은 왕국치고 연회장은 꽤나 볼 만하더군요."

제스퍼레오 공작이 다 식어 버린 차를 홀짝이며 말을 이었다.

"그 성은 현재 황가 아래 있으니, 후계자로서 황가의 재산을 운용한다는 하나의 표식이 되어 줄 겁니다. '두 번째 마티나'라는 정치적 이미지에도 도움이 되겠지요. 여제 마티나가 첫 승리를 얻었던 장소이니."

그건 이시스에게도 썩 마음에 드는 제안이었다. 추종자들을 불러 모아 친목의 자리를 만들 계획은 있었지만, 그 장소까지 상세히 생각해 두진 않았었다.

이시스가 의외라는 듯 턱을 들었다.

"좋은 의견이군요. 감이 떨어지진 않으셨나 봅니다."

"늙은이들은 전설이란 것에 열광하게 되는 법이니까요."

"각하께서도 참석하실 텐가요."

"다 늙어서 주책이지요. 혈기 가득한 젊은이들만 부르십시오. 주군과 생과 사를 함께할 진짜 신하를 찾으셔야지요."

제스퍼레오 공작이 고개를 절레절레 내저으며 거절했다. 세심한 조언은 마치 진짜 손주를 향한 걱정처럼도 보였다.

그러나 이시스는 누그러진 태도를 보이는 대신 자신이 이를 어떻게 얻어 냈던가를 되새겼다. 그 싸늘한 일깨움은 이시스가 다시 가족의 정에 젖는 걸 막아 주었다. 이시스는 손도 대지 않은 찻잔에서 시선을 떼어 내며 자리에서 일어섰다.

"조언은 새겨듣겠습니다. 부탁하신 일도 기억해 두지요."

제스퍼레오 공작은 이시스를 붙잡지 않았다. 그는 목각 인형 외에 이시스를 붙들 수 있는 추억을 알지 못했다.

문을 닫자 곧장 긴장에서 벗어날 수 있었다. 이시스는 후련한 기분으로 숨을 들이켰다. 어차피 후계위를 물려받는 게 확실시된 만큼 제스퍼레오가에서 그녀를 버릴 이유는 없었지만, 그럼에도 알게 모르게 걱정을 하고 있었던 것도 사실이었다.

그녀가 바라 왔던 것들이 하나씩 손아귀에 들어오고 있었다. 진짜 제왕의 자리에 오르면 그것은 또 얼마나 벅찬 기분일까.

그러나 이시스는 들뜬 마음을 누르기 위해 애썼다. 후계자의 잔은 프리모에게도 주어진 적이 있었다. 쟁취와 유지는 다른 선상의 문제였다. 이 전리품을 지켜 내는 건 그녀의 새로운 과업이 될 것이다.

밖으로 나온 이시스에게 하녀가 하나 따라붙었다. 아무래도 문밖에서 쭉 대기하고 있었던 듯했다. 전언을 들은 이시스의 얼굴에 이전과는 다른 반가움이 번져 들었다.

"대공 부부가 도착했다고?"

부상을 이유로 뒤처졌던 이들이다. 늦은 도착이긴 했지만, 예상보다는 일렀다. 하녀가 공손하게 물었다.

"예, 전하께 방문하라 이를까요?"

"굳이 그럴 필요가 있나. 내가 가면 더 빠른 것을. 위치가 어디지?"

"일행들이 머무르는 별관이 다 차, 본관 2층으로 안내했다고 들었습니다."

"금방이군."

이시스가 그리 대꾸하고는 걸음을 재게 놀렸다. 선두 행렬과 합류한 후 대공의 부상 소식에 얼마나 놀랐던가. 돌아서 가도 되는 길인데 산행을 감행해 부스럼을 낸 것은 그녀 쪽이었다. 어쩐지 대공 부부에게는 빚만 늘어 가는 기분이었다. 직접 맨발로 나가 맞아들이기라도 해야 면이 좀 살 것이다.

이시스는 머지않아 대공 부부가 머무르고 있다는 방에 도착했다. 하녀를 시켜 노크를 남기자 곧 문이 열렸다. 방문 사이로 나타난 건 다소 피곤한 낯의 아스티나였다. 이시스가 반가운 표정으로 그녀를 불렀다.

"대공비, 도착했다는 소식을 듣고 왔네. "

이시스를 발견한 아스티나가 조금 놀란 기색을 보였다. 그리 반기는 기색이 아니라 이시스는 다소 머쓱해졌으나, 곧 그 이유를 알아챌 수 있었다. 성으로 도달해 충분한 휴식을 취한 이시스와 달리 그들은 막 먼 여정을 끝낸 직후였다. 대공이나 대공비나 낯빛은 그리 좋지 못했다.

"말씀을 하고 오셨으면 좋았을 텐데요."

"아아…… 내가 반가운 마음에 실례를 했군."

"아닙니다. 환자가 있어 그렇지요."

아스티나의 말에 이시스는 대공 쪽으로 시선을 돌렸다. 몸이 편치 않은 와중에도 그는 예를 갖춰 인사를 하려 했다. 이시스가 손을 내밀어 그를 제지하며 물었다.

"대공, 다리는 괜찮나? 나 때문에 먼 곳까지 따라와 고생이 많군. 의사는 뭐라던가?"

테리오드는 타인의 앞에서 제법 멀끔하게 웃어 보였다.

"사고였을 뿐인걸요. 골절은 아니지만 열흘 정도는 휴식을 취해야 한다고 하더군요."

"열흘이라…… 길군."

테리오드는 고뇌하는 이시스를 보며 쓴웃음을 삼켰다. 실제로 예정된 완치일은 그보다 일렀지만, 테리오드는 사건을 축소시키기보다는 확대하는 편을 택했다. 붕대를 칭칭 둘러맨 상처는 환자 행세를 하기에 상당히 그럴듯해 보였다. 이젠 그의 하루는 반절이 되었으니 방에서 나오지 않을 핑계가 생기는 건 기꺼운 일이었다.

결별을 선언한 이후 그는 아스티나와 어떤 접촉도 하지 않았다. 그럼에도 반복해 사람으로 눈을 뜨는 것을 보면 그녀가 입을 맞춰 주고는 있는 모양이었다. 그들 사이에 함께 치러 내야 할 일들이 있기에 테리오드도 그것까지 막진 않았다.

다만 테리오드는 문득 궁금해졌다. 하루가 지날수록 그녀에게서 멀어지고 있는 그의 삶을 흐르게 하며, 그녀는 대체 무슨 생각을 하고 있을까.

테리오드는 흐린 표정을 숨기려 시선을 내렸다. 마치 원래부터 그런 의도였다는 듯 발목 부근에 눈길을 주었다.

"걸음을 옮기기가 불편하여 아무래도 공석에 오래 얼굴을 비치지는 못할 듯합니다."

"내가 환자에게 일을 시킬 피도 눈물도 없는 사람으로 보이나? 안심하고 쉬게. 내 사고를 일으킨 영식도 크게 질책해 두었어. 아마 곧 정식으로 가문에서 사과문이 갈 거야."

이시스가 선수 치듯 테리오드에게 걱정 말라는 말을 전했다. 그녀의 세력 사이에서 벌어진 사건이었기에 이시스도 민감해질 수밖에 없었다. 자칫 수틀리면 두 가문의 불화로 번지는 수도 있었기 때문이다. 문제를 일으킨 자를 먼저 나서 벌한 것도 대공 부부에게 성의를 비치기 위함이었다. 이를테면 제 얼굴을 봐서 넘어가 달라는.

군이 앙갚음을 할 의욕도 없었기에 테리오드는 황녀의 중재안을 받아들였다.

"사람이 실수도 할 수 있는 법이죠. 전하께서 직접 나서 주셨으니 제가 말을 보태기도 우습군요."

"과연 대공은 마음 씀씀이가 넓어. 부부는 닮는다더니 둘 다 참 화통해서 마음에 드네."

이시스가 그리 말하고는 재밌다는 듯 웃어 보였다. 그러나 대공 부부 모두 미미한 미소만 내보일 뿐, 예상했던 화기애애한 반응은 없었다. 이시스가 헛기침을 하며 화제를 바꿨다.

"그래도 식전에 도착해서 다행이군. 셋이 함께 저녁이라도 할까."

"전하, 저와 따로 보시지요. 대공께선 쉬셔야 할 모양입니다."

아스티나가 중재하듯 나섰다. 이시스는 식당은 한 층만 내려가면 있다고 말하고 싶었으나, 대공비의 반응이 꽤나 단호했기에 더 말을 보태진 못했다.

둘은 곧 테이블을 사이에 두고 마주 앉았다. 제스퍼레오 공작과 있을 때와 다르게, 이시스는 곧장 곱게 우려진 찻물을 한 모금 머금었다.

"하녀 아이에게 전하의 위치를 물었더니, 제스퍼레오 공작과 독대 중이시라 하던데요."

아스티나의 말에 이시스가 미세히 눈썹을 들어 올렸다.

"그 인간과 오래 나눌 이야기가 무어 있겠나. 마주 앉아 있으면 서로 기분만 나빠지는 것을."

"공작께선 뭐라고 하시던가요. 순순히 힘을 보태겠다던가요?"

"그래, 인식도 못 하고 있었는데, 내겐 아주 훌륭한 인질이 있었 더군."

아스티나는 한 박자 뒤에야 이시스가 말하는 '인질'이 누군지 알 아차렸다.

"황후 폐하 말씀이십니까?"

이시스의 입가에 씁쓸한 기색이 떠올랐다. 이시스가 자조하듯 잔 표면을 매만졌다.

"남의 씨앗은 다 짓밟았으면서 제 딸 목숨 귀한 줄은 알더군. 그 이빨 빠진 맹수가 말이야."

그리 말하며 이시스가 손목 틈 사이를 비집고 무언가를 꺼냈다. 제스퍼레오 공작에게 받았던 반지 상자였다. 그것을 마주한 아스 티나의 반응은 아까 전의 이시스와 같았다.

"이게 무엇입니까?"

이시스가 피식 웃었다. 그녀는 아예 뚜껑까지 열어 그것을 아스 티나의 앞에 내밀었다. 이시스가 다소 반항적인 태도로 고개를 까 딱였다.

"아주 귀한 물건이야. 드디어 외골수 할아버지께서 손녀를 인정 했다는 증표거든."

"……"

"뭐, 그러니 결국 나한테는 쓸모없는 물건일 뿐이지."

이시스가 입꼬리를 끌어 올리며 짧게 덧붙였다. 얼떨떨한 표정을 보아 아스티나는 아직도 상황을 파악하지 못한 모양이었다. 충동적인 결정이었지만 딱히 미련은 없었다. 이시스가 호탕하게 말했다.

"그대가 가져."

아스티나의 눈이 커졌다. 아스티나는 갑작스럽게 하사받은 금품을 덥석 받아 들기보단, 그 정체를 먼저 파헤치는 쪽을 택했다.

"이게 무슨 물건인지부터 알 수 있을까요."

"제스퍼레오가에 내려오는 진실의 반지라는 물건이야. 어두운 기운을 분별해 내는 능력을 가지고 있다더군."

아스티나가 황당한 표정을 했다. 그 진위를 떠나 작명 센스가 썩 마음에 차지 않았기 때문이다. 아스티나가 설핏 미간을 좁힌 채 반지의 외관을 살폈다.

"……썩 끌리진 않는 명칭이군요, 그거."

"이름이 유치한 건 옛날 물건이라 그래. 알다시피 통일 이전엔 정의의 검이나 정화의 성수 같은 네이밍이 유행이었잖나? 그래 봬도 가주에게만 내려오던 가보 중의 가보라네."

이시스가 어깨를 으쓱였다. 그럼에도 여전히 아스티나는 내키지 않는 표정이었다. 여러모로 이시스가 보였던 반응과 비슷했다. 이시스는 이 골동품에 그럴듯한 뜻을 곁들였던 공작처럼, 이것을 선물하고 싶은 이유를 말했다.

"공작은 이게 화친의 증표라고 하더군. 우습지, 그럼에도 우린 늘 서로를 경계하고 의심할 거야. 그러니 이건 내가 진짜 믿을 수 있는 상대에게 가는 게 맞지 않겠어?"

무려 '진실의 반지'니까 말이야. 이시스가 키득이며 그리 농담을 덧붙였다.

아스티나는 그런 이시스를 물끄러미 응시했다. 불신 어린 얼굴은 과거에 받았던 상처의 결과다. 제스퍼레오 공작이 생각해 두었던 것과 다른 인물이긴 하나, 결과적으로 그와 같은 핏줄이 차기 황제 자리에 올랐으니 그의 계획은 반쯤 이루어진 셈이었다. 그럼에도 제스퍼레오 공작은 이시스에게서 변변한 수혜는 입지 못할 것이다. 그가 프리모를 지지했던 세월은 지워지지 않기 때문이다. 지나간 일은 돌이킬 수 없는 법이니까.

아스티나는 물끄러미 이시스가 내준 반지를 내려다보았다. 아스티나가 상자를 집어 들며 말했다.

"제가 보관은 해 두겠습니다. 되찾고 싶으실 때 말씀해 주세요."

"뭐, 그들이 진짜 내 편이 된 것 같으면 그리하지."

예외를 둔 것과 달리 이시스는 평생 그럴 일은 없다는 듯 말했다. 이미 넘긴 물건엔 관심이 없다는 듯 이시스는 빠르게 화제를 바꿨다. 반지를 주는 것은 의도치 않은 일이었고, 본래 이시스가 하려고 했던 말은 따로 있었다.

"곧 리체 성에서 파티를 한번 열 예정이야."

불쑥 불려 나온 과거의 이름에 아스티나는 잠시 몸을 굳혔다. 아스티나가 얼떨떨한 기분으로 되물었다.

"블란체의 고성 말씀이십니까?"

이시스가 고개를 끄덕였다. 이시스는 어쩐지 불만족스러운 표정으로 말을 이었다.

"그래. 공작께서 조언해 준 건인데, 따르기가 조금 자존심 상하긴 하지만 그만한 장소가 또 없는 것 같아. 어찌 됐든 난 정치적으로 마티나의 덕을 많이 보았으니 말이야."

"……그렇네요. 분명 많은 도움을 드렸지요."

아스티나의 표정이 묘하게 흐려졌다. 당연히도 이시스는 아스티나의 낯에 어린 마티나의 기억을 읽어 내진 못했다. 이시스가 흡족한 미소를 지으며 의사를 물었다.

"그대가 참석해 준다면 더할 나위 없는 영광이겠어. 그때쯤엔 대공의 부상도 낫겠지?"

역시나 아스티나가 테리오드와 함께 참석할 것이라고 믿어 의심치 않는 모양새였다. 그때까지 그들이 혼인 관계를 유지하고 있을지는 알 수 없는 바였지만. 아스티나는 늘 그러하듯 그들 사이의 불화를 드러내지 않았다. 아스티나만큼 가면 아래로 본심을 잘 숨겨 내는 자가 또 없었다.

표면상으로 분위기는 몹시 화기애애하게 흘러갔다. 흥이 올랐는지 이시스는 저녁 식사를 재차 제안했다. 대공이 빠진 자리였고, 아스티나 역시 테리오드와 긴 시간을 함께할 변죽은 없었으므로 부담 없이 응했다. 주방장에게서 좋은 와인까지 얻어 낸 이시스는 아스티나를 붙잡고 밤늦게까지 놓아주지 않았다. 덕분에 아스티나가 방으로 돌아왔을 즈음에는 완전히 해가 저물어 있었다.

아스티나는 문을 열고 들어서다가, 잠시 걸음을 멈칫했다. 테리오드는 그사이에 저주의 태를 뒤집어쓴 채였다. 은빛 털이 흰 침구와 어우러져 멀리서 보면 잘 표가 나지 않았다.

아스티나는 조용히 침대맡에 등을 대고 앉았다. 인기척을 숨기지 않았음에도 깨지 않는 걸 보니 꽤나 몸이 곤했던 모양이다. 아스티나는 물끄러미 그 털 뭉치를 내려다보다가는 팔을 뻗었다. 그러나 그에게로 가 닿기도 전에 조용히 손을 거두었다. 머리를 젖히고는 어두운 천장을 올려다보았다. 술기운에 시야가 어지러웠다.

문득 이시스에게 받은 물건이 생각이 났다. 아스티나는 소매를 뒤적여 고급스러운 외양의 벨벳 상자를 꺼내 들었다. 상자를 연 아스티나의 미간이 좁혀졌다.

"이거…… 원래 이런 색이었나?"

아까는 분명 불투명하긴 해도 다이아몬드와 가까운 빛을 띠고 있었는데 지금은 완전히 흑석과 같았다. 그러고 보니 이게 어두운 기운을 분별해 내는 물건이라고 했던가.

아스티나의 눈에 미미한 놀라움이 어렸다. 아스티나는 반지에서 시선을 돌려 바로 옆에 누운 테리오드를 눈에 담았다. 이 반지를 검게 물들인 악한 기운을, 그들 사이를 둘러싼 저주 외의 것으로 설명할 수 없었기 때문이다.

"가보라더니, 영 가짜는 아닌가."

아스티나가 피식 웃으며 상자 뚜껑을 닫았다. 사람이 짐승으로 변하기도 하는 판에 이런 반지가 존재하는 것도 이상하지 않았다. 이러한 힘이 워낙 먼 과거에 속해 있는지라 본 용도로 쓰일 일은 별로 없었던 모양이다. 그 주인까지 능력을 의심하고 있었던 걸 보면.

어떻게 보면 이렇게 수중에 들어온 게 다행이다 싶기도 했다. 만일 이것을 낀 제스퍼레오 가문의 사람과 테리오드가 마주쳤다면 괜한 분란을 살 수도 있었을 것이다.

아스티나는 상자를 짐가방 깊숙한 곳에 넣고는 단단히 잠갔다. 문젯거리를 처리하자 술기운은 더 짙어졌다. 잠은 쉽게 밀려들었다. 테리오드의 말대로 사람은 이유가 없어도 살아 낼 수 있었기에, 또다시 하루가 지났다.

⁙ ⁘ ⁙

모두가 고대했던 의식은 아침 일찍부터 치러졌다. 해가 하늘의 중앙에 닿기 전 출발해야 했기에 서둘러진 감이 없지 않아 있었다. 이시스는 되도록 빨리 수도로 돌아가고 싶어 했으므로 일정을 짜는 데 여유를 두지 않았다.

일행들은 흐느적거리는 정신을 붙잡으며 억지로 감기는 눈을 떴다. 몸 상태가 좋지 않은 건 바쁜 일정을 종용한 이시스도 마찬가지였다. 지난밤 술을 들이부었던 탓에 이시스의 낯빛은 누구보다 짙은 회색빛이었다. 제 무덤을 판 셈이라 앓는 소리도 낼 수 없었다.

소박한 행렬은 한 시간 정도를 걸어, 햇빛을 받아 반짝이는 물가에 도착하고서야 멈춰 섰다. 제스퍼레오가 소유의 호수였다. 딱히 장소에 따른 제약은 없었지만 의식을 치르는 장소라면 모름지기 신성해 보여야 하는 법이다. 지난 이틀간 물색한 배경의 후광 덕분으로 이시스의 창백한 얼굴도 그럭저럭 위엄 있게 비쳤다.

조용히 기도문을 읊고 세례 의식을 받는 걸로 마침내 모든 일정이 마무리되었다. 뒤편에 서 있던 벤자민이 비척거리는 이시스에게 다가가 부축했다. 이시스가 곧장 벤자민에게로 몸을 기대며 중얼거렸다.

"죽을 것 같군."

"황제 폐하께서 부재한 자리라고 너무 늘어지신 거 아닙니까?"

"여긴 내가 왕 아닌가."

"불경하십니다."

"음, 뒷정리 좀 부탁해."

이시스는 듣기 싫다는 듯 근처를 지나던 아스티나의 어깨로 옮겨 갔다. 갑작스럽게 드리워진 무게에 아스티나는 조금 당황한 듯했으나, 곧 익숙하게 그녀를 부축했다.

벤자민은 당황하여 멀어지는 둘을 빤히 쳐다보기만 했다. 그는 뒤늦게 아스티나에게 말을 건넬 수 있는 기회를 놓쳤다는 걸 깨달았다. 대공의 부상으로 아스티나가 일행과 분리된 후 오늘 처음 얼굴을 보는 것이었다. 안위를 묻고자 하는 소박한 바람뿐이었음에도 좀처럼 그녀에게 다가갈 짬은 없었다. 지난번 아스티나를 끌어내 대화를 나누었던 일을 나디아에게 들킨 후, 그로서도 조심성을 키우지 않을 수 없었기 때문이다.

벤자민은 곧 쓰게 입매를 일그러뜨리며 돌아섰다. 그런 그의 발걸음을 누군가 붙잡았다.

"시선이 가는 곳이 훤히 보이십니다."

"……칼로스 경."

"감정은 대의를 그르치곤 하지요, 그렇지 않습니까?"

그리 되물으며 칼로스 경이 미소 지었다. 벤자민은 가만히 제자리에 멈춰 서 칼로스의 멀끔한 낯을 들여다보았다. 미인으로 유명한 나디아의 오라비답게 제법 그럴싸한 외관의 소유자였다. 서로 불편해질 것이 분명해 부러 피해 왔는데 상대 쪽에서 이리 대놓고 접촉할 줄이야.

대부분의 사람들이 다 떠나간 탓에 주변엔 그들 둘밖에 없었다. 벤자민은 대놓고 불쾌함을 드러내며 인상을 찡그렸다.

"나디아 영애께선 꽤나 입이 가벼우신 모양이군요."

"조금만 주의하면 알아차릴 수 있도록 표를 내고 있다고는 생각 지 않으시나 봅니다."

"지금 내게 협박을 하는 건가?"

"그럴 리가요."

칼로스가 양손을 내보이며 눈썹을 들었다 내렸다. 그의 입가에 언뜻 쓴웃음이 번졌다.

"저희가 황자님의 어린 연심을 인질로 얻을 게 뭐가 있겠습니까? 저희 가문이 원하는 건 추문 없는 신랑감입니다."

칼로스의 얼굴에 협상가와도 같은 여유로운 미소가 어렸다. 제 손을 잡으면 큰 대가를 돌려줄 수 있다고 말하는 듯했다.

"다만 저희는, 양쪽이 상생할 수 있는 방향을 제시할 뿐이죠. 저 는 어디까지나 전하의 안위를 위해 조언 드리는 겁니다."

벤자민은 더 들을 가치도 없다는 듯이 말을 잘랐다.

"누님께선 더 이상 내게 혼사 문제를 강요하지 않기로 했습니다."

"그래서 기약 없는 여자에게 매달려 기회를 버리십니까? 아니면 설마 빈틈이 있으리라는 파렴치한 믿음을 품으신 건……."

벤자민의 눈이 순간 날카로운 빛을 띠었다. 사나운 반응에 칼로 스가 말도 안 된다는 듯 고래를 내저었다.

"—물론 아니겠지요. 충실하지 않은 배우자 때문에 신세를 망친 피해자가 이미 가까이에 있지 않으십니까?"

벤자민의 목울대가 움찔했다. 벤자민에 대한 조사를 거치며 베스의 존재를 알아냈듯, 아벨라르 백작가는 당연히 그의 모친에 대해서도 깊이 탐구한 바였다. 칼로스는 이것이 쓸모 있는 패가 되리라며 자신만만해하던 아벨라르 백작 부인의 표정을 떠올렸다. 과연 어머니를 입에 담자마자 벤자민은 좀처럼 이성을 유지하지 못했다. 칼로스로서도 황자의 아픈 부분을 찌르는 것이 썩 내키진 않았으나, 이건 결과적으로 모두에게 득이 될 제안이었다.

칼로스가 날카롭게 되물었다.

"모친께서 궁을 나오지 않은 지 몇 해나 되었죠?"

"뭐?"

"왜 황자님의 어머님께서 숨어 살아야 했는지 알지 않습니까. 힘이 없기 때문입니다. 무엇하나 지킬 자신이 없어 본인은 바깥출입을 금하고, 자식은 궁 밖으로 내친 것이지요."

"당신들, 정말 지저분하게 사람을 농락하는군."

벤자민이 험악한 얼굴로 칼로스에게 다가갔다. 위협적으로 내려다보았음에도 칼로스는 아랑곳하지 않았다. 칼로스가 무심히 눈을 깜빡이며 되받아쳤다.

"지금 대체 황자님께 무엇이 있습니까? 당신을 위해 냉궁에 숨어들었던 모친께 죄송하지도 않습니까? 하나뿐인 아들은 보은은 생각조차 않고 감정에 치우쳐 아직 낭만이나 좇고 있다니…….

자식은 키워 봐야 다 소용없다더니, 그 말이 썩 틀리진 않나 봅니다. 칼로스가 그리 덧붙이며 서늘한 눈으로 벤자민을 응시했다.

벤자민은 주먹 쥔 손에 힘을 주었다. 만일 뒷말이 조금만 더 늦게 따라붙었다면, 그걸 그대로 칼로스의 얼굴에 올려붙였을 것이다.

"저희가 도와드리지요."

"……뭐?"

"아벨라르 백작가는 현 황제 폐하의 우군이자 이시스 황녀님을 보필할 겁니다. 대대로 훌륭한 선택을 해 왔던 덕분으로, 저희는 꽤나 가진 것이 많습니다."

칼로스가 여유로운 표정을 자아내며 말했다. 벤자민은 말도 안 된다는 듯 헛웃음을 지었다. 벤자민이 칼로스를 노려보며 말했다.

"어머니를 괴롭게 하는 건 가슴에 올라앉은 마음의 병이다. 물질로 해결될 게 아니지."

"마음의 병이든 몸의 병이든 원인을 해결하면 낫는다는 건 다르지 않지요."

"그 원인을……."

"—그 원인인, 황후 폐하를 궁에서 치워 드리는 건 어떻습니까?"

섬뜩한 목소리에 벤자민이 표정을 굳혔다. 그도 그럴 것이 아벨라르가의 장자에게서 나왔다고는 믿을 수 없는 발언이었다.

아벨라르 백작가의 가장 큰 정치적 동반자가 누구던가. 길을 지나는 누구를 붙잡고 물어도 제스퍼레오가라고 답할 것이다. 그런데 그런 아벨라르가 제스퍼레오 공작의 여식인 이사벨 황후를 치겠다고 말한 것이다. 벤자민으로서는 상대가 제게 질 나쁜 장난이라도 치나 싶었다.

벤자민의 목소리가 더욱 싸늘해졌다.

"그 말을 나보고 믿으라는 겁니까?"

"물론 지금 당장은 아닐 겁니다. 아시다시피 새로운 별이 아직 완전히 떠오르진 않았으니, 후에 적당한 때를 봐야겠지요."

벤자민이 으르렁거리며 되물었다.

"아벨라르가 제스퍼레오가를 등지겠다니, 그런 말도 안 되는—"

"저런, 이시스 전하를 가까이에서 보필하는데도 모르시겠습니까?"

칼로스가 딱하다는 듯이 벤자민의 말을 잘랐다. 벤자민은 긴장으로 어깨를 굳혔다. 혹 아벨라르 백작가가 프리모를 궁에서 내친 모든 계략이 이시스에게서 나온 걸 알아챘나 싶어서였다. 프리모는 얼마 전까지만 해도 나디아와 약혼 관계에 있었고 그와 함께 나디아의 명예를 끌어내린 건 다름 아닌 이시스였다. 만일 아벨라르가 진상을 알고 이시스의 어머니인 황후를 먼저 처리하고자 하는 건 아닌가. 그다지 현명한 결정은 아니겠으나 가능성이 없진 않았다.

그러나 그런 것치고 칼로스는 배신감 어린 표정을 짓고 있지 않았다. 벤자민의 걱정이 무색하게도 칼로스의 주장은 예상에서 조금 비켜나 있었다.

"프리모가 왜 끈 떨어진 신세가 되어 쫓겨났습니까? 어리석게도 자신을 지켜 준 동생의 가치를 모르고 해하려 했기 때문입니다. 그게 부모 자식 간의 경우가 되었다고 다를 것 같습니까?"

"무슨 말씀을 하는 건지 도통 모르겠군요."

"이시스 전하께서 이 나라의 후계자가 된 이 상황에서 황후 폐하는 무엇을 하고 계십니까. 공식 석상에 나오길 합니까, 아들에게 그러했던 것처럼 딸을 위해 뒤에서 힘을 쓰길 합니까? 충격에서 벗어나지 못한 핑계로 내내 침상에만 머무르고 있지요."

칼로스가 말을 맺고는 눈을 가늘게 떴다. 그가 단정하듯 말했다.

"이시스 전하야 확실하신 분이니 프리모는 곧 죽을 겁니다."

벤자민은 내심 움찔했다. 프리모를 처리하기로 내정된 것이 바로 자신이었기 때문이다. 칼로스는 본인이 아는 한도 내에서는 이시스를 꽤나 잘 파악하고 있었다. 틀린 전제 조건이 결론을 조금 흐리기는 했지만.

"프리모가 죽지도 않았는데 이 지경이거늘, 만일 정말 그리된다면 어떻겠습니까. 실성한 황후 폐하께서 실수를 저질러도 이상하지 않지요. 애석하게도 황후께선 딸의 자비를 고맙게 받아넘길 만큼 큰 그릇은 아닙니다."

"황후 폐하께서 누님의 눈 밖에 나게 될 거라 이 말입니까?"

칼로스는 그렇노라 확답하진 않았다. 대신 선량해 보이는 외관과는 어울리지 않는, 음습한 미소를 띤 채 물었다.

"아들의 죽음을 견디지 못하고 은둔, 혹은 자진한 어머니라……
상당히 그럴듯하지 않습니까?"

벤자민은 주먹을 한번 쥐었다 폈다. 벤자민이 평정심을 유지하려
애쓰며 대꾸했다.

"그래도 그녀는 이시스 누님의 친모입니다. 누님께서 좌시하실
리 없어요."

"지금껏 말씀드리지 않았습니까. 프리모에 대한 미련을 버리지
않는 한 황후 폐하는 이시스 전하께도 위험한 패입니다. 이시스 전
하께서 어미의 죽음에 진정 깊이 슬퍼할 것 같나요? 그렇다면 진정
황자님은 황녀님을 잘 모르십니다."

황후의 죽음은 이시스에게 아쉬운 일이 될 수는 있어도, 감정적
으로 큰 충격을 남겨 주진 않을 것이다. 벤자민 역시 알고 있었으
므로 더 말을 보태진 않았다.

칼로스가 만족스러운 기색으로 마저 설명했다.

"힘없는 황후를 지워 내는 건, 역사가 말해 왔듯 그리 어려운 일은 아닙니다. 하지만 이시스 전하의 감시하에 있는 황자님은 그 눈을 벗어나 저지르기 힘든 일이기도 하지요."

어찌 되었든 이사벨 황후는 한 나라의 국모다. 아벨라르 백작가로서도 손쉽게 해결할 수 있는 일은 아니었다. 이건 아벨라르에서 벤자민에게서 혼약이라는 매물을 사들이며 내걸 수 있는 가장 큰 조건이었다. 칼로스는 이 제안이 벤자민을 뒤흔들 수 있는 패리라 믿어 의심치 않았다.

"잘 생각해 보십시오. 어머니에게 뒤늦은 효도를 다 할지 이루어질 수 없는 여자를 택할지. 뭐, 길게 볼 것도 없겠지만요."

칼로스의 말마따나 벤자민은 흔들렸다. 벤자민의 입술은 이전처럼 빠르게 거절을 내놓진 못했다.

벤자민 역시 알고 있었다. 어차피 아스티나와는 이루어질 수 없는 사이라는 걸. 그렇다고 그가 아스티나를 뒤로하고 매진했던 복수에서 큰 성과를 낸 것도 아니었다. 판을 짜고 흔든 건 이시스였고 벤자민은 그 수혜만을 입은 꼴이다. 황제가 이시스의 존재를 알아차리도록 이런저런 말을 보태긴 했으나, 그게 그리 큰 공적이라고 생각되진 않았다.

이런 상황에서 어머니와 베스를 위한 마지막 복수에 몰두한다고 그 누가 그를 비난하랴?

"복수라……."

그러나 벤자민은 이내 피식 웃음을 터뜨렸다. 언제나 남의 손을 빌리는 비겁함을 그런 숭고한 말로 포장할 수 있나. 이시스의 밑으로 들어가 프리모를 끌어내렸듯 아벨라르와 손잡고 황후를 끌어내리라니. 결국 제힘으로는 아무것도 할 수 없는 종자임을 재차 증명하게 되는 셈이다.

아스티나가 비교 대상으로 끌려 나오자 벤자민은 더더욱 씁쓸하지 않을 수 없었다. 매매혼을 치르게 된 아스티나를 구해 주려고 했었던 과거가 멀지 않거늘 정작 지금의 자신도 같은 입장에 처하지 않았나. 참으로 뒤늦은 깨달음이었지만, 벤자민은 이제 자신이 타인의 인생을 구제할 만큼 대단한 인물이 아님을 알았다. 그가 지금 그의 두 손으로 할 수 있는, 혹은 끝마쳐야 할 일은 분명 딱 한 가지였다.

벤자민이 고개를 들어 칼로스를 응시했다. 그러고는 예를 갖춰 인사했다.

"감사한 이야기, 잘 들었습니다."

"제 제안이 마음에 드셨습니까?"

"예, 아주 머리가 차게 식었습니다. 내가 그대들에게 얼마나 한심해 보였는지 잘 알겠습니다."

의외의 대답에 칼로스가 주춤였다. 벤자민이 분명한 눈빛으로 말했다.

"내게 힘이 없는 것은 그것을 원하지 않기 때문이고, 권좌를 바라지 않는 자에게 그대들의 제안은 하등 의미가 없습니다. 애석하게도 그대들이 걱정하는 내 어머니는 내게 이렇게 말했었지요. '감당할 수 없는 자리는 탐내는 것이 아니다.'라고."

영세한 집안의 여자가 황제의 비가 되어 얻은 것은 공포와 불안의 기억뿐이었다. 처음부터 궁에 들어오지 않을 걸 그랬다고 벤자민의 어머니는 여러 번 곱씹어 말했다. 아마 그녀는 오래도록, 어쩌면 지금까지도 후회해 왔을 것이다.

벤자민이 아벨라르의 제안을 받아들여 권세의 중심에 다가선다 해도 과연 이를 소화할 수나 있을 것인가. 아벨라르가 벤자민을 원하는 이유는 그가 가장 그럴듯하면서도, 그들 멋대로 휘두를 수 있는 패였기 때문이다. 벤자민은 이 제안을 받아들이면 자신이 아벨라르의 손아귀에 놓일 것을 알았다.

"이렇게 나를 흔들어도 내가 나디아 영애와 혼인할 일은 없어요. 싫다는 사람 붙들 시간에 다른 신랑감을 알아보는 편이 빠를 겁니다."

"……거래로는 황자님을 얻을 수 없다 이겁니까?"

"무슨 조건을 말해도 마찬가지일 겁니다."

"그렇다면 이야기는 협상이 아니라 협박에 좀 가까워지겠군요."

칼로스의 음성에 서늘함이 어렸다. 그가 위협적으로 벤자민에게 다가섰다. 잇따라 그의 언성이 높아졌다.

"이렇게까지 내몰고 싶진 않아 대우를 해 드렸건만……. 저희가 황자님의 평판을 온건히 유지시키는 건 우리가 한배를 탈 때의 이야기입니다. 이 제안을 거절하면 당신이 대공비와 지저분한 소문으로 얽히든 말든 우리와는……!"

"오라버니!"

뒤편에서 들려온 가는 음성에 칼로스가 황급히 뒤돌았다. 그들이 나누던 이야기를 들은 듯 나디아의 낯빛은 파리하게 질려 있었다.

"……나디아?"

겨우 당황한 얼굴을 추스르고, 칼로스는 다시 고개를 돌려 벤자민을 노려보았다. 벤자민이 서 있는 방향에선 나디아가 이곳으로 오는 걸 볼 수 있었을 것이다. 말을 막지 않은 의도는 뻔했다. 칼로스는 나디아에게 황급히 다가가 그녀의 팔을 붙잡았다.

"나디아, 내 얘길 좀 들어 봐라. 오해할 만했지만……."

"오해요? 약속하셨잖아요. 대공비 전하 이야기까진 더 꺼내지 않기로요! 어쩐지 두 사람만 안 보이더라니, 이렇게 저 모르는 곳에서—"

"다 널 위해서야, 나디아!"

칼로스가 황급히 해명했다. 그 역시 제 방식이 지저분했음은 알았지만, 이건 어디까지나 여동생의 행복을 위해서였다.

그러나 나디아는 헛웃음과 함께 이렇게 되물었다.

"저를 위해서요? 평생 저를 경멸할 배우자를 만들어 주는 게 진짜 제 행복을 위해서예요?"

마침내 나디아의 목소리에 물기가 어렸다. 나디아가 벤자민과 결혼하고 싶었던 건 가족들에게 끝까지 괜찮아 보이고 싶어서였다. 프리모와의 파혼을 겪은 다음 곤란해진 스스로의 처우를, 최대한 그럴듯한 곳으로 팔아넘기고 싶었으니까.

처음엔 나디아에게 결혼은 출세를 위한 발판이었다. 좋은 것을 입고, 귀한 대접을 받고 살면 행복해질 줄 알았다.

그다음 목적은 가족을 안심시키는 것이었다. 행복해진 척이라도 하면 저는 아니어도 가족들이라도 마음 편해질 줄 알았다. 그런데 지금 이 상황은 더없이 추하기만 했다.

나디아가 가장 비참했던 순간은 프리모가 다른 여자를 품는다는 사실을 알았을 때도, 그가 폐위되고 수도를 떠났을 때도, 그리하여 뭇 영애들의 뒷이야기를 얻어들었을 때도 아닌……

바로 지금이었다.

나디아의 흔들리는 눈을 보며 칼로스는 아무 말도 하지 않았다. 나디아는 심호흡을 하며 벤자민의 앞으로 나섰다. 그녀가 예를 갖춰 그의 앞에 허리를 숙였다.

"벤자민 전하, 오라버니를 대신해 무례에 대한 용서를 구합니다. 앞으로 전하를 귀찮게 해 드릴 일은 없으리라 약속드리지요."

그 말에 가장 놀란 건 벤자민이었다. 다가오는 나디아를 막지 않은 건 오라비의 비열한 모습을 보여 주고 싶었기 때문이 맞았다. 그렇다고 개심의 말이 나올 줄은 예상치 못했던지라 벤자민도 얼떨떨한 낯을 숨기지 못했다. 벤자민은 잠시 후에야 이렇게 대답했다.

"영애께서 그리 말씀하실 줄은…… 몰랐습니다."

"제가 우유부단해서 가족들까지 흔들린 겁니다. 염치없이 용서까진 구하진 않을게요. 죄송합니다."

"용서를 입에 담을 일이 아닙니다. 영애의 약속이 지켜진다면 오늘 일은 모두 잊을 테니."

"그렇게 될 겁니다. 부디 안녕하시길."

벤자민은 대답하지 않고 잠시간 빤히 칼로스를 응시했다. 칼로스는 어찌할 줄 모르는 얼굴로 나디아의 뒤에 서 있기만 했다. 이윽고 벤자민이 걸음을 떼어 먼저 자리를 떠나갔다.

나디아는 그제야 몸을 돌려 칼로스에게 다가갔다. 일종의 실연을 당한 건 나디아일 텐데, 울 것 같은 표정을 짓고 있는 건 되레 칼로스 쪽이었다. 그가 겨우 입을 열어 말했다.

"네가 행복했으면 했다."

나디아는 처음으로 보았던 오라비의 험악한 모습을 떠올렸다. 제

나쁜 면을 들킨 것이 부끄러운지 칼로스는 좀처럼 어깨를 펴지 못했다. 수치심은 그가 도통 고개를 들지 못하도록 만들었다.

나디아는 가만히 그런 그의 어깨를 끌어안았다.

"알아요."

칼로스가 손등으로 눈가를 짓누르며 더듬더듬 말했다.

"우리 욕심이 아니다. 너를 저 황자에게 보낸다면, 지금만큼 무시받지도 않을 테고 우리도 널 지켜 줄 수 있으니……."

"그것도 알아요. 절 위해서인 거."

우스꽝스러운 모습이었다. 나디아보다 족히 머리 하나는 더 큰 사내가 얌전히 그녀의 품에 안겨 있었으니 말이다. 나디아가 칼로스의 어깨에 턱을 얹은 채 말했다.

"누가 저한테 그랬는데, 행복한 척하지 말고 행복해지라고 했어요. 행복은 아직 잘 모르겠으니, 그런 척이라도 그만하려고요."

"우리가 널 부담스럽게 했니?"

나디아는 아니라고 답하진 않았다. 칼로스가 잠긴 음성으로 중얼거렸다.

"좋은 것만 보여 주고 싶었는데……."

"괜찮대도요."

나디아는 가만히 칼로스의 어깨를 어르기만 했다. 어머니와 아버지를 설득할 일이 조금 염려되긴 했으나, 오라비를 악역으로 만들었을 때만큼 마음이 무겁진 않았다.

나디아가 칼로스의 어깨를 다독이며 반복해 중얼거렸다.

"괜찮아요, 다 괜찮아질 거야……."

✢ ✤ ✢

올리버는 결국 길게 한숨을 내쉬었다. 누군가와 마주칠지 모르는 복도에선 푸념도 삼갔던 그였지만 오늘 같은 날까지 심란함을 숨길 수는 없었다.

다른 가문의 인물이 보았다면 고개를 갸웃였을지도 모르는 광경이다. 아탈렌타가 지지하는 황녀가 순례 의식을 마치고 돌아와 정식으로 관까지 쓴 지금, 이 저택은 오로지 기쁜 활력에 젖어 있어야 할 시기였다. 그러나 올리버는 도통 고민 어린 낯을 숨기지 못했다.

올리버는 집무실 앞에 서, 안으로 들어가지 못하고 잠시간 망설였다. 그는 문을 여는 대신 이곳에 오기 전 만났던 상대를 되새겼다.

'몸 상태는 좀 어떤가? 오는 길이 불편하진 않았고?'

올리버의 물음에 여자는 대답하지 않고 치맛단을 만지작거리기만 했다. 그러다가는 벌떡 몸을 일으켜 거울에 제 얼굴을 비쳐 보았다. 시골 처녀답지 않게 뽀얀 낯빛을 가진 데다, 이목구비 역시 오밀조밀 조화롭게 모여 있어 꽤나 볼만한 외양이었다.

올리버는 잠시간 여자의 머리카락에 시선을 주었다. 갈색에 가깝긴 했지만 햇빛에 닿으면 언뜻 붉은빛을 띨 때도 있었다. 그것이 어쩐지 불쾌한 감상을 주어 올리버는 설핏 미간을 좁혔다.

'옷 구경은 좀 나중에 했으면 좋겠는데.'

'어머, 죄송해요. 이런 좋은 건 처음 입어 봐서요. 뭐라고 하셨죠?'

'오는 길은 불편하지 않았냐고 물었네.'

'그렇게 마차를 오래 타는 게 처음이라 멀미가 심하긴 했어요. 뭐, 죽지 않고 도착했으니 된 거 아닌가요?'

그리 되물으며 여자가 철없는 미소를 지어 보였다. 누군가는 기분 좋은 활력으로 해석할 수도 있었겠지만, 평균 이상으로 현숙한 안주인에게 익숙해졌던 올리버에겐 영 마음에 차지 않았다. 올리버가 불편한 기색을 누르며 마저 설명을 이었다.

'그래, 그럼 일단 따로 부를 때까지 얌전히 여기서 기다리게. 하녀 아이 하나가 주변 안내와 식사를 도와줄 거야.'

'음, 죄인이나 일꾼을 데려와서 새 옷에 하녀까지 내어 주시진 않을 테고…….'

여자가 올리버를 보며 곤란하다는 듯 제 목 뒤를 문질렀다. 그녀가 의문이 한껏 차오른 얼굴로 물었다.

'그런데 대공께서 저를 왜 부르신 건가요?'

그것은 바로 늙은 집사의 고민거리이기도 했다. 그의 주인은 이 여자를 대체 무슨 목적으로 불러들인 것인가.

처음 데니스 사제와 최대한 가까운 친척을 수소문해 달라는 명을 들었을 땐 정치적인 목적인가 싶었다. 그러나 테리오드가 그에 '자신과 연배가 맞는 여인'이라는 단서를 덧붙이자 올리버의 심경은 조금 더 복잡해졌다. 늘 존경해 왔던 주인이지만 요즘처럼 이해하기 힘들었던 적이 또 없었다. 얼마 전 대공 부부에게서 불화를 감지한 적은 있었으나 언제 그랬냐는 듯 다시 사이가 돈독해지지 않았던가. 왜 여자를 대령하라는, 듣기에 따라 오해를 살 발언을 하는 건지 알 수 없었다.

심문을 하려는 의도인가 싶어도 의문이 가시지 않는 건 마찬가지

다. 데니스 사제에 대해 잘 알지도 못하는 여자가 무슨 도움이 될까. 죄인의 핏줄을 취하겠다는, 일종의 전리품이라기에도 이상했다. 테리오드는 여인을 보상으로 생각할 사람이 아니었으니까.

하루 종일 복도에 서 있을 수는 없었으므로, 결국 올리버는 찝찝한 마음을 벗어던지지 못한 채 노크를 남겼다. 곧장 안쪽에서 들어오라는 허락이 전해졌다. 올리버는 문을 열고 조심스레 안으로 걸음을 디뎠다.

테리오드는 책상 앞에 앉아 무언가를 종이에 적고 있었다. 올리버의 시력이 좋지 않은 편인 데다, 방향이 거꾸로 되어 있어 내용을 식별할 수는 없었다.

올리버가 짧은 헛기침 끝에 입을 열었다.

"부탁하신 인물이 도착해서 알려 드리려 왔습니다. 지금 방을 내어 주고 쉬게 한 참입니다."

"빠르군."

테리오드가 짧게 감탄했다. 속내를 짐작할 수 없는 반응에 말이 길어진 건 올리버 쪽이었다.

"수도로 돌아오시자마자 급히 청하셨던 일이니 서두를 수밖에요."

그러나 여전히 주인은 대답이 없다. 올리버는 입가 가득히 띠었던 미소를 결국 지워 냈다. 짧게 입맛을 다신 뒤 올리버가 곧바로 본론을 꺼내 들었다.

"그 여자는 왜 부르신 겁니까?"

테리오드는 올리버에게 대답하는 대신 잉크로 펜을 적셨다. 마치 글로 상황을 설명하기라도 할 것처럼 말이었다. 그러나 테리오드는 그것으로 어떤 말을 만들어 내는 대신 조용히 탁상 위에 내려놓았다.

올리버는 문득, 테리오드의 눈가에 진 그림자를 발견했다. 진득이 그 부근에 시선을 주자 이전과 다른 무언가를 느낄 수 있었다. 정체를 알 수 없지만 분명 아는 종류의 것이었다. 시선의 꼬리가 길었을까, 머지않아 테리오드와 눈이 마주쳤다. 올리버는 깨달음과도 같이 생각했다.

언제 저 눈이 저렇게 나이 들었더라.

"올리버, 우리는 이 병증의 답을 찾았어."

테리오드의 목소리가 뒤늦게 올리버의 정신을 일깨웠다. 올리버가 조금 얼떨떨하게 되물었다.

"그건 좀 지난 이야기가 아닙니까? 대공비 전하께서 해결하시어—"

"답을 찾았다고 했잖나. 그러니까 왜 하필 그녀가 해결책이었는지를 마침내 이해한 셈이지."

"……이유가 무엇이었습니까?"

"레타의 피가 이어진 이라면 내 병증을 해결해 줄 수 있다고 들었네."

레타의 피라니. 혹여 여제 마티나가 소속되었던 집시 집단을 말하는 것인가. 연유를 알 수 없어 올리버는 입을 벙긋거리기만 했다. 수많은 의문이 머릿속에 떠올랐지만, 가장 먼저 입을 벌리고 나온 건 이 말이었다.

"레테 백작가가 그럼……?"

"글쎄, 우연한 핏줄의 문제였는지 아니면 정신적인 문제였는지…….''

이해할 수 없는 소리를 하며 테리오드가 말꼬리를 흐렸다. 더 이야기하고 싶지 않다는 듯 그의 입술이 굳게 다물렸다.

올리버는 놀란 정신을 추슬렀다. 테리오드가 이런 일로 거짓을 말할 일도 없으니 아마 진실일 텐데, 어찌 알게 된 사실인지 도무지 짐작이 가지 않았다. 테리오드는 집사의 의문을 해소해 주는 대신 조용히 이렇게 물었다.

"혼전 계약서를 볼 수 있겠나?"

"서류는 아탈렌타의 본가에 있습니다."

그들의 본 주거지는 아탈렌타 영지였다. 수도에 장기간 체류할 예정이고, 들고 온 물건 역시 많긴 했으나 그중에 대공 부부의 혼전 계약서는 포함되지 않았다. 애초에 그건 올리버의 기억 속에서 아예 잊혀져 있던 물건이었다. 처음엔 거래로 시작된 혼인 관계이긴 하나 대공과 대공비 모두 갈수록 진심으로 서로에게 빠져드는 듯 보였기 때문이다.

"내용을 기억하나?"

테리오드의 생각을 도무지 따라잡을 수 없었다. 올리버는 결국 이해하기를 포기하고 잠자코 명에 따르기로 했다. 올리버는 아스티나 레테가 아탈렌타의 성과 함께 받은 것들을 하나하나 상세히 읊어 주었다.

아스티나가 약속받은 건 대개 금전적인 내용이었다. 우선 첫째로는 레테 백작의 부채를 변상해 주는 것이 있다. 새로운 시작을 돕기 위한 투자금도 기한과 이율을 두지 않고 내주었다. 올리버의 설명이 멎자 잠자코 듣고 있던 테리오드가 고개를 끄덕였다.

"거의 다 이행했군."

"그렇습니다."

"그녀도 제 몫를 다 해내었고 말이야."

올리버는 테리오드의 말에 약간의 의문을 느꼈다. 아스티나가 아탈렌타령으로 오며 약속했던 건 후계 문제였으므로 사실상 가장 중요한 약속은 지켜지지 않은 상태였다. 테리오드를 본모습으로 되돌리는 공적을 세운 순간부터 그 문제는 후순위로 밀려났지만 말이었다.

그럼에도 아스티나가 대공비로서 일궈 낸 일들이 결코 적지 않았다. 그녀의 행적을 나열한다면 모두는 감탄으로 입을 다물지 못할 것이다. 올리버가 흡족한 미소를 띤 채 말했다.

"예, 그분처럼 훌륭하신 대공비가 또 없겠지요."

"그래, 아이 정도는 조건에서 누락하고도 넘칠 만큼 말이야, 그렇지 않나?"

"……예?"

기민하게도 올리버의 얼굴에서 미소가 떠나갔다. 그것이 옮겨 가기라도 한 듯 테리오드의 입꼬리가 당겨졌다. 테리오드가 짧게 명령했다.

"대공비를 좀 불러 주게."

⁜ ⁜⁜ ⁜

"시기는 적당한 때를 보는 것이 좋겠습니다. 워낙 애처가 행세를 해 왔던지라 당장 일을 벌이면 모두가 골치 아파질 겁니다. 저나 그대가 몇 년 요양하는 식으로 떠나 있다가, 몇 년 뒤 조용히 절차를 밟는 것도 괜찮을 듯하군요."

무슨 말을 듣고 있는 건지 알 수 없었다. 아스티나는 조용히 눈을 깜빡였다. 뻑뻑한 시야가 어두워졌다가, 다시 밝아지기를 반복했다. 그럼에도 그녀 앞에 주어진 서류가 사라지진 않았다. 아스티나는 결국 피로한 몸을 등받이에 기댔다. 테리오드는 어떠한 동요도 없이 계속해서 준비한 말을 뱉어 냈다.

"재산은 그대가 원하는 만큼 가져가면 됩니다. 그대가 나를 살려 아탈렌타의 명맥을 잇지 않았다면 사라졌을 것들이니, 내게도 온전한 자격은 없지요. 원하는 바를 말하면 서류에 그대로 적겠습니다."

과거의 진상을 깨닫고 정신없던 와중, 분명 그녀도 그를 떠나겠다는 듯이 굴었던 적이 있었다. 그때의 테리오드는 아스티나를 붙잡고 사랑을 구걸했다. 결국 아스티나는 그의 곁에 남았으니 그 청을 들어준 셈이었다. 그런데 지금의 그는 그녀의 사정을 봐주는 법이 없었다.

아스티나는 제게 들이밀어진 이혼 조정 서류를 물끄러미 내려다보았다. 이기심의 대가를 치르러 온 징수원이 눈앞에 있었다. 그 물건은 아스티나에게 많은 감정을 하사했지만, 교차되고 섞여 혼탁해진 마음으로는 무엇 하나를 분명히 표할 수 없었다. 그래서 아스티나는 슬퍼하지도, 혹은 전처럼 화를 내지도 못했다.

"전부를 내어 달라고 하면?"

아스티나가 건조한 음성으로 물었다. 테리오드의 고개가 들렸다. 그는 그다지 오래 고민하지도 않았다. 테리오드가 선선히 펜촉을 종이 위로 가져갔다.

"규모가 커지면 상속에 조금 시일이 걸릴 겁니다. 작위를 넘겨야 하니 황제 폐하의 인가도 떨어져야 할 테고…… 시기는 이시스 전하께서 즉위하신 이후가 좋겠군요."

"그만해."

아스티나가 날 선 투로 테리오드를 제지했다. 그녀가 손을 들어 피로한 낯을 쓸며 중얼거렸다.

"진심으로 한 말이 아닌 걸 알잖아. 난……."

"압니다, 심술이었던 것."

테리오드가 짧게 말을 잘랐다. 그들은 서로를 너무도 잘 알았다. 연인 사이를 지속시켜 주는 힘을 신비감이라고 말한다면, 그들에겐 상대의 눈을 가려 줄 베일이 하나도 남지 않은 셈이었다.

아스티나가 불긋해진 눈으로 테리오드를 응시했다.

"알았지? 그대가 모든 걸 버리겠다고 하면 되레 내 쪽에서 말리리란 걸."

그녀의 모든 말들은 원망 같았다. 테리오드의 짐작일 뿐이었지만, 실제로도 그리 다른 궤의 감정은 아니었으리라. 테리오드가 스치듯 쓰게 웃었다.

"마찬가지의 심정이라 그러겠다고 한 겁니다."

아스티나가 힘겹게 입술을 달싹여 물었다.

"그런데 나를 떠나겠다고?"

"아스티나, 그대는 아주 잠깐 아쉬운 후에 나를 잊을 수 있을 거예요."

테리오드가 몹시 단정하듯이 말했기에, 아스티나는 순간 정말 그런가 싶을 뻔했다. 보통의 관념으로만 따지면 간단한 문제였다. 그녀는 테리오드를 사랑하지 않았다. 사랑하지 않은 연인이 제 곁을 떠나간다고 해서 크게 고통스러워하는 이는 없을 것이다.

아스티나의 눈이 흔들렸다. 아주 길게 숨을 들이켠 뒤, 아스티나
가 테리오드에게 반문했다.

"그렇다면 그대는?"

"……."

"그대는 아무렇지 않아……?"

테리오드는 제게 꽂힌 시선에 굳이 화답하지 않았다. 다만 탁상
에 올려 둔 서류 위, 제가 써 내렸던 모든 항목들을 다시금 찬찬히
읽어 내렸다. 우습게도 둘의 이별을 기약한 문장들은 아스티나뿐
만이 아니라, 그것을 계획한 테리오드까지도 할퀴었다. 시야에 찬
모든 것에 상처가 묻어 있었기에 테리오드는 그만 눈을 감았다.

그가 최대한 담담한 투로 말했다.

"이미 데니스의 먼 친척이라던 여인을 불러들였습니다. 입맞춤
을 하여 결과가 확인되고 나면, 아마 그녀에게서 도움을 얻을 수
있을 겁니다."

아스티나는 순간, 제 가슴 한편이 완전히 찢겨 나갔다고 느꼈다.

아스티나가 겨우 입술을 열어 되물었다.

"그녀가 만약……. 효과가 없다면?"

"불필요한 가정을 하시네요."

테리오드가 딱 잘라 대답했다. 결국 아스티나의 눈이 표독한 빛
을 띠었다.

"그녀가 거절한다면?"

테리오드는 그 반응에 잠시 의아함을 느꼈다가, 그녀의 생각이
자신보다 더 깊은 부분까지 나아갔음을 알아챘다. 테리오드는 온
전한 하루를 살 욕심이 없는 사람이었다. 불러들일 여인에게 입맞

춤 이상의 것을 요구할 계획은 애초부터 없었다.

그러나 테리오드는 아스티나의 오해를 정정하지 않았다. 오히려 그녀가 자신에게 적의를 가지는 편이 나았다. 그토록 사랑하던 여자가 매달리고 있음에도 테리오드는 흔들리지 않았다. 그녀의 괴로운 모습을 볼수록 테리오드는 사랑이란 위명하에 자신이 저질렀던 잘못들을 절감하게 되었을 뿐이다.

한때 테리오드는 이 아픔이 지속된다고 해도 그녀가 곁에 남기를 바랐다. 가슴이 찢겨 죽을 것 같아도 그녀가 없는 것보다는 있는 게 낫다고 생각했다. 지금의 아스티나가 미련 때문에 그를 놓지 못하듯이.

하지만 정작 그녀가 제 옆에 남아 고통 외에는 얻을 것이 없다면, 그들의 사랑은 어디서 보람을 찾아야 하는가?

"거절의 답을 듣는다고 달라질 건 없습니다. 다른 사람을 수소문하면 되겠지요. 이해관계가 맞는 사람이 하나쯤은 있을 겁니다."

아스티나의 손을 더 빌리지 않겠다는 말과 같았다. 아스티나는 말문을 잃고 입을 다물었다. 침묵이 길어졌다. 테리오드는 가라앉은 분위기의 맥을 끊고 자리에서 일어섰다.

"서두를 일은 아니니, 내어 드린 서류의 항목에 관해선 천천히 생각해 보세요."

테리오드가 그리 말하며 아스티나를 지나쳤다. 순간 아스티나의 목소리가 그를 붙들었다.

"그녀에게 가나?"

테리오드는 걸음을 멈춰 세웠지만, 그렇다고 무어라 대답하거나 아스티나에게 돌아가진 않았다. 아스티나는 다른 여인을 끌어안는 테리오드의 모습을 상상해 보았다. 온전치 못한 장면을 떠올린 것만으로도 속이 끓었다.

만일 그녀가 대뜸 다른 남자를 침실로 들인대도, 테리오드는 그리 아무렇지 않을 수 있는가? 그래서 자신에게 이별을 말하나?

다시금 테리오드의 발소리가 이어졌다. 아스티나는 두 손으로 눈가를 감쌌다. 상체를 웅크리고 들리지 않을 크기로 속삭이듯 내뱉었다.

"가지 마."

뒤이어 싸늘한 문소리가 들려왔다. 닫힌 문은 단절을 말하는 것마냥 시렸다.

✤　✤✤✤　✤

테리오드는 방 안으로 들어서다 말고 조금 당황했다. 처음 보는 얼굴이 침실 안에서 그를 기다리고 있었기 때문이다. 앉아 있는 위치도 무려 침대 위였다. 입은 옷은 얌전했지만 일상복이라기엔 조금 얇은 편이었다.

아무리 뜯어보아도 저택에서 일하는 하녀나 자객은 아니다. 테리오드는 불청객에게 지체 없이 정체를 물었다.

"누구지?"

"아……. 집사님께서 여기서 기다리라고 하시기에요."

여자가 조금 당황한 얼굴로 대답했다. 테리오드는 그제야 사건의 진상을 깨달았다. 올리버에게 여자를 불러 달라고 했을 때 사색을 하더라니, 막상 집무실엔 아무도 나타나지 않아 대공비와의 이혼을 입에 담은 데 대한 반항이라도 하는 줄 알았다. 한데 상상이 위험한 수위까지 뻗쳐 간 것뿐이었나.

이렇게 늦은 시간에 대면할 생각은 아니었던지라 테리오드도 조금은 당황했다. 여자에게 입을 맞춰 달라는 허락을 구하는 일은 아무래도 음흉한 속내로 읽힐 여지가 있었기 때문이다. 하지만 돌이켜 생각해 보니, 굳이 내일로 미루어 달라질 것이 있나 싶기도 했다. 어차피 테리오드의 요구는 상식적인 선에서는 이해할 수 없는 종류의 것이었다. 오히려 타인은 훔쳐볼 수 없는 장소에서 행하는 편이 나을지도 모른다.

테리오드는 여자의 앞으로 가 섰다. 그녀의 어깨가 긴장으로 굳어졌다. 테리오드가 물었다.

"네 이름이 무어냐."

"클로에라고 합니다."

"여기 온 건 자의였느냐."

아무래도 이해하지 못한 표정이었다. 테리오드는 여자의 얼굴을 찬찬히 뜯어보았다. 길게는 제 몸뚱이가 저주받았다는 사실까지 고백해야 할 상대이니 탐색이 조심스러웠다. 얼굴만 봐서 입이 가벼운지 무거운지를 판별할 수는 없을 것이다. 조금은 두고 볼 시간이 필요했다.

잠시 망설이던 테리오드가 입을 열었다.

"나는 네게 제안을 하나 할 것이다. 받아들이고 말고는 네 선택이다. 만일 내키지 않는다면 고향으로 돌아갈 수 있도록 편의를 봐

줄 것이다."

갑작스럽게 들어선 본론을 여자는 곧바로 따라잡지 못했다. 제
딴엔 머리를 굴린 것인지 잠시 고민을 하던 여자가, 곧 비장한 얼
굴로 말문을 텄다.

"음. 제가 그리 오래 산 건 아니지만 말입니다. 여기 오니 배불리
먹을 수 있고 비단옷까지 입을 수 있으니, 여기가 꼭 천국이다 싶
더군요."

"네게는 그런 것이 천국이냐."

테리오드가 재밌다는 듯 되물었다. 그녀에게 향했다기보단, 스
스로에게 던지는 자문 같았다. 테리오드가 쓰게 웃으며 이어 중얼
거렸다.

"내 지옥은 네게 배부른 투정이겠구나."

미남자의 서글픈 미소는 여심을 자극하는 면이 있었다. 여자의
얼굴이 순식간에 붉게 달아올랐다. 여자가 더듬더듬거리며 마저
제 의견을 피력했다.

"……어찌 됐든, 이곳에 계속 머물 수 있다면 그 제안을 받아들
여도 좋겠다 싶겠다는, 그런……."

테리오드가 설핏 웃으며 손끝으로 여자의 턱을 들어 올렸다. 무
언가를 예견한 듯, 눈앞의 여자가 긴장하며 눈을 감았다. 테리오드
는 잠시간 빤히 그녀의 얼굴을 쳐다보기만 했다.

동그란 눈매와 제법 매끈하게 뻗은 코, 모난 데 없는 얼굴형까지
나무랄 데 없는 외관이었다. 아마 고향에서도 뭇 남성들의 마음을
숱하게 훔쳐 왔으리라.

그의 손에서 힘이 빠졌다. 테리오드는 다시 그녀에게서 멀어졌다.

"……저를 안지 않으십니까?"

당연히 그런 짓을 예상했다는 투였다. 역시 저녁에 여자를 방으로 끌어들이는 건 그런 식으로 해석되나. 테리오드는 터져 나오는 헛웃음을 숨겼다. 오해를 한다며 주변인들을 비웃을 게 아니다. 굳이 쉬운 결론을 미루고 있는 제 쪽이 더 바보였다.

안을 수도 있었다. 어차피 아스티나를 잊기로 했다면, 다른 여자와의 관계 따윈 아무렇지도 않아야 했다. 그러나 테리오드 자신도 놀랄 정도로 어떤 욕구도 동하지 않았다. 누군가의 육체를 두고 언제나 맹렬하게 불타올랐던 것과는 사뭇 다른 감상이다.

테리오드는 침대에서 멀어져 의자에 앉았다. 건너편의 시계를 넘겨보았다. 아직 정신을 놓기까지 시간이 조금은 남아 있었다. 테리오드가 손등에 뺨을 괴며 말했다.

"잠들지 못하는 밤이 기니 네 얘기를 조금 더 해 봐라. 나는 아직 배를 덜 곯은 모양이다."

❖　❖❖❖　❖

클로에의 인생을 축약한다면, 아마 모든 게 무난해서 오히려 운이 좋았던 삶이라고 말할 수 있을 것이다. 그리 넉넉하게 살아오진 않았지만 그렇다고 부족하지도 않았다. 클로에의 부모님은 자식들을 책임질 정도의 경제력은 가진 인물들이었다. 클로에는 여느 불운한 아이들처럼 굶거나 길로 내몰리는 일 없이 무난한 십 대를 보냈다. 먼 친척이 귀족가의 양자로 입적되었다는 소리를 들었을 땐 잠깐 부러워한 적도 있었지만, 이는 달콤한 상상일 뿐으로 곧 현실로 돌아왔다.

그도 그럴 것이 열두 살은 누구나 한 번쯤 출생의 비밀을 의심해 볼 나이가 아닌가. 아니면 잘생긴 귀공자가 길을 지나다 우연히 자신을 보고 사랑에 빠지리란 망상을 꿈꾸든지.

수많은 십 대에게 그러했듯, 어린 클로에를 설레게 했던 이야기책 속 로맨스는 보기 좋게 그녀를 비껴갔다. 진지한 기대는 아니었기에 그리 대단한 상처로 남지는 않았다. 좀 더 나이가 든 후에 '그땐 그랬지.' 하고 회고할 법한 추억이 되었을 뿐이다.

그렇다고 막 이십 대로 접어든 나이에 대뜸 십 대의 망상이 끼어들 줄은 그녀도 전혀 예상치 못했던 바다.

'대공 전하께서 이 댁 아이를 찾으십니다. 수도까지 모셔 가도 되겠습니까?'

그림책에서 보았던 번쩍이는 갑옷을 입은 기사였다. 정중한 태도에 카리스마 있는 목소리까지, 주변인들에게선 찾아볼 수 없는 위엄에 진짜 귀족은 이런 거구나 싶기까지 했다. 너무도 비현실적인 등장이었기에 클로에의 부모님은 그 말을 곧바로 이해하지도 못했다. 뒤에서 지켜보고 있던 클로에 역시 그리 다른 심정은 아니었다.

클로에가 처음 떠올린 가설은 자신이 뒤바뀐 아이일지도 모른다는 것이었다. 동화 같은 데서 보면 하녀와 주인집의 아기가 바뀌는 설정도 종종 있지 않은가. 그러나 어머니는 귀족가에 들어가 일을 한 적이 없었으며, 사용인들의 태도도 주인 아가씨를 대하는 모양새는 아니었다.

수도에 도착하고 나자 상황은 더욱 분명해졌다. 젊은 가주가 역시 젊은 나이의 여자를 찾았다. 해석의 여지는 한 가지밖에 없었다.

'잠들지 못하는 밤이 기니 네 얘기를 조금 더 해 봐라. 나는 아직 배를 덜 곯은 모양이다.'

하지만 이건 성인 남녀 둘이 함께 밤을 보내기엔 지나치게 온건한 방식이 아닌가?

클로에는 처음으로 대공의 의도에 의문을 품었으나, 그렇다고 마땅히 다른 가설이 생각나지도 않았다. 클로에는 대공이 시키는 대로 자신이 자라 온 마을과 가족들에 대해 이야기했다. 대공은 그녀가 그리 불운하게 성장하지 않았다는 사실에 적잖이 만족한 눈치였다. 그리고 한 시진이 채 지나기도 전에 클로에는 쫓겨났다. 굴욕적인 퇴진이었다.

결국 클로에는 제 방으로 돌아와 홀로 잠들었다. 대공의 팔베개 속에서 깨어날 줄 알았던 상상 속 아침은 물 건너간 셈이었다. 고향 집에 있는 침대와는 수준이 다르게 푹신한 침대였지만, 클로에의 기상은 그다지 개운치 못했다. 그리고 클로에의 불운은 비단 애매한 대공의 태도뿐만도 아니었다.

"대공비 전하께서 부르십니다."

하녀가 클로에에게 아침을 내어 주며 꺼낸 전언이었다. 클로에는 수프를 떠먹다 말고 그만 기침을 터트렸다. 시뻘게진 얼굴의 클로에에게 손수건을 건네며 하녀는 옅은 한숨을 내쉬었다. 한심하다는 듯한 반응에 클로에는 조금 자존심이 상했다. 존대를 하면 얕잡혀 보이리라는 생각에 클로에는 부러 도도한 목소리를 내어 되물었다.

"대공비 전하께서 나를 왜?"

"세상에나, 왜냐니요. 마땅히 머무는 집의 주인께 인사를 드려야지요."

하녀가 눈을 동그랗게 뜨며 대답했다. 한심하게 보인 데 이어 예의범절도 모르는 천것이 되었다. 야박한 수도 인심에 클로에는 기가 죽었다. 클로에가 방금보다 조금 작아진 목소리로 물었다.

"언제 어디로 가면 돼?"

"식사를 하고 옷 갈아입는 걸 도와드릴 겁니다. 후에 제가 대공비 전하께서 계신 곳까지 안내해 드리지요."

그리 말을 마친 하녀가 방을 나섰다. 그녀는 클로에가 식사를 마칠 때쯤 돌아왔는데, 양손엔 짐이 무겁게 들린 채였다. 아무래도 클로에가 입을 옷과 장신구인 듯싶었다. 하녀는 옷을 펴 옷걸이에 걸어 놓고는 주름진 부분을 조심스럽게 폈다. 클로에는 스푼으로 그릇 바닥을 긁적이다 말고 용기를 내어 물었다.

"그런데 말이야, 난 대공저에 무슨 위치로 머물게 되는 거야?"

클로에는 자신이 대공의 정부가 될 예정인지 알고 싶었다. 대공이 민간인들의 삶을 사찰하기 위해 자신을 불러들였다는 기막힌 가능성을 셈하고 싶진 않았으니까.

클로에의 물음에 하녀가 잠시 뜸을 들이다가는 대답했다.

"저도 모릅니다. 집사님께선 대공 전하께서 도움을 구할 일이 있으니 아가씨를 잘 보필해 드리라 하셨어요."

"그럼 말이야, 혹 대공께서 다른 애첩을 들인 적이 있으셔?"

옷을 정돈하던 하녀의 손이 멈칫했다. 주인마님 외의 젊은 여인을 시중들게 되다니. 입이 무겁다며 불러왔을 때부터 설마 했던 불안감이 그녀의 양심을 꿰뚫고 지나갔다. 하녀가 휙 고개를 돌려 클로에를 보며 소리쳤다.

"큰일 날 소리를! 대공 전하께선 일편단심 대공비 전하뿐이세요!"

갑자기 높아진 언성에 클로에는 꽤나 놀랐지만, 덕분에 제 역할을 실감했다. 클로에가 참지 않고 맞받아쳤다.

"네 말처럼 두 분께서 사이가 좋으시다면 왜 나를 부르신 건데?"

하녀는 이렇다 할 대답을 하지 못했다. 대신 전보다 작아진 목소리로 이렇게 말했다.

"아가씨께서 두 분 사이를 폄훼하시니 후에 흠이라도 잡힐까 드린 말씀입니다. 수도의 귀족들 중 대공 전하만큼 여성 편력이 드문 분이 또 없으실 겁니다. 그런 대공 전하의 마음을 유일하게 녹인 게 대공비 전하셨고요."

"대공비 전하께서 그리 총애받으셨어?"

"예, 그러니 아가씨는 죽었다 깨도 대공비 전하 대신이 되지 못하실 겁니다."

하녀가 딱 잘라 말했다. 더 말을 붙이지 말란 듯한 태도였기에 클로에는 쌓아 둔 질문을 눌렀다. 클로에도 그리 강심장은 아니었기에 귀족과 비교해 스스로를 추켜세울 깜냥은 없었다.

이후 하녀는 말없이 치장을 도왔고, 클로에는 곧 본관의 응접실로 안내되었다. 문 앞에서 한숨 크게 들이켤 여유조차 주어지지 않았다. 하녀는 클로에가 도착했다는 말을 전한 뒤, 허락이 돌아오자마자 곧장 문을 열었다. 하녀가 먼저 나아가 대공비에게 공손히 인사했다.

"대공비 전하, 부르신 아이입니다."

하녀가 시야를 가린 탓에, 클로에는 약간의 시간 차를 두고 대공비를 눈에 담을 수 있었다.

클로에가 대공비를 보고 처음 느낀 감상은 부부가 어지간히도 잘 어울리는 한 쌍이라는 점이었다. 대공을 처음 봤을 때도 대단한 미색에 눈을 의심했었는데, 대공비도 과연 그에 걸맞은 외양을 하고 있었다. 대공비가 소문과는 다른 박색이라 여인을 불러들인 건 아닐까 했던 클로에의 상상은 형체도 없이 부숴졌다. 클로에의 고향에서 최고의 미인으로 불렸던 영주의 딸 카르네도 저만치 반짝이지는 못했다. 꼿꼿이 편 허리와 저를 보는 시선에는 어린 영애들에게선 보기 힘든 우아함까지 담겨 있었다.

클로에는 잠시 후에야 정신을 차리고 대공비에게 허리를 숙여 인사했다.

"아, 안녕하십니까, 대공비 전하. 클로에라고 하옵니다."

"네가 대공께서 불러들였다는 그 아이냐."

"예."

"그리 서 있지 말고 여기 앉거라."

대공비가 그리 말하며 건너편 자리를 가리켰다. 클로에는 조심스럽게 소파로 가 앉았다. 대공비는 말없이 한참 클로에를 쳐다보기만 했으므로, 클로에는 흐르는 땀을 참기 위해 몹시 애를 써야 했다.

그사이 하녀들이 차를 내왔다. 클로에가 평소 마시던 것과는 다른 옅은 빛의 홍차였다. 고급스러운 다기에 담겨서인지 찻물까지도 교양 있어 보였다. 클로에는 제 움직임이 어색해 보이지 않길 바라며 찻잔을 들어 차를 한 모금 삼켰다. 다른 첨가물이 들어가 있지 않아서인지 맛은 밍밍했다. 그다지 입맛에 맞진 않았으므로 클로에는 차에 더 손을 대지 않았다. 대공비는 그때까지 이렇다 할 말이 없었다. 클로에가 용건을 물을까 고민하던 찰나, 대공비의 입이 열렸다.

"차는…… 입에 맞지 않느냐."

"예?"

의외의 화제에 클로에는 조금 당황했다. 아니라고 말하고 싶었으나, 아까 전 차를 마시고 인상을 썼었다는 사실이 떠올랐다. 클로에가 조심스럽게 대답했다.

"그, 저는 보통 차에 우유를 타 마셔서요……."

뒤편에서 숨죽인 웃음이 터져 나왔다. 이해할 수 없는 반응에 클로에는 영문을 모르고 숙덕이는 하녀들을 쳐다보았다. 어딘지 찜찜한 기류를 대공비가 잘랐다.

"손님이 앞에 있거늘 자리가 소란스럽구나, 여기 우유와 설탕을 좀 내오거라."

대공비의 단속에 하녀들은 금세 입을 다물었다. 클로에의 잔엔 우유와 설탕이 더해졌다. 단맛이 혀에 닿자 클로에는 긴장이 풀렸다.

본처의 손찌검이야 불륜 상대에게 흔히 닥치는 난관이 아닌가. 욕이라도 들어먹을 줄 알았던 것과 다르게 대공비의 반응은 몹시 인자했다. 하기야 수도의 귀족들은 뒤로는 다 따로 애인을 둔다고 하니, 이곳 상식으로는 본처와 정부가 함께 겸상하는 게 그리 이상한 일이 아닌지도 모른다.

"이젠 마실 만하느냐."

"예, 아주 달고 맛있습니다. 대공비 전하께서도 한번 드셔 보시렵니까?"

클로에가 발그레해진 뺨으로 되물었다.

"나는 되었다. 그보다……."

"하명하세요."

"지난밤 대공 전하의 침소에 들었다고."

클로에는 곧바로 대답하지 못하고 멈칫했다. 상냥하던 목소리에서 날 선 긴장감을 읽어 낸 탓이었다. 클로에가 조심스럽게 대답했다.

"그러합니다."

"……대공 전하는 부족함 없이 잘 모셨느냐?"

입도 한번 맞춰 보지 못하고 쫓겨났다 말하기에는 자존심이 상했다. 클로에는 잠시 망설이다가, 거짓말은 아니지만 오해를 살 수 있는 뉘앙스로 말을 꺼냈다.

"예, 아주 상냥하셨고, 제 얘기도 잘 들어 주셨습니다."

클로에의 당당한 대답에 대공비의 표정에 금이 갔다. 그러나 이는 찰나의 일로, 클로에가 자세하게 살피기도 전 대공비는 다시 전과 같은 얼굴로 돌아갔다.

"그래, 네 표정이 밝아 보여 다행이다."

"예?"

의중을 알 수 없는 말이었다. 클로에의 반문에 대공비가 미소 지으며 설명했다.

"무려 기혼인 사내의 침소에 들었으니 그것이 보통 일은 아니지 않나."

"어, 대공께선 젊으시고, 하여 불쾌한 일은 전혀—"

"생각보다 비위가 좋은가 보구나. 이 역시 다행인 일이야."

클로에의 말을 자르며 대공비가 조용히 차를 한 모금 넘겼다. 내용만 들어서는 적개심이 분명히 느껴지는 말이었으나 막상 그것을 전하는 음성은 한없이 무덤덤했다. 덕분에 클로에는 대공비의 본의도가 무엇인지 도통 파악할 수 없었다. 콕 집어 말할 수 없는 불편함이 클로에의 가슴께를 찔렀다. 무언가 뚜렷하게 짚고 넘어갈 수 있는 언사가 있다면 따져 묻기라도 할 텐데, 표면상으로는 칭찬이라 트집 잡을 여지가 없었다.

클로에는 가시방석에 앉은 기분이 되어 두 손을 모았다. 대공비가 그런 클로에를 내려다보며 말했다.

"고향을 떠나 수도까지 왔으니 네게도 먼 걸음을 한 보람이 있어야겠지. 돌아갈 날이 언제가 될진 모르겠지만, 때가 되면 내 섭섭지 않게 보상하마."

입술에 꿀이라도 바른 듯, 대공비는 모든 말을 배려처럼 뱉었다. 하지만 남편의 여자에게 이별을 예고하는 일이 정말 걱정에서 우러난 행동은 아닐 것이다.

클로에는 그제야 이 상황의 가닥을 잡았다. 아무리 뭣도 모르는 시골 출신이라고 해도 저를 향한 적대심 정도는 구별해 낼 수 있었다. 미리 예상해 둔 상황이었으므로 클로에는 마음가짐을 새로이 다잡는 데 큰 시간을 소요하지 않았다. 클로에의 눈에 본처를 향한 존중이 아닌, 전과 다른 적의가 어렸다. 자신이 대뜸 제 의지로 대공저에 찾아든 것도 아니고 대공의 부름으로 온 것이다. 대공비의 앞에서 질책을 당할 상대가 있다면 제 쪽은 아니리란 생각이 들었다.

클로에가 말을 더듬대지 않으려 애쓰며 한 자 한 자 또박또박 내뱉었다.

"대공비 전하. 외람되지만 한 가지만 묻겠습니다. 혹 대공 전하께서 다른 여인을 댁에 들이신 적이 있으십니까?"

대공비가 의외란 듯 눈썹을 들었다. 이윽고 그녀가 사근하게 대답했다.

"……없다."

클로에의 입가에 회심의 미소가 떠올랐다.

"제가 예외라는 뜻이군요. 무척 기쁩니다."

대공비의 턱이 들렸다. 대공비는 소리가 나지 않게 찻잔을 테이블 위에 내려놓았다. 별것 아닌 행동인데도 어쩐지 무게감이 느껴졌다.

"그렇구나, 확실히 예외란 건 특별한 법이지. 아무래도 규칙에서 벗어나는 일이니 말이다."

대공비가 잠자코 순응하더니 이어 서늘한 미소를 떠올렸다. 클로에는 저도 모르게 어깨를 굳혔다. 젊은 패기와 갑작스럽게 변한 주변 환경의 영향으로 충동적인 대응을 하고야 말았으나, 대공비와 자신의 신분 차는 극명했다. 대공이 편을 들어주지 않는다면 매질을 당하고 쫓겨나는 쪽은 클로에 본인이 되리라. 대공과 손도 한번 잡아 보지 못한 상태였으므로 클로에는 뒤늦은 위기감을 느꼈다. 사실 클로에는 대공이 과연 제 이름을 제대로 기억하고 있을지도 알 수 없었다.

클로에에겐 대단한 행운으로, 대공비는 당장 그녀를 매질하려 들거나 무릎을 꿇게 하진 않았다. 대신 나직한 경고가 날아들었다.

"네가 아직 잘 모르는 듯하여 덧붙이자면, 사실 너는 나에게도 큰 예외란다."

"……."

"신분이란 것이 지엄하고 누가 일으킨 문제인지도 분명하거늘, 와중에도 내게 지기 싫은 마음이 든다니 참으로 신기한 일이다. 그렇지 않느냐."

클로에는 터져 나오려는 딸꾹질을 힘겹게 눌러 참았다. 그런 클로에와 눈을 맞추며 대공비가 말을 이었다.

"사람은 살다 보면 종종 뜻밖의 상황과 마주치곤 하지. 그때 어떻게 대처하느냐에 따라 더 나은 방향으로 나아갈 수도, 혹은 궤도에서 미끄러진 삶을 살 수도 있단다."

"……."

"되도록 현명한 선택을 해 나가길 바라마. 모름지기 나들이란 잠깐인 법이지 않니?"

여유가 맴도는 대공비와 달리, 클로에의 낯은 모멸감으로 붉어졌다. 클로에가 겨우 입을 열어 대답했다.

"……제게 주신 조언, 잘 새겨들었습니다."

"이해가 되었다면 다행이다. 차라도 더 들겠느냐?"

"아니요, 제가 몸이 좀 좋지 않아서요. 다리 사이가 아리어 자리에 오래 앉아 있기가 조금 불편합니다."

클로에는 이 말이 조금이라도 제 면을 세워 주길 바랐으나, 대공비는 여유롭게 그녀를 걱정해 주기까지 했다.

"집사에게 의원을 불러 달라 해야겠구나."

클로에는 입술을 깨물며 인사를 남겼다. 흠 잡히지 않으려 신경 쓰던 걸음걸이가 문에 가까워질수록 빨라졌다.

클로에가 나가고 문이 닫혔다. 아스티나는 그녀가 떠나고도 허리를 세운 곧은 자세를 풀지 않았다. 태연히 차를 홀짝이는 주인 대신 하녀들이 단체로 성을 냈다.

"세상에나, 망극해라. 저 건방진 태도를 좀 보십시오. 어디 부끄러운 줄도 모르고⋯⋯."

"대공비 전하, 저대로 두어도 되겠습니까? 방자하기가 끝이 없습니다."

애탄 시선이 아스티나에게로 몰렸다. 아스티나는 설핏 쓴웃음을 떠올렸다.

"두어라. 내가 먼저 건드리지 않았느냐."

"하지만 신분이 신분이거늘, 저런 태도는 경을 쳐도 모자라지 않습니다."

가까이에 있던 하녀 하나는 주먹까지 틀어쥐고 열을 냈다. 정작 아스티나는 클로에의 마지막 말에 큰 동요를 겪지 않았다. 지난밤 클로에가 테리오드의 침실에 든 건 알고 있었지만, 둘 사이엔 별다른 관계가 없었으리라 짐작했기 때문이다. 아스티나는 비겁하게도 테리오드가 정말 자신을 향한 마음을 정리했는지 알고 싶었고, 따라서 아침나절 테리오드의 방으로 향하는 스스로의 걸음을 저지하지 못했다.

긴장하여 방 안으로 들어선 그녀가 본 것은 익히 알아 왔던 짐승이었다. 자연히 안도가 스쳤으나, 잠자리가 아니었음이 확인됐을 뿐 둘의 진도가 어디에 그쳤을지는 알 수 없었다. 아스티나는 잠시 망설이다가 테리오드에게 입을 맞췄었다. 그는 그녀가 아니어도 괜찮다는, 그 혹시 모를 상황을 마주하고 싶진 않았으니까.

아스티나가 자문했다.

"내가 유치했나?"

"대공비 전하만큼 유하신 분도 없으실 겁니다."

하녀가 푸념하듯 툴툴거렸다. 하지만 아스티나로서는 동의할 수 없는 의견이었다. 보통 때의 그녀라면 훨씬 더 어른스럽게 대처했을 것이다. 클로에를 불러다 놓고 면전에 대고 모욕을 주는 대신 말이다. 그들이 서로를 몰랐을 때 더 괜찮은 사람들이었다는 테리오드의 말이 새삼 이해가 갔다.

아스티나가 담담하게 중얼거렸다.

"글쎄다, 난 내가 갈수록 못난 사람이 되어 가는 기분이구나."

'어쩜 기가 막혀, 아무리 그래도 그렇지 사람을 이런 식으로 농락해?'

클로에는 분을 참지 못하고 그만 발을 굴렀다. 길을 지나던 사용인들이 놀라 그녀를 응시했지만, 클로에는 아랑곳하지 않고 그들을 지나쳤다. 뒷이야기가 어떻게 나돌던 그건 클로에가 제어할 수 없는 바였다. 어차피 이 저택에선 모두가 대공비의 편이었으니까.

대공비를 만나고 돌아온 클로에는 본처의 텃세에 한동안 침울해져 있었다. 대공비에게 들었던 꾸중이 틀린 말은 아니었던지라 타인에게 하소연하기도 수치스러웠다. 안 그래도 끔찍했던 기분은 시중을 들어 주던 하녀가 돌아오며 정점을 찍었다. 대공비에게 어떻게 그런 식으로 행동하냐며 한참 잔소리를 늘어놓던 하녀가, 한숨과 함께 이렇게 중얼거린 것이다.

'기껏 좋은 것을 내줘도 알아보지도 못하니. 하필 걸려도 이런 수준 낮은 여자를…….'

'뭐? 지금 말 다 했어?'

클로에가 고개를 쳐들고 되물었다. 하녀는 되레 콧방귀를 뀌었다.

'제 말이 틀렸습니까? 세상에 어떤 영애가 그런 식으로 교양 없이 차를 마신답니까.'

하녀의 말인즉슨 귀족들은 옅게 우린 찻물을 선호하지, 찻잎 외의 다른 것을 섞어 마시지 않는다는 것이다. 간식 겸 출출함을 해결할 용도로 항상 차에 우유를 희석해 마셨던 클로에로서는 금시초문인 사실이었다.

애초에 평민 가정에서 자란 그녀가 귀족들의 까다로운 입맛에 대해 어찌 알았겠는가. 귀족 가문이니 차에 비싼 설탕도 아낌없이 타마시는구나 싶었는데 실상은 영 반대였다. 생각지도 못했던 상식으로 공격당하자 눈물이 다 핑 돌았다. 클로에는 코를 훌쩍이며 마저 걸음을 옮겼다.

'대공비가 일부러 그런 게 틀림없어. 천한 입맛이라고 조롱을 하고 싶었던 거지. 거기 있던 모두가 날 교양 없는 여자로 봤을 거 아냐.'

잔소리라고 생각해 기억 저편으로 넘겨 두었던 어머니의 당부가 이제야 떠올랐다. 본처가 아무리 구박을 해도 굳건히 버티라 했던가. 평생 다시 없을 기회이니 대공을 붙잡으라던 말을 되새기며 클로에는 재차 의지를 다졌다.

가문을 움직이는 것은 가주의 몫이다. 흔치야 않지만 가주의 총애로 정부가 본처보다 더 위세 있어지는 경우도 심심치 않게 보았

다. 어차피 남의 남자를 뺏는 입장에 본처에게 환영받을 것이라고
는 생각지 않았다. 클로에는 후에 반드시 대공비의 콧대를 눌러 주
리라 다짐하며 대공의 방문을 두드렸다. 미리 언질해 둔 방문이 아
니라 쫓겨날 걱정도 했으나, 대공은 생각 외로 순순히 문을 열었
다. 대공은 조금 의외란 표정을 지으면서도 클로에에게 시간을 내
어 주었다.

클로에는 대공의 친절에 자신감을 얻었다. 대공의 권위적이지 않
은 태도는 그녀가 특별하다는 증거처럼 받아들여졌기 때문이다.
클로에는 한껏 속상한 표정을 지으며 대공비와 만나 겪었던 일들
을 털어놓았다. 친절한 대공은 한참 동안 말없이 클로에의 푸념을
들어 주었다. 클로에는 우는 시늉을 하며 말을 맺었다.

"대공비 전하께서 절 탐탁지 않게 여기시는 듯합니다. 배우지 못
했으니 모르는 것이 당연한 일을, 이리 창피를 주시니 속상하기가
이를 데 없습니다. 대공 전하의 처소에 한 번 든 것뿐인데도 이리
투기가 심하시니 벌써부터 앞날이 두려워요."

그리 말하며 클로에는 최대한 가련한 눈빛으로 대공을 응시했다.
그러나 대공이 저를 가련히 봐 주리라 예상했던 것과 달리, 그의
반응은 다소 차갑게 느껴지기까지 했다.

"네가 착각을 한 듯싶구나. 그녀는 그럴 사람이 아니다."

단호한 대공의 대답에 클로에의 얼굴이 당황으로 굳어졌다. 대공
의 성정을 미루어 보아 공감과 위로 정도는 돌아오리라 여겼거늘,
지금 대공의 반응은 오히려 욕을 봤던 클로에를 질책하는 모양새
였다.

하기야 만난 지 하루밖에 안 된 여인보다야 아무래도 오래 알았던

아내를 택할 수밖에 없나. 성급했다는 생각에 클로에는 입술을 깨물었다. 대공은 그에 그치지 않고 클로에에게 꾸중의 말을 남겼다.

"네가 왜 내게 부인의 험담을 전하는지 모르겠구나. 그녀만큼 이성적인 사람이 또 드물다. 내 이번 일은 그냥 넘길 터이나 이후로는 언행을 조심하도록 해라."

대공이 불러 온 자리인데 고초를 겪게 되었으니 클로에도 할 말이 없진 않았다. 가시지 않는 억울함에 클로에의 눈에서 원망이 뚝뚝 떨어졌다.

"저를 여인으로 품고자 이곳에 데려오신 것이 아닙니까? 어찌 제 하소연 하나 들어 주시지 않는지요?"

대공의 입은 좀처럼 열리지 않았다. 뻔한 사실에 대답을 망설일 이유가 무엇이란 말인가. 클로에가 조금 전보다 더 다급해진 태도로 되물었다.

"대공비 전하께서 마음에 차지 않아 저를 데려온 게 아니셨어요?"

"너는 그 사람의 대신이 아니고, 나 역시 너를 그런 이유로 데려온 적이 없다."

이번만은 대답이 몹시 단호하였다. 클로에가 황당하기까지 한 심정으로 되물었다.

"하면 저는 무엇입니까?"

테리오드는 대답하지 않고 뼈가 두드러진 제 손마디를 잠시간 눈에 담았다.

사람의 손이다.

지난밤 저 여인에게 입을 맞추지 않았는데도 온전한 정신으로 눈을 뜬 이유는 무엇인가. 다른 여자를 들이기까지 한 마당에 아스티나가 답지 않은 친절을 베풀었을 리는 없었다. 테리오드는 타인을 끌어들인 실험을 논함으로써 아스티나를 제 테두리 밖으로 내친 것이나 마찬가지였다.

그렇다면 남은 가능성은 하나다. 아무래도 일을 끝마치지 못한 주인 대신 집사가 따로 부탁을 해 준 모양이었다. 실험 결과는 테리오드가 이 자리에 앉아 있는 것으로 증명이 되었다. 생각보다 싱거운 성공이었다. 데니스가 레타의 피를 타고난 후손이라고 듣긴 하였으나, 친가와 외가 중 어느 쪽 피가 섞였는지까지 분별할 수는 없었던 탓에 테리오드도 잠깐은 골머리를 앓았다. 하여 조건에 맞는 가장 가까운 친족을 불러들였던 것인데 첫 번에 알맞은 사람을 골랐나 싶었다.

테리오드는 시선을 들어 건너편에 앉은 여인을 응시했다. 아스티나가 그러했듯 제 구원이 될 여자다. 그가 사람으로 숨 쉬고 움직일 수 있게 해 줄 열쇠였다. 그런 중한 사람을 이리 무심하게 취급하게 되는 까닭은 무엇일까.

기실 테리오드는 아스티나를 대신할 사람이 누가 되더라도 상관이 없었다. 누구라도 상관없다는 말은 곧 누구도 의미를 가질 수 없다는 뜻이다.

마침내 테리오드가 입을 열어 대답했다.

"너는 내 다짐이다."

클로에 자체는 몰라도, 그녀를 불러들인 행위에는 의미가 있었다. 이렇게 된 마당에 테리오드가 감히 아스티나를 다시 욕심낼 수는 없었다. 클로에는 테리오드에게, 때때로 돌아가고 싶어 하는 걸음을 막아 줄 최소한의 양심이 되어 줄 것이다.

의미를 알 수 없는 말에 클로에가 의아한 표정을 지었다. 테리오드는 아랑곳하지 않고 쐐기를 박았다.

"난 네게 어떤 직위도 내리지 않을 것이다. 정부라고 공표하거나 타인에게 소개하지 않을 것이며, 내가 줄 수 있는 것은 오직 금전적인 편의뿐이다. 마찬가지로 네가 할 일은 집사에게 안내받았듯, 그 짐승에게 입을 맞춰 주는 일 하나뿐이다. 내 제안이 마음에 들지 않는다면 언제든 이곳을 떠나도 좋다."

클로에는 입술을 깨문 채 고개를 숙였다. 모아 쥔 손에 힘이 들어갔다. 할 일은 짐승에게 입을 맞춰 주는 것 하나뿐이라니, 결국은 육체적인 욕구만 채울 뿐 다른 볼 일은 없다는 의미로 들렸다.

클로에는 몹시 풀이 죽었으나 대공이 봐줄 금전적 편의가 못내 탐이 나는 것도 사실이었다. 상경하며 꿈꿨던 수도 생활의 꿈은 반쯤 깨어진 상태였지만, 그럼에도 클로에는 잠자코 고개를 끄덕였다.

"……생각해 보니 제가 환경이 바뀌어 예민해진 상태라 오해를 했나 봅니다. 대공비 전하께서 제게 가르침을 주고자 하신 것인데, 짧은 견문이 부끄러워 과민하게 반응하고 만 듯해요."

클로에의 변명엔 관심이 없다는 듯 테리오드가 시선을 돌렸다.

"알았다면 되었다. 다음에도 말뿐으로 넘어가진 않을 것이다."

그 매정한 태도가 야속하기까지 하였다. 클로에는 몹시도 자존심이 상해 자리에서 일어섰다. 그는 클로에의 떠나는 걸음을 붙잡지 않았다.

아스티나는 한숨을 쉬며 편지지를 탁상 위에 내려놓았다. 이시스에게서 받는 서신은 늘 고민거리가 되는 느낌이 없지 않아 있었다.

사실 내용 자체는 별 게 아니었다. 이전에 언질했던 리체 성에서의 무도회 날짜가 잡혔다는 소식이 전해진 것이다. 말미엔 가장무도회를 할 예정이니 분장을 성의 있게 준비하라는 말이 장난스레 적혀 있었다. 예상보다 지연된 일정은 벤자민의 귀환에 맞춰진 듯싶었다. 제스퍼레오 영지에 있을 당시 벤자민은 일행과 함께 수도로 올라오지 않았다. 남부로 떠난 이들과 다르게 반대쪽 길로 향한 것이다. 테리오드와 아스티나도 부상을 핑계로 이틀 정도 출발을 늦췄었기에 알고 있던 사실이었다.

아스티나는 테리오드에게 이 소식을 어떻게 전해야 할지 고민하며 종이를 반으로 접었다. 때마침 문 너머에서 노크 소리가 들려왔다.

"대공비 전하 계십니까?"

아스티나는 서신에서 시선을 떼어 문가를 바라보았다. 올리버의 목소리였다. 그의 인사는 언제나 예의 바른 편이었지만 오늘은 묘한 긴장감이 느껴졌다. 들어올 것을 허하자 올리버가 쭈뼛거리는 걸음으로 등장했다. 아스티나가 여상스럽게 되물었다.

"무슨 일이지?"

"저어⋯⋯."

어딘지 불편한 표정에 이어 그는 땀까지 뻘뻘 흘리고 있었다. 아스티나의 눈이 따라 가늘어졌다. 이유를 유추하자면 여러 가지가 있을 것이다. 아스티나는 깍지 낀 두 손 위에 턱을 얹으며 가장 큰 가능성을 점쳐 보았다. 답은 금방 나왔다. 아스티나가 말을 잃은 집사에게 먼저 질문을 던졌다.

"그래, 안뜰을 소란스럽게 한 여인을 데려온 게 그대인가?"

아니나 다를까 올리버가 화들짝 놀란 표정을 지었다. 희게 질린 얼굴은 실신을 앞둔 상태처럼 보여질 정도였다. 그가 우는 듯한 목소리로 변명했다.

"대공 전하의 명이셨습니다."

"그랬겠지, 물론."

아스티나가 심드렁하게 대꾸했다. 그다지 결백한 입장은 아니었지만, 올리버는 스스로의 행동을 해명하기 위해 최선을 다해 애썼다.

"저야 명을 하면 따를 수밖에 없는 입장 아닙니까."

"이전엔 대공의 명이 없는 상태에서도 잘도 신부를 사 왔지 않나."

반박할 말이 있을 리 없었다. 그는 이미 아스티나에게 많은 죄를 외상으로 달아 놓은 상태였다. 올리버가 눈에 띄게 의기소침해졌다.

이제 와 의미 없는 사죄를 받으며 시간을 낭비할 생각은 없었으므로, 아스티나는 노집사에게 더 심술궂게 굴진 않기로 했다. 어차피 주인인 테리오드가 결심한 이상 누가 이행했어도 할 일이었다. 이별이란 주변인을 방패 삼아 유예할 수 있는 종류의 일이 아니다.

아스티나가 담담하게 물었다.

"그래서 용건은?"

"이걸 전해 드리려고 왔습니다."

망설이던 올리버가 안주머니에서 무언가를 꺼내 들었다. 아스티나는 펜을 내려놓고 책상 위에 팔꿈치를 기댔다.

"그게 뭐지."

"반지입니다."

아스티나는 잠시간 당황했다. 이시스에게 받았던 반지가 그제야 떠올랐기 때문이다. 짐가방에 처박아 둔 채 꺼냈던 기억이 없는데 그걸 찾아낸 것인가 싶었다.

하지만 상자의 외관은 그녀의 기억과는 조금 달랐다. 아무래도 아스티나가 상기해 낸 것과 같은 물건은 아닌 듯했다. 올리버는 그것을 열어 보여 주는 대신, 아스티나의 앞으로 와 직접 건네었다. 작은 함이 무게감 있게 손 위로 떨어졌다. 아스티나는 의아한 마음으로 그것을 열어 보았다.

"이건……."

아스티나는 말을 다 내뱉지 못하고 입술을 깨물었다. 올리버가 머쓱한 태도로 말했다.

"보시는 대로입니다."

결혼반지였다. 커다란 다이아몬드가 물방울 모양으로 세공된, 그야말로 웨딩링의 모범 같은 디자인이었다.

백금으로 된 반지는 그녀의 피부색과도 몹시 잘 어울렸다. 그러나 아스티나는 선뜻 그것을 꺼내어 제 손에 대어 보진 못했다. 나란히 놓인 한 쌍의 물건이라 하나만으론 제 의미를 다 할 수 없었던 탓이다.

"전에 대공께서 따로 주문해 두었던 물건입니다."

반지는 완성되었지만 그는 찾지 않았다.

아스티나는 한참 동안 그 보석을 내려다보기만 했다. 이윽고 그녀가 힘없이 등받이에 등을 기댔다. 아스티나가 잠긴 음성으로 되물었다.

"언제였지?"

"아마 별장에 다녀오시고 얼마 지나지 않은 무렵이었을 겁니다. 이만한 크기의 다이아몬드를 공수하기가 쉽지 않아 꽤 오래 기다렸지요."

그맘때의 테리오드는 과연 어떤 미래를 꿈꿨나.

그 꿈속의 그들은 매일 웃었나. 서로의 귀에 사랑을 속삭였나. 귓불을 깨물고는 달래듯 입을 맞췄나. 혹은 이 반지를 나눠 끼고 힘껏 부둥켜안았나.

"두 분께서 왜 싸우셨는진 모르겠지만 이제 좀 푸십시오. 아랫것들 마음고생이 더 큽니다."

집사는 이 반지가 화해의 열쇠가 될지도 모른다고 생각한 모양이었다. 그러나 당사자들에겐 상처를 들추는 것 외의 다른 의미가 없는 물건이었다.

잃어버린 것들엔 언제나 아쉬움이 남는 법이다. 아스티나는 그들이 아무것도 모르고, 하여 이 반지를 제때 넘겨받았을 때의 찬란함을 굳이 상상해 보고 싶진 않았다. 단꿈을 꿀수록 시린 현실이 더욱 뼈저리게 다가올 테니까.

"대공께서 원하지 않는 일이야."

아스티나의 담담한 대답에 올리버가 말도 안 된다는 듯 도리질을 쳤다.

"그럴 리가 있겠습니까. 대공 전하께서 본인보다 더 아끼시는 게 대공비 전하이십니다."

"그래서 안 된다더군."

아스티나가 들리지 않을 크기로 중얼거리며 반지에 시선을 고정했다. 영원을 맹세하겠다는 의지는 어디에서 나올까. 이미 버려진 감정에는 의미가 없나. 그렇다면 그들은 의미 없는 일들에 왜 이다지도 괴로운지.

아스티나는 상자를 덮어 아예 시야에서 치워 버렸다.

"대공께는 쭉 비밀로 하는 게 좋겠군. 그대도 잊게."

"내게 비밀로 할 일이 무엇입니까."

갑작스럽게 끼어든 삼자의 목소리에 아스티나는 고개를 들었다. 열린 문 사이로 테리오드가 걸음을 디뎠다. 아스티나는 반사적으로 책상 위를 내려다보았다. 상자는 이미 덮은 상태였고, 그마저도 그녀의 손바닥 아래에 있었다. 아스티나는 눈에 띄지 않게 그것을 아예 책상 아래로 치워 버렸다. 아스티나가 태연하게 대답했다.

"아무것도 아닙니다."

"아무것도 아닌 일을 왜 굳이 숨기시는지요."

아스티나는 그 말에 대답하는 대신 올리버에게 축객령을 내렸다.

"보고는 잘 들었으니 이만 가 보게."

머뭇거리던 올리버가 결국 대공비의 명을 우선으로 하여 방을 나섰다. 아무래도 그에게 심리적인 부채감을 심어 둔 쪽은 불륜을 예고한 가주가 아닌 죄 없는 본처 쪽이었으니.

제 쪽이 무시당한 모양새라 테리오드는 허탈한 웃음을 지었지만,

그렇다고 올리버를 붙잡거나 질책하진 않았다. 다만 장난처럼 이렇게 중얼거렸을 뿐이다.

"그대가 떠나고 나면 저는 모두에게 죄인이 되겠군요."

상대를 잘못 찾아간 농담은 웃음을 부르지 못했다. 잠깐의 어색한 침묵 끝에 아스티나가 자리에서 일어섰다.

"우선 앉으시지요."

아스티나가 테리오드를 테이블로 안내했다. 집사와 그랬던 것처럼 보고를 받는 모양새로 이야기를 나눌 순 없었다. 테리오드와 아스티나는 테이블을 사이에 두고 마주 앉았다. 아스티나는 테리오드를 잠시간 눈에 담았다. 이렇게라도 그를 보니 기분이 나쁘지 않았다. 이번에도 먼저 말문을 연 건 아스티나였다.

"하실 얘기가 있으십니까."

테리오드는 선뜻 이야기를 시작하지 못하고 망설였다. 이런 화제를 꺼내기도 민망하다는 기색이었다. 이윽고 그가 터놓은 것은 과연 그럴 법한 이야기였다.

"그 여인을 만나셨다고요."

아스티나는 그리 당황하지 않았다. 그럼에도 기분이 조금 묘해지는 것은 어쩔 수 없었다. 혹여 클로에라는 여자에게 제 얘기를 나쁘게 전해 들은 것인가. 실제로 아스티나가 그녀를 모욕 주었던 것은 맞으니 그리 틀린 얘기가 오가지도 않았을 터다. 아스티나가 선선히 수긍했다.

"예. 이야기를 들으셨나 보군요."

아스티나는 남편이 정부의 편을 들어주는 기막힌 상황에 대해 잠시 상상해 보았다. 그다지 현실감이 있진 않았다.

"사과를 하러 왔습니다."

그러나 테리오드에게서 돌아온 반응은 더더욱 의외다. 테리오드가 미간을 찌푸리며 말을 이었다.

"제게 하소연을 하는 것을 보아 그대에게 반감을 품은 모양이었습니다. 자중하도록 꾸지람을 해 둔 참입니다."

테리오드는 자신이 초래한 상황으로 인해 불쾌함을 느꼈을 아스티나에게 사과의 말을 전하고 싶었다. 눈앞의 문제를 처리하는 것에 급급해 상황을 넓게 보지 못했다. 그가 지쳐 있었다는 사실이 결정의 여파에 대한 면죄부가 되진 못할 것이다. 다른 여인을 집에 들였을 때 분란이 일어날 것을 예상치 못한 그의 잘못이었다. 하지만 아스티나는 되려 태연하게 이렇게 받아쳤다.

"저런, 그 아이는 억울하게 되었군요. 뭣 모르는 순박한 시골 처녀를 핍박한 악독한 처가 바로 여기 있는데 말입니다."

죄책감에 아래를 향했던 테리오드의 눈이 들렸다. 그의 눈빛엔 당황이 떠올라 있었다. 아스티나가 입꼬리를 당기며 말했다.

"제 말이 거짓말 같으신가 봅니다."

"……진심입니까?"

"제게 그 여인을 괴롭히지 말라 경을 치시렵니까?"

당연히도 테리오드는 그러지 않았다. 그가 어떤 자격으로 그녀의 행동을 질책하겠는가. 테리오드는 쓰게 웃으며 고개만 내저었다.

"그럴 리가요."

그는 그녀를 보면서도 도통 시선을 맞추진 못한 채였다. 아스티나는 살짝 입술을 깨물었다가, 이어 가라앉은 음성을 내었다.

"테리오드, 내 눈을 봐."

테리오드의 입가에서 설익은 웃음이 가셨다. 테리오드는 아스티나의 바람대로 그녀와 눈을 마주했다. 아스티나가 물었다.

"정말…… 나 없이 살 수 있나? 진심으로?"

우습게도 그렇게 말하는 아스티나는 꽤나 괜찮아 보였다. 어른스럽게 마지막 결정을 종용하는 그녀의 모습에 테리오드는 안도했다. 앞으로도 그녀는 차차 무뎌질 것이다. 지워지지 않을 상흔이라도 출혈은 멎기 마련이니.

그가 짤막하게 대답했다.

"노력할 겁니다."

아스티나는 입을 다물었다. 그런 그녀를 보며 테리오드가 슬프고도 다정한 미소를 떠올렸다.

"내가 밉습니까?"

"그래."

"책임지지 못할 말만 하다가 나가떨어진 얼간이라서?"

아스티나는 그다지 테리오드의 자학에 동의하진 않았다. 그녀가 그였다고 해도 끝까지 버틸 수 있었을지는 알 수 없었기 때문이다. 아스티나는 언제나 그녀를 사랑했던 사람들을 망쳐 왔다. 같은 보복을 얻는다고 해도 억울해할 자격은 없었다.

"나도 알아, 내가 어지간히 되먹지 못한 인간이라는 것쯤은. 그래서 내게 찾아드는 끝이란 게 항상 이따위인 건지도 모르지."

아스티나는 쓰게 내뱉고는 잠시간 허공을 응시했다. 많은 것들이 시야에 담겼지만, 역설적으로 어디에도 초점이 맺히지 못했다. 아스티나가 과거의 어딘가를 보며 말했다.

"그대와도 이렇게 끝이 났으니 하는 말이지만, 테오도르가 죽기 전에 마지막으로 내게 입을 맞추려 했던 때가 있었어."

테리오드의 어깨가 굳어 들었다. 테오도르의 존재에 그는 아직까지 그리 무뎌지지 못했다. 아스티나는 시선을 다른 곳에 두고 있어 그런 그의 기색을 알아차리지 못한 듯했다. 그녀가 덤덤한 목소리로 말을 이었다.

"나는 거절했지. 날 두고 죽으려는 그가 너무 미웠거든. 달래려는 위로의 의도가 분명해서 오히려 경멸스럽기까지 했지."

"후회합니까?"

테리오드의 조용한 반문에 아스티나가 피식 웃었다.

"그때 입을 맞췄다면 그가 죽지도 않았을 테니 당연하게도 그래. 하지만 요즘은 다른 생각도 들어. 제때 위로받지 못한 마음이라 이렇게까지 내가 곪아 든 거라고 말이야."

"제게 그런 말을 하는 이유는?"

"사람이 헤어질 땐 제대로 된 이별이 필요하다는 뜻이지."

그리 말을 마치고는 아스티나가 빤히 테리오드를 응시했다. 무어라 말하고 싶은 듯 입을 뻐끔이다가는, 결국 어떤 소리도 내지 못한 채 고개를 숙였다. 눈물은 비치지 않았지만, 테리오드는 그녀가 울고 있다고 생각했다. 아스티나는 양손을 펴 가만히 그 위를 내려다보았다. 이윽고 상체를 숙여 어둠으로 두 눈을 덮었다. 아스티나가 들릴 듯 말 듯 한 음성으로 물었다.

"마지막으로 한 번만…… 내게 키스해 주겠어?"

"아스티나."

"이기적이라고 해도 좋아. 난 위로가 필요해."

테리오드의 나직한 제지에 아스티나가 황급히 덧붙었다. 불에라도 덴 듯, 그녀의 뺨은 벌겋게 달아올라 있었다.

"내가 떠나도 날 평생 잊지 않겠다고 해. 기억의 틈새에라도 남겨 가끔은 떠올려 줄 거라고. 맹세의 입맞춤쯤이야 이별의 값으로 싸지 않나?"

테리오드는 계속해서 말이 없었다. 아스티나는 구제를 바라듯 그를 올려다보았다. 연민 어린 눈길이 그녀를 비참하게 찔렀다. 아스티나가 쏟아 내는 말들도 끝내는 구걸처럼 변했다.

"고작 그마저가 고파. 그런 별것 아닌 것들이 떠올라서 비루먹게도 외로워."

"……."

"이조차…… 안 되나? 마지막이라도?"

테리오드는 당연히도 흔들렸다. 지금이라도 그녀를 끌어안고 잘못했다고 빌고 싶은 심정이다. 사랑을 맹세하고 다신 포기하지 않겠다며 스스로의 과오를 꾸짖고 싶다. 두 팔에 안겨 들 체취와 살결을 상상하면 아찔해질 정도다.

그러나 테리오드는 그렇게 하지 않았다.

끝내 아스티나에게서 허탈한 웃음이 터져 나왔다. 아스티나가 젖은 목소리로 말했다.

"그대가 나를 상처입히지 않았다는 말은 거짓말이야. 당신만큼 나를 아프게 한 사람이 없어."

희망 따윈 없었기에 오히려 테오도르의 죽음으로 겪었던 절망은 깔끔했다. 그 사랑은 이렇게 그녀를 살렸다가, 죽였다가, 일으켰다가, 또다시 내팽개치진 않았다. 그녀는 아마 다신 사랑 같은 것은 하지 못할 것이다. 그녀가 테리오드에게 품었던 것이 진정 두 번째 사랑이었는지는 알 수 없으나, 만약 그것이 존재했다 하더라도 이미 죽었을 테니까.

아스티나는 이윽고 스스로를 추슬렀다. 빨갛게 달아오른 눈가는 여전했지만 그 외엔 평상시와 같았다. 아스티나는 크게 심호흡을 한 뒤, 제가 뱉는 말들이 흔들리지 않기를 바라며 입을 열었다. 감정을 가라앉힌 것을 증명하듯 그녀는 대공비의 위치로서 발언했다.

"마지막으로…… 황녀님께 인사를 드리고 싶습니다."

"인사라면—"

"일전에 제스퍼레오령에 갔을 때부터 리체 성에서 무도회를 열 것이라 계획하고 계셨었습니다. 이미 참석을 부탁받은 일이니 약조를 지키고자 합니다."

아스티나의 목소리가 점차 차분히 가라앉았다. 아스티나는 동요 없이 말을 끝마쳤다.

"저희가 헤어진다면, 주변인에게도 설명이 필요하겠지요. 마지막 예의 정도는 차리고 싶습니다."

테리오드는 고개를 끄덕였다. 그런 부탁쯤이야 들어주지 못할 것도 없었다. 아탈렌타가 황녀에게 힘을 실어 주었던 것은 아스티나의 의지였다. 둘의 결별을 가장 먼저 고할 상대가 있다면 이시스 황녀가 되리라. 황녀와의 정치적인 연도 어떤 방향으로든 마무리 지어야 했다. 테리오드가 최대한 부드러운 투로 말했다.

"어차피 대공가를 완전히 떠나는 것은 후의 일이 아닙니까. 그 정도야 당연히 들어 드릴 수 있는 부탁입니다."

이혼 절차를 밟기 시작하면 필히 이런저런 말이 오갈 테니, 테리오드는 최대한 분란 없이 그녀를 보내 주고 싶은 마음이었다. 법정으로 가는 데까지 시일을 두려고 했던 것도 그런 이유에서였다. 유명세를 탔던 부부는 원만한 이별을 위해 먼저 사람들의 관심에서 멀어져야 했다.

그러나 아스티나의 의견은 조금 달랐다. 아스티나가 고개를 내저으며 말했다.

"아니요, 황녀 전하께 말씀을 전한 후 바로 수도를 떠나고 싶습니다. 서류는 미리 작성해 둘 테니, 적당한 시일이 되면 제출을 부탁드립니다."

아스티나의 태도는 강건했다. 잠깐의 침묵 후, 그녀가 진지한 얼굴로 인사했다.

"그간 고마웠습니다, 대공. 진심으로요."

테리오드는 문득 제 추악한 본심을 상기했다. 마지막 키스를 졸라야 할 사람이 있다면 오히려 그건 테리오드 쪽이었으리라. 그녀를 떠나보낸 테리오드는 아스티나처럼 외롭지 않을 것이다. 다만 때때로 견디지 못해 죽고 싶겠지. 테리오드는 고개를 숙이고는 눈을 감았다 떴다.

"못난 남자와 혼인한 죄로 오래 고생했습니다. 그대의 행복이 되어 주지 못해 미안해요."

남자가 찾지 않는 정부의 일상이란 퍽 지루한 것이었다.

아침을 먹고 여유를 즐기다 보니 어느새 또 점심이었다. 하녀가 가져다준 두 번째 식사까지 해치우고 나자 클로에의 마음에 불쑥 위기감이 스쳤다. 제 꼴이 더없는 한량같이 비치리란 생각이 든 탓이다. 노동하지 않고 숙식을 해결할 수 있다는 사실은 언뜻 천국을 말하는 것처럼도 들리나, 그게 오로지 타인의 선의에 기댄 상태임을 생각하면 마냥 즐길 수만은 없었다.

클로에는 침대 위를 뒹굴다 말고 그만 자리에서 일어섰다. 밖에 나간다고 할 일이 생기는 건 아니었지만 이대로 이 집에서 없는 사람처럼 취급되는 것보다는 나았다. 혹여라도 대공비를 두려워해 바깥출입을 삼간다는 오해를 사는 건 사양이었다. 굴을 파던 시기에서 벗어나 조금 자신감이 붙은 덕분도 있었다.

대공의 차가운 태도에 잠시 마음이 식은 것도 사실이었지만, 이튿날 클로에는 뜻밖의 반가운 소식과 마주쳤다. 담당 하녀가 교체된 것이다. 자연히 대공을 만나 하소연을 늘어놓았던 일이 생각났다. 대공이 저를 배려해 준 게 아니고서야 이 갑작스러운 인사 결정을 설명할 수는 없었다. 여자의 마음을 모르는 남자는 생각지 못할, 기실 꽤나 세세한 배려였다. 세심한 마음 씀씀이를 보면 저를 영 신경 쓰지 않는 건 또 아니다.

클로에는 콧노래를 흥얼거리며 엉킨 머리를 빗었다. 대충 몸단장을 마치고 밖으로 나가려는데 때마침 하녀가 그릇을 가지러 들어왔다. 클로에의 행색을 살핀 하녀가 의아한 표정으로 물었다.

"밖에 나가시나요? 몸단장을 도와드릴까요?"

"저택 밖으로 나가는 게 아니니까 됐어. 대공 전하는 어디 계셔?"

클로에가 하녀의 말을 잘라 내며 물었다. 하녀는 기분 상한 티도 내지 않고 순순히 대답했다.

"후원에 나가 계신 것으로 압니다."

"정확히 어디쯤인데?"

"오다가 전해 들은 이야기라 자세히는 모르겠습니다. 하인을 대동하지 않으셨으니 다른 이들도 자세한 위치까진 모를 겁니다. 후원이 워낙 넓어서요."

미리 주의라도 들은 것인지 두 번째 하녀의 태도는 공손했다. 그것만은 마음에 들었다. 클로에는 하녀에게 더 정보를 캐묻는 대신 밖으로 나섰다. 후원은 수도에 도착했던 첫날, 마차 안에서 내다보듯 구경했던 것 외엔 들여다보질 못했었다. 대공을 찾는 김에 구석구석 살피면 좋을 것 같다는 생각이 들었다. 어차피 자신에게 있는 건 시간뿐이니.

그러나 후원에 들어서고 한 시진이 막 지났을 즈음, 클로에는 스스로의 결정을 조금 후회하지 않을 수 없었다. 후원은 지나치게 넓었고 막상 안으로 들어서니 지나가는 사람도 없었다. 입구에 있던 정원사에게라도 대공을 보았는지 행방을 물어볼 걸 그랬다 싶었다. 끝없이 이어지는 풀들의 행진에 길을 잘못 들었나 하는 불안감이 스쳤다. 계속해서 같은 자리를 맴돌고 있는 기분이 든 탓이다.

클로에는 결국 뒷머리를 벅벅 긁으며 제자리에 멈춰 섰다.

"대체 대공 전하는 어디 계신 거야?"

하늘을 봐야 별을 딸 텐데 그를 찾는 것부터가 난관이었다. 클로에는 툴툴거리면서도 다시 부지런히 발을 옮겼다.

그러나 찡그려졌던 클로에의 미간은 곧 원래의 매끈한 모양을 찾았다. 평평한 풀숲이 넓게 드리워진 공터 부근에서 이질적인 무언가를 찾은 탓이다. 온통 투명한 빛의 식물들 사이에서 짙은 색으로 가공된 옷감은 몹시 눈에 띄었다. 클로에는 달리듯이 대공에게로 다가갔다. 그는 얼굴만 겨우 나무 그늘에 가리어지는 자리에 누워 있었다. 잠시 쉬는가 싶었지만, 인기척에도 반응이 없는 것을 보아 아무래도 잠든 상태인 듯했다.

클로에는 조심스럽게 대공의 옆에 자리를 잡고 앉았다. 눈앞에 대고 손을 흔들어 보아도 미동은 없었다. 클로에는 그의 몸을 잡고 흔드는 대신 상체를 기울여 잠든 얼굴을 천천히 살폈다. 어딘지 까칠해진 피부와 어두운 눈 밑이 시야에 잡혔다. 그러나 피곤한 기색에도 불구하고 그의 미색은 가려지지 않았다.

클로에가 무심코 그의 콧등에 손끝을 가져갔을 즈음, 때마침 대공의 눈꺼풀이 들렸다. 잠든 사람을 훔쳐보고 있었던 셈이 된 클로에는 당황하여 몸을 굳혔다. 대공 역시 놀란 듯했다. 그가 졸음이 가시지 않은 눈을 여러 번 깜빡였다.

"티나?"

그 말을 내뱉은 것과 동시에 대공의 얼굴이 무섭게 굳어졌다. 그가 급히 몸을 일으키더니 클로에의 얼굴을, 특히 목 아래로 드리워진 긴 머리칼을 진득이 눈에 담았다.

클로에가 당혹감에 몸을 뒤로 물리며 그를 불렀다.

"저, 전하……?"

침입자 같은 게 아니란 걸 확인했을 텐데도 대공의 표정은 풀리지 않았다. 그가 넋 나간 사람처럼 내뱉었다.

"그녀인 줄 알았다."

"예?"

"드디어 놓아주었으니 잘된 일인데, 어찌 된 일인지 또 기대를 하여⋯⋯."

무어라 변명하듯이 중얼거렸으나, 잠이 깨지 않았기 때문인지 횡설수설을 벗어나지 못했다. 아직 채 다 정신이 깨지 않은 듯 그가 어지러운 머리를 문질렀다. 관자놀이에 손을 댄 채 헛웃음을 짓던 대공이 이내 굳게 입을 다물었다.

잠깐의 시간이 지난 후에야 테리오드는 스스로를 가다듬을 수 있었다. 그가 태연한 척 상황을 수습했다.

"아니다. 아직 잠이 덜 깬 모양이다."

클로에는 그제야 놀란 가슴을 추슬렀다. 처음 보는 무서운 모습에 조금 당황한 것도 사실이었으나 그가 딱히 제게 큰 잘못을 저지른 것도 아니었다. 사람들은 으레 잠에서 깨어난 직후 민감해지지 않던가. 다만 대공이 뱉어 낸 말들만이 조금 마음에 걸렸다.

그녀인 줄 알았다니 그게 누구일까. 놓아주었다고 말하는 걸 보면 그게 자신이나 대공비는 아닐 것이었다. 그가 누군가의 이름을 불렀던 것이 생각났지만, 하도 놀란 와중이라 도통 떠오르지 않았다.

의문을 벗지 못한 클로에를 두고 대공은 아무렇지 않게 화제를 돌렸다.

"그래, 대공저에서 지내는 건 어떠하느냐. 내 필요로 불러 놓고 신경 써 주지 못한 것 같아 미안하구나."

그 말에 조금 울컥하는 건 어쩔 수 없었다. 클로에가 입술을 삐죽이며 대답했다.

"제게 돈 이외의 건 기대하지 말라 미리 경고까지 하셨지 않습니까? 몸이야 아주 편합니다."

그에 테리오드가 곤란한 웃음을 떠올렸다. 제 나름대로 선을 긋는다고 했던 행동이 기분을 상하게 했나 싶었다. 하기야 스스로가 생각하기에도 매정한 말들이긴 했었다. 테리오드가 변명하듯 말했다.

"사람이란 가지지 못할 것을 욕심내면 보통 망가지더구나."

"제가 분수도 모르고 사치하다가 비참한 최후를 맞이하리란 말씀이십니까?"

받아치는 목소리가 제법 맹랑했다. 테리오드는 전처럼 그녀를 꾸중하는 대신 사람 좋게 웃었다. 아스티나에게 저지르는 무례가 아니라면 그는 클로에가 되바라지게 군대도 크게 개의치 않았다. 그를 기분 상하게 하거나, 혹은 즐겁게 하기 위해서는 보통의 기대치를 훨씬 웃돌아야 했다. 그에겐 요즘처럼 삶이 재미없는 때가 또 없었으므로.

"그런 게 아니다. 다만 나는 그리 경험했다."

경험담이란 말에 클로에가 관심을 가졌다. 아탈렌타 대공가라고 하면 권력과 재물을 모두 거머쥔 거물 중의 거물이다. 그런 가문의 주인도 얻지 못하는 것이 있다니 조금 신기하기까지 하였다.

"이 나라의 대공도 가지지 못할 것이 있습니까?"

"있더구나. 아무도 가질 수 없어 진정 이 제국보다 귀한 것이."

"하기야, 대공 전하를 가만히 지켜보면 그 말씀이 이해도 갑니다."

"내가 궁핍해 보이는 행색이더냐."

테리오드는 또 허허 웃었다. 그게 노인들의 그것과 퍽 닮아 있었던지라 클로에는 어이없는 기분이 되었다. 클로에가 보기에 대공은 매우 이상한 사람이었다. 클로에는 그녀의 기억에 쌓인 근거들을 하나하나 꺼내 지적하기 시작했다.

"늘 맥을 못 추고 걸으시는 것도 그렇고, 눈빛에 힘이 없는 것도 그렇고. 지금도 보십시오. 멀쩡한 침대를 내버려 두고 왜 이곳에서 주무십니까."

클로에가 눈을 가늘게 뜨며 말을 이었다.

"대공가라고 해서 썩 그리 대단한 재물이 있지는 않나 봅니다. 무려 대공께서 땅바닥에서 잠을 청하시다니요."

클로에가 파악한 성격답게, 이번에도 테리오드는 빙그레 웃었다.

"볕이 따뜻하여 그랬다."

클로에는 그의 얼굴을 흘긋 응시했다. 그러고는 화들짝 놀라 저도 모르게 눈을 피했다. 대공의 미색이 제국 제일이라 칭해도 모자라지 않아, 마음을 다잡고 있지 않으면 종종 홀릴 뻔도 했기 때문이다.

클로에는 성공한 정부들의 원칙을 귀동냥으로 주워들어 알고 있었다. 가장 대표적인 원칙은 남자에게 반하지 않는 것이다. 더 많은 걸 얻어 낼 수 있는 건 아쉬울 게 없는 쪽이니까.

클로에는 제 야망을 상기해 내고는 연짓빛 입술 아래로 속셈을 감췄다.

"명만 내려 주시면 제가 하인을 시키겠습니다. 정원에 해먹이라도 하나 다셔요."

그리 말하는 클로에의 눈은 기대로 반짝이고 있었다. 그녀가 이 화제를 길게 끌어온 데는 다 그만한 이유가 있었다. 클로에는 공식적으로 권한을 얻어 하인을 부릴 수 있는 계기가 생기길 바랐다.

클로에가 은근히 대공의 팔을 붙잡으며 결정을 조르려 할 때였다. 대공의 표정이 멍해지더니, 비단 그에 그치지 않고 눈물까지 떨구었다. 당황한 클로에가 테리오드를 불렀다.

"대공 전하?"

클로에의 말이 너무도 별것 아닌 기억을 건드렸고, 그 기억은 한 번의 언급만으로 테리오드를 궁지까지 내몰았다. 그건 순간 클로에를 아스티나로 착각하고 반가워했던 것만큼 본능적인 반응이었다.

처음 아스티나가 대공저에 왔을 적, 그가 그녀를 아직 사랑하지도 않았을 때, 종종 평평한 풀숲에서 잠을 청하는 그를 위해 그녀가 정원에 해먹을 달아 주었던 때가 있었다. 아무것도 아닌 선의에 덴 가슴이 홧홧해졌던 그런 날이 있었다. 테리오드가 자랑했던 장미 정원 옆엔 아직도 그녀의 흔적이 남아, 바람이 불 때마다 느리게 흔들리고 있을 것이다.

테리오드가 넋 나간 얼굴로 입술을 달싹였다.

"어떻게 그녀는 감히 나를 사랑하겠다고 말했지, 잠깐 닮은 모습이 비치는 것만으로도 이렇게 미칠 것 같은데."

클로에의 갈색 머리와 아스티나의 적발은 비교조차 되지 않았다, 햇빛을 받을 때만 언뜻 붉은빛을 띠는, 고작 그 정도의 닮음이다. 이조차도 자꾸만 그에게 지난 기억을 되새기게 하는데 그녀는 대체 어떤 심정이었을 것인가.

"잊고 살 수 있겠다고 생각했다. 사람은 이유가 없어도 살 수 있으니, 그저 살아가는 것만은 가능할 줄 알았어."

눈가에 맺힌 물방울들이 삽시간에 뺨을 타고 뚝뚝 떨어졌다. 테리오드는 손을 들어 그것을 닦아 내려 하였으나, 두 눈이 젖어 드는 속도를 따라잡지 못했다. 결국 그는 차마 흐르는 눈물을 닦아 내지도 못하고 꺽꺽거렸다.

"내가…… 내가 어리석었다."

구제할 수 없는 감정이다. 또한 저 역시도 구제받지 못할 인간이다. 짓무른 마음은 형체조차 온전치 못한데 그를 하염없이 바닥으로만 끌고 간다.

시야에 스친 붉은 머리칼을 보고 가슴이 반가움으로 물든 까닭은 무엇인가. 어째서 기대 따위를 했나. 사랑을 바라고 미래를 꿈꾼 죄로 이 괴로움에 갇혔는데 간사하게도 또 그녀가 제 곁에 머물길 기대했다. 제가 직접 등을 떠밀어 떠나보냈으면서도 그러했다. 과거로 돌아간다면 테리오드는 그녀를 사랑하지 않을 수 있을까. 이 어리석음을 반복하지 않을 수 있을까.

아, 한 가지는 분명하다. 그녀를 만난 것만으로 그는 이미 돌이킬 수 없는 지점에 섰다.

테리오드는 두 눈을 가린 채 들지 못했다. 그녀를 떠올리게 할 매개가 혹여나 다시 시야에 담길까 두려웠다. 그가 엉망으로 잠긴 음성으로 통탄했다.

"이 마음이, 정말 내가 죽어야 끝날 모양이다."

테리오드는 알 수 없는 글자들에서 눈을 떼어 냈다. 그가 들고 있던 물건은 결국 별다른 소득 없이 다른 서적들 사이에 꽂혔다. 주변 배경과 어우러지자 세간의 인식에 의해 분리되었을 이 위치가 새삼 새롭게 다가왔다.

왈도의 일기가 꽂혀 있었던 곳은 장서가 모인 서재 어딘가였다. 대탐험을 예상했던 것과 다르게 싱거운 발견이었다. 고서적이 보관된 곳을 둘러보니 눈에 익은 물건을 곧 찾을 수 있었다. 테리오드도 아스티나도 추스를 정신이 없어 내버려 두었던 것을 하녀 아이가 치워 둔 듯했다. 책이라 말할 수 없는 물건이나 뜻을 모르는 사람들 사이엔 이것의 외양이 대공, 혹은 대공비의 고상한 취미쯤으로 읽혔던 모양이다.

하기야 누군가의 악취미쯤으로 해석될 수는 있겠다. 옛 패왕이 친필로 남긴 사적인 기록이 그대로 담겨 있었으니까. 특히나 주요 등장인물 중 셋이 전부 왕좌에 앉았다면 출판물로 취급될 가치는 충분하다. 망가진 위엄과 가학적인 서사에 모두가 귀를 기울일 것이다. 본인의 일이 된다면 그중 몇이나 온전한 정신을 유지할지는 모르겠어도.

기밀로 취급될 법한 기록치고는 접근성이 용이했다. 이곳을 드나들 인물 중 아스티나 외엔 해독이 가능한 자가 없을 테니 아무래도 상관이 없을까. 이 저택에서 아스티나를 제외하고 가장 퀠른어를 잘 아는 테리오드도 결국 읽기를 포기한 물건이었다. 그의 짧은 견문으로는 온전한 문단도 해석에 긴 시간이 걸렸다. 누군가 작정하고 만든 암호라면 더더욱 가능성이 없다.

이전에 한번 보아 알고 있던 사실이었음에도, 테리오드는 견디지 못해 이 책 앞에 섰다. 무언가를 확인하고 싶었던 건지는 그 역시도 알 수 없는 일이었다. 그가 읽어 낼 수 있었던 것은 노랗게 해진 종잇장과 세월로 물든 가죽뿐이었다. 오로지 외관에 한한 감상이었으나 아예 깨달음이 없었던 건 아니었다.

테리오드는 손을 뻗어 낡은 서적의 책등을 가만히 쓸었다. 이 안에 담긴 것은 그녀가 살았던 삶의 일부다. 어쩌면 그녀의 가장 큰 조각이라고 말할 수 있을지도 모른다. 아스티나가 그 모르는 또 다른 생을 살았다는 증거였다.

테리오드는 왈도의 일기와 같은 위치에 놓인 서적들을 읽었을 때 그가 가졌던 감상들을 기억한다. 흥미를 일으키는 옛 역사 그 이상도 이하도 아니었다. 숫자를 셈하는 것만으로도 벅찬 세월이다. 그 격차를 생각하면 그녀와 그가 닿지 못하는 것도 당연한 일일까.

테리오드는 새삼 과거의 직감을 되새기지 않을 수 없었다. 언젠가의 예감은 꼭 들어맞았다. 그녀를 사랑하면 고통스러울 것을 알면서도 사랑했다. 명백한 귀책은 그에게 있었다.

이성이 택한 바는 아니니 본능이 문제일까. 그렇다면 그는 본질부터 그릇된 인간이었던가. 저주란 올가미에서 벗어난 이후에도 스스로 덫을 찾아들었으니 이 고통은 속죄라 불려도 이상하지 않았다.

테리오드는 걸음을 돌려 문가로 향했다. 본가가 아니니 아탈렌타 령에 있는 서재보다야 작은 규모였지만, 어디까지나 비교적인 표현이었다. 수도의 귀족들이 평균적으로 취급하는 것보다 대단한 수의 장서가 이곳에 있었다. 넓은 서재를 가로지르는 동안 테리오드는 하인과 하녀 여럿을 마주쳤다. 그가 만난 건 비단 의미 없는 행인뿐만도 아니었다. 테리오드는 창틀 근처에서 익숙한 인영을 발견하고는 제자리에 멈춰 섰다.

서재엔 후원 방향으로 통한 큰 창이 여럿 있었고, 건물의 돌출된 부분과 맞물리는 곳엔 사람이 들어가 앉을 수 있는 적당한 크기의 홈이 존재했다. 아스티나는 그 위에 올라앉아 창밖을 내다보고 있었다. 그녀의 성격과는 어울리지 않는, 다소 격의 없는 자리 선정이었다.

같은 생활 공간을 나누다 보면 이렇게 마주칠 때가 있었다. 테리오드는 말없이 그녀를 지나치려 했다. 본심은 분명 그러했으므로, 대뜸 그녀의 앞으로 가 선 것은 다분히 충동적인 결정이었다. 다행히도 아스티나는 그 충동에 해명을 요구하지 않았다. 창을 내다보는 줄 알았던 눈이 감겨 있었던 것이다.

"자는 중인가."

테리오드가 다소 허탈하게 중얼거렸다. 그러다가는 그녀가 깰까 싶어 순간 멈칫했다. 불행인지 다행인지 새근거리는 숨소리는 여전히 규칙적으로 이어졌다.

자는 와중에도 늘 인기척에 반응했던 그녀인데 이상하게도 깨지 않는다. 딱딱한 바닥에 아무것도 깔지 않아 불편할 텐데도 말이었다. 테리오드는 그만 피식 웃고 말았다.

"부부라 그런가 닮았군. 아무 데나 머리를 대고 눕는 것이."

테리오드 스스로가 느끼기에도 입맛이 쓴 말이었다. 테리오드의 입가에서 웃음기가 지워졌다. 테리오드는 아스티나에게로 한 걸음 더 가까이 다가가, 조심스럽게 그녀의 머리카락 끝을 들어 보았다. 그러고는 문득 그녀가 떠난 이후를 생각했다.

이 머리카락 한 줌이 못 견디게도 그립겠지. 어제 불현듯 착각했던 것처럼.

"대공 전하!"

테리오드에게 별안간 누가 속삭이듯 소리쳤다. 크기는 작은데도 사람의 주의를 끄는 음성이었다. 테리오드가 뒤를 돌아보자 하녀가 종종걸음으로 다가오고 있는 것이 보였다. 책장을 정리하다 말고 뛰어온 듯 품엔 두꺼운 책 뭉치가 한 아름 안겨 있었다.

하녀가 놀란 얼굴로 경고했다.

"요 며칠 잠을 못 이루시다 겨우 눈을 붙이신 겁니다. 행여나 깨우지 마십시오."

테리오드는 반사적으로 아스티나의 머리칼을 놓았다. 어쩐지 반응이 둔하더라니 피곤했던 건가. 혹시나 그녀가 잠든 척을 하고 있는 것인지도 모른다는 염려는 덜었다. 그가 품은 게 기대였는지 걱정이었는지는 스스로도 분간할 수 없었지만.

"알았으니 이만 가 보거라."

테리오드의 머쓱한 대답에 하녀가 못 미덥다는 얼굴로 뒤돌아섰다. 다른 누군가였으면 호통이라도 쳤을 것을, 상대가 대공이라 수그러든 모습이었다. 이런 걸 보면 아스티나가 참으로 사랑받는 주인이다 싶긴 했다.

테리오드는 잠시간 아스티나의 잠든 얼굴을 내려다보았다. 그녀가 몸을 뒤척이며 제 쪽으로 고개를 돌렸다. 덕분에 머리카락 몇 가닥이 넘어와 눈가가 가려졌다. 테리오드는 앞으로 흘러내린 머리칼을 조심스럽게 걷어 올렸다.

그러고는 짧게 그녀의 입술을 훔쳤다. 스치는 듯한 짧은 접촉이었다. 그 이상 욕심을 부린다면 그도 자제할 수 없을 것을 알았다. 테리오드가 뒤로 물러서며 설핏 미소 지었다.

"……마지막 부탁은 이행한 것으로 합시다. 그대는 기억하지 못하겠지만."

그녀가 원했던 이별의 입맞춤이었다. 서로를 흔들 뿐이라 차마 들어주지 못했던 부탁이다. 비겁한 선택이었지만 이제야 조금 죄책감이 가셨다.

그때 어딘가에서 큰 문소리가 들려왔다. 테리오드는 무의식적으로 고개를 돌려 뒤편을 응시했다. 소란은 온데간데없이 사방은 조용하기만 했다. 문도 단단히 닫힌 상태 그대로였다.

테리오드는 잠시 고민하다가 그대로 고개를 내저었다. 제가 말도 안 되는 일을 벌인 나머지 환청을 들은 모양이다. 테리오드는 그대로 걸음을 떼어 복도로 나섰다. 조용히 문을 닫고 돌아서는데, 누군가가 시야에 스쳤다.

클로에였다.

그녀는 벽에 기대어 그를 기다리고 있었다. 방금 들은 소리의 주인은 그녀였나. 테리오드의 눈이 조금 커졌지만, 그렇다고 크게 동요한 건 아니었다. 테리오드가 담담한 음성으로 물었다.

"여긴 어쩐 일이냐."

"대공 전하를 찾아왔습니다. 서재로 가셨다기에요."

클로에의 얼굴은 굳어 있었다. 대답하는 음성도 어쩐지 표독하였다. 테리오드가 받아들인 느낌은 단순한 억측이 아니었다. 클로에가 입술을 깨물며 물었다.

"대공 전하. 한 가지 여쭈어도 되겠습니까?"

"말해라."

"저를 이곳으로 부르신 진짜 이유가 무엇입니까?"

테리오드는 대답하지 않았다. 질문의 의도를 파악할 수 없었기 때문이다. 무엇보다 저주에 대해서 밝히는 것은 아직 이르다 싶었다.

그러나 애초에 클로에가 궁금해한 건 그런 것이 아니었다. 클로에가 딱딱한 음성으로 이어 물었다.

"대공비 전하를 사랑하십니까?"

테리오드는 잠시 망설였으나, 굳이 거짓을 말할 것은 아니었다. 명료한 사실이 존재했으므로 그는 어렵지 않게 대답했다.

"그렇다."

클로에가 입을 다물었다. 그녀의 낯빛이 점점 더 어두워졌다. 클로에가 스스로에게 주지하듯 중얼거렸다.

"어제 대공 전하를 눈물짓게 하였던 상대도 대공비 전하셨겠군요."

테리오드는 클로에의 앞에서 추태를 부렸던 일을 떠올렸다. 경황이 없어 그녀를 안심시키는 것도 잊고 자리를 떠났더랬다. 무너진 모습을 내보였다는 사실에 테리오드는 약간의 수치심을 느꼈다. 테리오드가 애써 태연한 척 대꾸했다.

"내 못 볼 꼴을 보였군."

테리오드의 모습은 언뜻 초연하게도 보였다. 그 연기에 속기라도 한 듯, 클로에가 가시 돋친 음성으로 되물었다.

"떠나보내다니, 무엇이 끝이란 건지 잘 이해가 가지 않습니다. 두 분 사이에 문제가 될 게 무엇이 있단 말씀이십니까? 이미 혼인한 사이에, 서로를 끔찍이 아끼기까지 하는데!"

클로에는 영민한 편이었다. 애정사는 딱히 줄글을 배우지 않아도 삶의 경험으로 깨달을 수 있는 부분이다. 가정 형편상 대단한 교육을 받지는 못했으나 클로에는 현명한 정부가 될 가능성을 꿈꿀 수 있을 만큼은 눈치 있었다. 클로에가 믿을 수 없다는 듯 되물었다.

"저는 대공비 전하의 질투를 자극할 용도였습니까?"

"그런 것은 아니다."

테리오드의 곤란한 대답을 클로에가 곧바로 받아쳤다.

"하면요, 하면 저를 불러들이신 이유가 무엇입니까?"

"……이 이야기가 왜 나온 것인지 모르겠구나. 대공비와 내 일에 관해선 네가 신경 쓸 필요가 없다."

"말씀해 주십시오. 이유도 모르고 불려와 혼란스러워하는 계집 하나가 안쓰러우시다면요."

클로에는 물러서지 않고 완강하게 버텼다.

결국 굽히고 들어간 것은 테리오드였다. 클로에는 그의 결정으로 인해 주변 환경이 완전히 뒤바뀐 사람이었다. 그녀가 예상한 수도 생활이 완전히 뒤집혔을 텐데도 인내해 주었으니 어느 정도쯤은 설명해 주는 게 예의라는 생각이 들었다.

테리오드가 한숨을 내쉬며 대답했다.

"너는 대공비를 자극하기 위해 데려온 사람이 아니다. 그것만은 진실이니 의심하지 마라."

"하지만 저는 이 상황이 그렇게 읽힙니다. 대공께서는 대공비 전하를 충분히 아끼시는 듯 보이고, 저를 안지도 않으셨으니까요. 그리고 대공비 전하께선 저를 질시하여 따로 불러 질책까지 하셨었죠."

클로에는 그렇게 말하면서 점점 확신에 젖었다. 그동안 의문을 가졌던 모든 일들이 퍼즐처럼 맞춰지는 기분이었다. 인생의 제2의 막이 올라갔다며 기대했던 스스로가 더없이 바보같이 느껴졌다. 그런데도 대공은 뻔한 사실을 부정하려고만 들었다.

"질투로 보였다면 그것은 거짓이다. 그녀는 나를 사랑하지 않으니 단순한 미련일 뿐이다."

테리오드의 대답은 단호하기까지 하였다. 굳은 표정을 보면 정말 그렇게 생각하고 있는 듯도 싶다. 클로에로서는 이해가 가지 않는 일이었다. 만일 대공비가 대공에게 감정이 없었다면 저를 불러다 앉혀 놓진 않았을 것이다.

돌이켜 보면 우스운 촌극이었다. 대공과 그 어떤 접촉도 없었던 클로에가 저에게로 그의 애정이 완전히 옮겨 간 양 유세를 떨었으니.

지난밤의 클로에는 혼란스러웠다. 대공이 쏟아 내고 간 영문 모를 말들이 의아했고, 그가 흘린 눈물의 이유가 궁금했다. 내심 슬퍼하는 그를 안아 주고 싶다고도 생각했다. 그가 왜 아파하는지도 모르면서.

그리고 대공에게 사연을 묻기 위해 그를 찾아온 지금, 클로에는 자신이 대공 부부의 사이에 끼어든 조연에 불과함을 깨달았다. 그녀는 그토록 경건한 입맞춤은 처음 보았다. 타인은 범접할 수 없는 분위기가 그들에게 있었다. 대공의 태도를 사랑 이상의 감정으로 표현할 수는 없었다.

클로에는 다시금 천천히 맞닿던 두 입술을 떠올렸다. 그 장면을 떠올리며 가슴 한구석이 술렁임과 동시에, 클로에는 제가 두려운 감정의 한 발짝 앞에 섰음을 깨달았다.

그녀는 순간 겁을 먹었다. 속은 기분에 화가 났던 것도 사실이지만, 진실로 그녀가 상처받았던 이유는 따로 있었다. 대공이 대공비를 사랑한다는 사실에 충격받은 건, 그녀의 목적이 위태로워지기 때문은 분명 아니었다. 스스로도 놀랄 만치 마음이 차게 식었다.

이 사람을 감싸 안아 주고 싶다고 생각하게 된다면, 그 어둠에 제가 먹힐 것이다.

지금처럼 이성이 또렷한 순간이 또 없었다. 클로에가 마른 입술로, 그러나 더없이 분명한 음성을 내어 말했다.

"제게 조건이 마음에 들지 않는다면 떠나도 좋다고 하셨었지요. 그러겠습니다. 전 고향으로 돌아가겠어요."

✢ ✦ ✢

'내가 왕을 죽이겠다.'

맹랑한 호언에 돌아온 것은 과연 비웃음이다.

'사지가 찢긴 어미를 보고 미친 것인가?'

'나는 레타의 마지막 딸이자 복수의 칼 그 자체다. 나를 신하로 삼아 치욕을 갚게 해 다오.'

그 말에 남자는 알 수 없는 표정을 짓는다. 맹랑한 애송이의 과욕을 질책하는 눈빛은 아니다.

'같은 핏줄에 의해 이곳에 갇힌 자에게 혈육을 위한 복수를 하겠다고 말하는가?'

'나의 자매와 당신의 형제는 다르다.'

'이미 죽은 이들을 위해 목숨까지 바칠 정도로?'

'그들의 끝을 헛되지 않게 하기 위해서다.'

이 다짐이 세상 풍파에 찌든 왕자를 감동시켰으리라고 생각되진 않는다. 설상가상 창 너머로 비친 달의 기울기는 시간이 얼마 남지 않았음을 알린다. 그럼에도 그녀는 위축되는 대신 허리를 펴고 선다. 왕자가 그런 그녀를 본다. 그녀가 이곳까지 다다르기 위해 거쳤을 위험을 생각한다. 왕자가 가만히 묻는다.

'그대 어머니의 이름이 무엇이지?'

'……오웬, 가장 흉악한 마녀로 불리었던 오웬이다.'

골똘히 생각하던 왕자가 말한다.

'내게 복수를 위해 목숨을 바쳐 줄 형제 따윈 없다. 그러니 내게 빌릴 힘이 있다면 그대의 자매애뿐이겠지.'

'그 말은―'

그녀의 말을 자르고 왕자가 제안한다.

'그대의 쓸모를 증명하라. 그리하면 그 빚의 대가로 내가 그대를 위해 싸우는 또 다른 가족이 되어 주겠다.'

왕자의 얼굴은 진심을 말하는 듯 진중하다. 어린 그녀는 불신하면서도 고개를 끄덕인다. 의심은 합당하다. 사람은 불완전하므로 그 약속 역시 온전치 못하다. 모두가 믿고 싶기에 속는다. 당시엔 피했던 함정이지만 간절한 나머지 그녀도 결국은 유혹에 넘어갔다.

그 말을 끝까지 믿지 말았어야 했다고, 그녀는 생각한다.

그리고 아스티나는 눈을 떴다.

몸을 일으켜 앉자마자 머릿속이 뿌옇게 흐려졌다. 선명하게 떠올랐던 기억이 같은 속도로 흩어졌다. 아스티나는 잠시간 넋을 놓고 허공을 응시했다.

그의 꿈을 꾼 것은 오랜만의 일이었다. 테리오드와 갈라선 이후

엔 의식적으로라도 테오도르의 생각을 하지 않으려고 했다. 무의
식의 영역은 어찌할 수 없는 부분이었을까.

아스티나는 쓴웃음을 지으며 지키지 못할 약속을 하던 테오도르
의 얼굴을 떠올렸다. 꿈은 꿈이었던 듯, 그가 어떤 표정을 짓고 있
었는지 잘 기억나지 않았다. 아스티나는 천천히 그의 입꼬리가 어
떤 모양을 띠고 있었는지, 푸른 눈 안엔 무엇이 담겨 있었는지를
되짚었다. 생각보다 형태가 매끄럽게 그려지지 않았다.

아스티나가 미간을 좁히며 자문했다.

'그가 어떤 얼굴이었지?'

그 의문을 떠올림과 동시에 아스티나는 그만 헛웃음을 짓고 말았
다. 잠결이라 머리가 둔하긴 한 모양이었다. 그녀가 그의 생김새를
잊었을 리가 있겠는가. 지금의 생에서도 충분히 반복해 보아 온 낯
일 텐데. 그야말로 어이없는 일이었다.

뒤숭숭한 잠자리에 졸음이 완전히 달아났다. 아스티나는 몸을 일
으켜 창가를 향해 걸어갔다. 바깥은 소란스러웠다. 정문 앞에 세워
진 마차로 하녀들이 부산스럽게 짐을 옮기는 것이 보였다.

오늘은 리체 지방으로 떠나는 날이었다.

테리오드가 저와의 대화를 반길 것 같진 않아 일정조차 하인을
통해 전했다. 그 와중에도 아스티나는 부질없이 그에게 입 맞추는
일을 놓지 못했다. 만일 테리오드가 그 여인으로 인해 살아간다고
해도, 그것은 제가 떠난 다음의 일이 되길 바랐기 때문이다.

이시스에게 그들의 결별을 전하기만 하면 바야흐로 이 질긴 연
도 마무리되리라. 아스티나는 주변 사람들에게 인사를 전하는 대
로 그를 떠날 예정이었다. 어떻게든 끝을 본다면 당사자들의 마음

도 조금은 가벼워질까. 이 관계의 종말에서, 아스티나는 그들이 인연이었는지 악연이었는지까지는 굳이 분류하고 싶지 않았다.

아스티나는 창가에서 눈을 떼어 내 등을 돌렸다. 마차로 이동하는 것 외의 다른 일정이 없었으므로 아스티나는 몸단장을 하는 데 시중을 요구하지 않았다. 마티나만큼 극적인 신분 변화를 겪은 자가 또 없었다. 사용인 없이 움직이지 못하는 여느 귀족들과 달리 아스티나는 혼자서도 할 수 있는 일이 많았다. 아스티나는 손이 많이 가지 않는 옷을 골라 입고 적당히 체면치레를 할 장신구를 찾았다. 알이 작은 반지와 가는 팔찌는 여행길에도 적당할 듯싶었다.

아스티나가 대충 치장을 마치고 패물함을 닫으려 할 때였다. 문득 드레스 룸에 옮겨 두었던, 테리오드가 주었던 반지가 시야에 스쳤다. 보유한 물건의 수가 많다 보니 어두운 빛깔의 상자는 얼핏 봐서는 잘 눈에 띄지 않았다. 아스티나는 잠시 망설이다가 그것을 집어 들었다.

작은 연결점쯤은 가지고 싶은 마음이나 그에겐 질긴 미련쯤으로 비치리라. 집사를 통해 받은 것이니 그녀가 떠났을 때 반지의 행방이 그의 귀에 들어가는 건 시간문제였다. 테리오드의 마음을 무겁게 하느니 차라리 깔끔하게 돌려주는 편이 나으리라는 생각이 들었다.

그 외에 더 챙길 물건은 없었다. 아스티나는 방을 나서기 전, 제가 신세 졌던 공간을 잠시간 돌아보았다. 굳이 따지자면 본가 쪽에 인사를 남기는 게 맞겠으나 어차피 그녀가 아탈렌타령에 돌아갈 일은 없었다. 아스티나는 예를 갖추듯 지난 추억에 인사를 남겼다. 돌아서는 걸음이 그리 무겁지만은 않았다.

밖으로 나가자 사용인들이 경장을 꾸리다 말고 일사불란하게 인사했다. 아스티나는 그들에게 하던 일을 마저 하라 이르고는 짐꾸러미를 살폈다. 드레스나 기타 장신구들을 쌓아 넣은 탓인지 제법 부피가 컸다.

마차는 총 세 열로 줄지어 있었다. 대공 부부가 탈 마차는 가문의 인장이 박힌 고급스러운 외관이었고, 하녀들이 탈 두 번째 마차는 그보다 작았다. 그리고 세 번째는…….

아스티나의 미간이 설핏 좁혀졌다. 되돌아오지 않을 것이니만큼 아스티나는 따라갈 사용인들도 적은 수로 꾸렸다. 한데 저 남은 하나는 무엇인가. 문득 테리오드가 마차를 따로 타겠다고 전해 둔 것일지도 모르겠다는 데 생각이 미쳤다. 다소 기분이 상하기는 하되 가능성은 있는 일이었다. 어차피 이혼이 결정된 와중이니 타인의 눈을 신경 쓸 필요도 없다.

아스티나가 씁쓸한 마음을 내색하지 않으려 애쓰며 물었다.

"저 마차는 무엇이냐."

하녀가 대답하려 입을 열기도 전, 답은 의외의 입을 빌려 나왔다.

"제가 타고 갈 마차입니다."

아스티나는 목소리가 들려온 쪽으로 고개를 돌렸다. 그곳엔 영락없이 여행객의 외관을 한 클로에가 서 있었다. 이어 클로에가 예를 갖춰 인사했다.

"대공비 전하, 인사 올립니다."

아스티나의 낯이 떨떠름한 빛을 띠었다. 하기야 테리오드가 더는 자신의 힘을 빌리지 않기로 했다면 당연히 클로에도 일행으로 함께해야 할 것이다. 당연한 사실을 망각하고 있었다.

아스티나의 손에 힘이 들어갔다. 아스티나가 애써 덤덤한 목소리로 물었다.

"어딜 가느냐?"

아스티나는 돌아올 답을 예상하면서도 굳이 질문을 던지는 제가 조금 미련하게 느껴졌다. 그러나 클로에는 생각지도 못한, 그야말로 의외의 대답을 뱉어 냈다.

"고향으로 갑니다."

아스티나의 눈이 커졌다. 덕분에 다음 질문은 조금 뜸을 들인 후에야 꺼낼 수 있었다.

"……고향이라니?"

"그동안 오래 신세 졌습니다, 잠깐의 수도 구경을 즐겁게 마쳤으니, 저는 이만 돌아가려고 합니다. 물론, 돌아오진 않을 거고요."

혹여 가족들을 보러 가는 것인가도 싶었지만, 클로에는 아스티나의 마지막 의심까지 깔끔하게 깨부쉈다. 아스티나는 도통 이 상황을 파악할 수 없었다. 의문이 피부 너머로 느껴졌을까. 클로에는 잠시간 아스티나의 시선을 맞받아쳤다. 그러다가는 당돌하게 대뜸 이렇게 말하는 것이었다.

"저, 대공 전하와 안 잤어요."

주위를 둘러싸고 있던 모두가 몸을 굳혔다. 짐을 마차에 싣던 하인 하나는 그만 꾸러미를 바닥에 떨구었을 정도였다. 모두의 대경실색한 표정에도 클로에는 개의치 않고 말을 이었다.

"잠자리는커녕 손도 못 잡아 봤습니다. 호의호식하고 싶어서 대공비 전하가 떨어져 나갔으면 했어요, 그래서 거짓말했던 겁니다."

대낮에 모두가 듣는 앞에서 오가기엔 지나치게 내밀한 애정사다.

아스티나의 뒤에 서 있던 하녀가 곧바로 나섰다.

"저, 저 무례한! 죄송합니다, 대공비 전하. 출발 시각이 더 이르다기에 마차를 같이 세워 둔 것인데, 이런—"

아스티나는 손을 들어 올려 하녀의 참견을 막았다. 조용히 시키는 데 그치지 않고 아예 이 자리를 떠나라 일렀다. 사용인들을 물리자 주변이 조금 정돈이 되었다. 아스티나가 떨떠름한 기색으로 물었다.

"그걸 내게 알려 주는 이유는?"

"제 인생에 기막힌 행운이라도 벌어진 줄 알았는데, 부부 싸움에 끼어든 것뿐이라 생각하니 허무해서요."

클로에가 입맛이 쓰다는 양 미간을 좁혔다. 아스티나로선 클로에가 왜 그런 판단을 내린 것인지 알 수 없었다. 클로에가 이 저택에 들어온 이후 테리오드와 자신이 이야기를 나눈 적은 손에 꼽았다. 테리오드가 클로에에게 그들의 이야기를 이상하게 전했을 리도 없다. 아스티나가 이 혼란스러운 상황을 채 다 파악하기도 전, 클로에가 불쑥 물었다.

"대공 전하를 사랑하십니까?"

아스티나는 멈칫 몸을 굳혔다. 대답할 이유가 없는 질문이다. 아스티나가 다소 싸늘한 음성으로 대꾸했다.

"그건 네가 상관할 바가 아니다."

클로에에게서 흠, 하고 비읍 섞인 숨이 쏟아져 나왔다. 클로에는 턱을 들며 눈꺼풀을 아래로 내리깔았다. 고개를 왼편으로 기울인 채 손바닥에 뺨을 대자 영락없이 상심한 모습이 되었다. 클로에가 한숨처럼 말했다.

"대공 전하께서는 참 매력적인 남자가 아니십니까. 그 우수 어린 눈빛에 저마저도 홀릴 뻔했지요. 이미 임자가 있다는 걸 알면서도."

"이미 그가 기혼인 것을 알고 오지 않았느냐?"

아스티나의 노골적인 적대에도 클로에는 크게 당황하지 않았다. 클로에가 눈썹을 들었다 내리며 말했다.

"제 말은, 마음의 주인 말입니다."

저를 보는 테리오드의 눈빛에서 애절함이라도 느낀 것일까. 부질없는 일이다. 어차피 아스티나는 곧 그를 떠날 예정이 아닌가. 아스티나가 자조하듯 말했다.

"의미 없는 일이다. 그때 너를 불러 공연히 질책했던 것은 내 심술이 맞으니 마음에 담아 두지 말거라. 너는 네 역할대로 대공 전하를 잘 보필하면 된다."

"대공비 전하께서도 마음에 없는 말씀을 하시는군요."

클로에의 지적에 아스티나의 표정이 굳었다. 클로에의 말은 비단 그것만으로 그치지도 않았다.

"미리 말씀이라도 하셨으면 좋았을 것을, 두 분께서 내내 숨기시니 저도 깨달음이 늦지 않았습니까."

"무엇이 말이냐."

"무엇이긴 무엇이겠습니까. 두 분의 애틋한 애정 말이지요."

"네가 대체 무슨 말을 하는 것인지 모르겠구나."

"지금처럼 계속 대답을 피해 왔겠지만, 대공 전하를 사랑하시잖아요?"

클로에가 삐딱하게 눈썹을 들어 올리며 말했다. 아스티나는 순간, 충동적으로 고성을 지를 뻔했다. 주제넘는 참견에 화가 치솟았다. 제가 무엇이라고 그들 사이를 확언하는가. 당장에 클로에를 질책하지 않은 것은 이전에 행한 잘못이 있었기 때문이었다. 아스티나가 애써 분노를 삭이며 대꾸했다.

"귀엽게 두고 보았더니 언사가 몹시 주제넘구나. 아무것도 모르는 네가 끼어들 정도로 우리는 가볍지 않다."

클로에로서도 할 말이 없진 않았다. 대공이 떠날 여비를 섭섭지 않게 챙겨 주긴 했어도 근래 그녀의 마음고생은 말로 표현할 바가 못 되었다.

어차피 다신 만나지도 못할 위치의 사람들이다. 대공비가 그녀의 건방진 언사를 참고 넘겨줄 수 있는 것도 눈엣가시가 떠나 주겠다고 자청하는 지금뿐일 터였다. 클로에는 이전처럼 순순히 물러서는 대신 어이없는 표정을 지어 보였다.

"제가 아무리 못 배웠어도 애정사쯤은 읽을 줄 압니다. 왜 다른 사람을 끌어들여 가면서까지 말도 안 되는 사랑싸움을 하십니까?"

사랑싸움이라. 아스티나는 터져 나오려는 헛웃음을 억눌렀다. 테리오드와 자신의 관계를 표현하는 말로는 연인이 적합할 터이니 따지고 보면 틀린 말은 아니다. 하지만 아스티나는 클로에의 표현에 약간의 거부감을 느꼈다.

그녀는 언제나 비교해 왔다. 테오도르와 나누었던 그것과 테리오드에게 느꼈던 감정을. 그 비교에서 우위를 차지한 것은 언제나 테오도르였다. 테리오드는 테오도르가 아니었고, 아스티나 역시 그를 같은 감정으로 바라보진 않았다. 굳이 분류하자면 테오도르 쪽이 좀 더 진짜라고 부를 법한 관계가 아니었을까. 그때의 그녀는 지금처럼 계산적으로 행동하진 않았다. 사랑하는 사람에게 이토록 비열하게 굴 수는 없는 일이다.

"이건 내가 아는 사랑이 아니야."

아스티나가 마른 입술로 겨우 대꾸했다. 클로에가 헛웃음과 함께 곧바로 되받아쳤다.

"그럼 대공비 전하께서 잘못 알고 계신가 보지요."

클로에는 아스티나의 말을 들을 생각도 없어 보였다. 클로에가 바닥에 놓아두었던 짐가방을 미련 없이 집어 들었다. 더 할 말이 없다는 듯한 태도였다.

아스티나는 마차에 올라타는 클로에를 붙잡지 못했다. 클로에가 떠날 때까지 마차의 뒤꽁무니만을 쳐다보았을 뿐이다. 예상치 못한 일들의 연속은 아스티나가 간단한 산수조차 하지 못하도록 만들었다. 저와 감히 눈도 맞추지 못할 위치의 여인이, 인생의 선배라도 되는 양 제멋대로 비난을 쏟아 내고 갔다는 사실은 잠시 후에야 깨달았다.

아스티나는 멍한 정신으로 마차에 올라탔다. 폭풍이 그녀를 스쳐 지나가기라도 한 느낌이었다. 상황이 소강상태에 들었다고 느낀 것인지 멀리서 눈치를 보던 사용인들이 준비를 위해 밀려들었다.

머지않아 테리오드도 저택에서 나와 마차에 올랐다. 테리오드가 그녀의 건너편에 자리를 잡고, 바퀴가 부드럽게 구르며 마차가 출발하기까지 아스티나는 이 상황에 현실감을 느끼지 못했다.

아스티나는 마침내 고개를 들어 테리오드를 응시했다. 제 생명줄이 떠나간다는 사실을 당사자가 모르진 않았을 것이다. 그는 왜 자신에게 클로에의 변심을 말하지 않았을까. 저 여자를 보내면 그는 사람으로 돌아갈 수 없는데.

리체 성으로 내려가는 것은 아스티나의 의지였으니 그때까지는 그녀의 도움을 구할 수 있다고 판단했다고 치자. 그렇다면 그다음은?

당신의 내일엔 누가 함께해 주지?

"……무슨 문제라도 있으십니까?"

평소와 다르다고 느낀 것인지 테리오드가 아스티나에게 느릿한 어조로 물어 왔다. 아스티나는 잠시 망설이다가는, 결국 고개를 내저었다. 다른 수단이 없다면 애초에 그가 먼저 도움을 구해 왔을 것이다. 클로에는 여건이 맞지 않아 떠난 것이며 그녀를 대신한 여인은 이미 준비되어 있다는. 혹여나 그런 대답이 돌아온다면 견디지 못할 것 같았다.

기대하지 않으면 실망할 필요도 없다. 아스티나는 테리오드의 눈을 피해 창밖으로 시선을 돌렸다. 불안하게 뛰는 심장 소리쯤은 마차의 덜컹이는 소리 속에 숨길 수 있었다.

✛　✛✛✛　✛

벤자민은 빠른 걸음으로 홀을 향해 걸어 들어갔다. 어두운 복도를 지나치자 금세 시야가 밝아졌다.

한 나라의 왕성 출신답게 리체 지방의 고성은 상상했던 것보다 더 규모가 컸다. 이곳으로 들어오면서도 꽤 많은 인력을 마주쳤었는데, 단장이 한창인 파티 홀은 더더욱 북적였다. 제한된 시일 안에 낡아 빠진 고성을 새것처럼 고쳐야 했으니 필요한 사람의 수가 많았을 것이다. 파티 날짜가 코앞으로 성큼 다가온 탓에 일꾼들은 묵은 공간의 먼지를 벗기느라 정신이 없어 보였다.

모두가 부산스럽게 움직이고 있었던 통에 벤자민은 이시스를 찾아내는 데 약간의 시간을 소요했다. 벤자민은 천천히 주변을 둘러보다가, 낯익은 뒤통수를 발견하고는 앞으로 다가섰다. 한창 지시를 내리고 있던 이시스가 벤자민을 보고는 반색했다.

"벤자민, 벌써 도착했나?"

이시스는 벤자민이 무어라 대답하기도 전 그의 어깨를 잡아끌더니 위쪽을 가리켰다. 높은 유리 천장이 햇빛을 그대로 투과하고 있었다. 눈이 부셔 온 탓에 벤자민은 무의식적으로 눈꺼풀을 닫았다. 직접적으로 보기엔 무리가 있었지만, 그 아래의 금빛 기둥이 새어든 햇빛을 받아 제법 볼만하게 반짝이고 있었다.

이시스가 어울리지 않게 으스대듯 말했다.

"이것 좀 봐, 빛이 비치는 게 제법 멋있지 않나? 처음 여길 점검하러 왔을 땐 대낮인데도 깜깜했어. 먼지가 잔뜩 쌓여 저 돔이 돌로 만들어진 줄 알았지 뭔가."

"사람을 시켜 다 닦아 내신 겁니까?"

"깨지고 뒤틀린 것도 있어서 급하게 보수 공사를 했지. 고성은 고성이더군. 본격적으로 청소를 시작하니 날리는 먼지의 양이 사람도 죽일 수 있는 수준이었어. 황실 소유라고는 하나, 아무도 걸음하지 않으니 고용인들도 태만했던 게지."

그리 말하며 이시스가 구석진 틈을 가리켰다. 훌륭한 채광은 공중에 떠다니는 먼지마저도 빠짐없이 드러냈다. 때마침 그 주변을 닦아 내던 하인이 미친 듯이 기침을 하기 시작했다.

"눈에 보이는 곳만 정리되어 있는 듯싶어 급하게 들어냈어. 내가 후계자 자리에 오르고 처음으로 주관하는 행사인데 이 정도쯤은 신경을 써 줘야겠지."

그리 말하며 이시스는 이 공간을 정리하기 위해 해치웠던 일들을 하나하나 읊어 주려 했다. 벤자민이 그런 그녀를 곤란한 표정으로 저지했다.

"누님, 그보다는 따로 할 얘기가……."

이시스의 표정이 알 만하다는 듯 느른한 기색을 띠었다. 이시스가 피식 웃으며 벤자민의 어깨를 두드렸다.

"나디아 영애의 이야기라면 이미 들었어. 네가 제스퍼레오령에서 그 앨 아주 잔인하게 차 버렸다지?"

"애초에 그녀도 제게 마음이 있었던 건…… 아니, 아닙니다. 어차피 제가 드리려던 말씀은 그녀에 관한 게 아니니까요."

"하면?"

"조용한 자리에서 나눠야 할 이야기입니다. 잠시 사람이 없는 곳으로 가지요."

벤자민이 흔치 않게 진지한 표정을 지으며 말했다. 늘 웃는 상이었던 그였기에 굳은 표정이 낯설게 느껴지기까지 했다.

이시스는 천천히 벤자민의 얼굴을 살폈다. 그녀는 벤자민이 일행과 함께 곧바로 수도로 돌아오지 않았던 이유가 무엇인지 알고 있었다. 이시스의 낯이 순간 굳어졌다. 이윽고 그녀가 아무렇지 않은 목소리로 주변을 정리했다.

"잠시 다녀올 테니 마저 정돈하고 있도록."

이시스는 시녀마저도 물린 채 벤자민과 함께 복도로 나섰다. 주인 없는 성이었으므로 마찬가지로 주인 없는 방들이 많았다. 이시스는 적당한 자리에서 멈춰서 한 방 안으로 발을 들였다. 뒤따라온 벤자민이 바깥을 살피고는 문을 닫았다. 벤자민은 그에 그치지 않고 혹여 안에 누군가 숨어 있는지까지 확인했다. 부산스럽게 움직이는 벤자민을 보며 이시스는 미간을 좁혔다. 듣는 귀가 없다는 게 확인되자마자 이시스가 날카롭게 물었다.

"그래서, 무슨 일이지?"

벤자민은 바로 대답하지 못하고 아랫입술을 물었다. 아벨라르 백작가와 일련의 충돌을 겪은 후, 그는 스스로의 위치에 대해서 오래도록 고민했었다. 아스티나를 구하겠다는 포부로 궁에 돌아왔지만 그녀에게 도움이 되기는커녕 제 몸을 간수하는 것만도 벅찬 시간을 보냈던 탓이다.

아벨라르 백작가는 그런 벤자민을 얻기 위해 필사적으로 그의 가치를 흩트리려 했다. 그들은 마치 네까짓 게 무엇을 할 수 있냐며, 제가 도움을 줄 테니 그만 꼬리를 내리고 들어오라 말하는 듯했다. 애석하게도 벤자민은 그들의 바람처럼 스스로를 팔아넘기진 않았다. 다만 깊은 고민만은 그의 안에 남았다. 아스티나를 구하지도 못했고 제대로 베스의 복수를 해낸 것도 아니다. 벤자민은 어떤 식으로든 이 어중간한 상황의 끝을 볼 때가 왔음을 깨달았다.

벤자민은 이시스에게 프리모와의 악연을 마무리하겠다고 말하고는 유배지로 향했다. 늘 때가 아니라며 벤자민을 말려 왔던 이시스였지만, 그녀도 그의 눈에서 평소와는 다른 무엇을 보았는지 허락을 돌려주었다. 그러나 제 원수의 끝을 볼 수 있으리라 생각했던 곳에서 벤자민은 몹시 의외의 상황과 마주쳤다.

벤자민은 짧게 숨을 들이켰다. 그가 이어 딱딱한 음성으로 말했다.

"프리모가 사라졌습니다."

이시스의 눈이 일순 커졌다. 그녀가 곧장 싸늘하게 되물었다.

"뭐?"

"말씀드린 그대로입니다. 유배지에 프리모가 없었습니다. 감시원들끼리 쉬쉬하며 숨겨 온 모양이더군요."

"그들에게 배후를 추궁했나?"

"물론 심문을 하긴 했으나…… 좀처럼 입을 열지 않아 신변만 억류해 두고 올라온 참입니다. 누님께 소식을 전하는 게 먼저일 듯해서요. 중요한 행사가 코앞이지 않습니까."

벤자민의 말에 이시스의 낯이 어두워졌다. 후계자가 된 것을 기념하기 위한 축하연을 앞둔 지금, 프리모의 실종은 흉조로 느껴질 수밖에 없었다. 꼭 이시스의 성공을 두고 보지 않겠다는 프리모의 다짐처럼 읽혔기 때문이다.

같은 사실을 생각한 것인지 벤자민의 얼굴에 심려가 어렸다. 그가 잠시 머뭇거리다가는 입을 열었다.

"그리고, 사실 그 배후란 것이……."

벤자민이 끝내 말을 잇지 못하고 힘없이 어깨를 늘어뜨렸다. 프리모를 마지막의 마지막까지 도울 상대가 있다면 그건 이사벨 황후뿐일 것이다. 이시스도 그 사실을 모르지 않았다.

애초에 이시스가 프리모를 지방으로 내려보낸 것도 황후의 손이 닿지 않게 하고 싶었기 때문이었다. 당장에 죽어 나가면 오해를 살 것이 분명하여 여유를 두었는데 그 틈을 도주의 기회로 여겼단 말인가. 힘 없는 황후라도 제 자식 하나 빼내는 것쯤은 어렵지 않았던 모양이다. 이건 어디까지나 안일했던 이시스의 실책이었다. 이시스가 실소를 머금었다.

"혼자 힘으로 나간 건 아닐 테지. 누군지 알아볼 것도 없이 어머니의 도움일 테고."

오히려 단순한 도주일 경우에는 상관이 없다. 문제가 되는 건 프리모가 나쁜 마음을 먹었을 때다. 이시스는 잠시간 마지막으로 보았던 어미의 얼굴을 떠올렸다. 이사벨 황후는 딸을 저주하는 말을 쏟아 내며 시녀들에게 볼썽사납게 끌려갔었다.

그래서 그녀는 딸을 죽이고 싶을 만큼 증오하게 되었을까?

그러나 이시스는 이내 고개를 저었다. 이시스는 그때 사탕을 예시로 들어 어릴 적의 불평등을 말했지만, 동시에 자신에게도 주어진 몫이 없진 않다는 걸 인지하고 있었다. 부피의 차이는 있을지언정 어찌 되었든 그것도 애정의 한 종류였다. 설마 어머니가 자신을 완전히 팽하려는 건 아닐 것이다.

이시스가 이사벨 황후의 자리를 보좌해 준 것도 그러한 가족애의 연장선에 있었다. 친정 가문의 도움을 얻을 수 없는 건 분명 아쉽겠지만, 이미 충분한 세를 모은 데다 경쟁자마저도 없는 상태다. 이시스는 이사벨 황후가 없어도 스스로의 힘으로 황관을 얻을 자신이 있었다. 이사벨 황후를 건들지 않은 건 어디까지나 그녀가 자신의 어머니였기 때문이다.

그래, 어쨌든 친모다. 이사벨 황후가 자신을 증오하게 되었다 해도 죽여 치우고 싶을 만큼은 아닐 것이다. 만일 이시스가 프리모에게 손쓴 걸 알게 됐다면 또 모르겠지만, 벤자민을 제하고서는 지금껏 살수를 보낸 적도 없지 않은가.

이시스는 그리 스스로를 얼렀지만 가슴 한편을 간질이는 불안까지 잠재우진 못했다. 이시스가 눈을 느리게 감았다 뜨며 중얼거렸다.

"예감이 좋지 않군."

벤자민이 이시스의 얼굴을 살피며 물었다.

"어떻게 할까요?"

"우선 수도로 돌아가서 프리모의 실종을 알려라. 어머니의 귀에 들어가지 않게 아버지를 뵙고 곧장 아뢰어. 추적대를 파견해야 할 거다."

"황제 폐하께서 흔쾌히 프리모를 수배할까요?"

"내게 진 빚이 많으시니 도와주실 거야. 프리모가 돌이킬 수 없는 강을 건넜다는 걸 인지하고 계시니까. 만일 불허하신다 해도 최소한 리체 성으로의 지원이라도 요청해. 아무래도 경비의 수가—"

이시스가 빠르게 설명을 잇다 말고 잠시 멈칫했다. 리체 지방은 수도에서 먼 편은 아니었으나 단숨에 무장 군대를 파견할 만큼 가깝지도 않았다. 벤자민이 기민하게 질문했다.

"이곳에 머무는 호위가 모두 몇입니까?"

"경비는 본래 이 성을 맡고 있던 자들과 수도에서 내려온 병사들이 섞여 있다. 호위 기사들을 포함해도 그리 많은 수는 아니야. 도합 백이 안 될 거다."

벤자민이 잠시 골똘히 고민하다가는 말했다.

"이렇게 하지요. 저 역시 한 명의 기사이니 제가 여기 남겠습니다. 수도엔 파발병을 보내면 될 겁니다. 지원 인력은 수도가 아니라 바로 옆 영지에 요청하는 편이 좋을 것 같군요."

"그래…… 네 말이 맞군."

이시스가 넋 놓은 얼굴로 고개를 끄덕였다. 아직도 머릿속을 어지럽히는 불길한 가능성을 놓지 못한 탓이었다. 벤자민이 그녀의 이성을 붙잡듯 물었다.

"어느 지방으로 지원을 요청할까요? 첼본과 하인스, 아리안 모두 가까운 거리입니다."

벤자민의 질문에 이시스가 무의식적으로 대답했다.

"첼본으로 가는 편이 낫겠군."

하인스와 아리안은 제스퍼레오가와 나름의 교류가 있는 곳이다. 아리안가는 먼 친척 관계이며 하인스는 제스퍼레오가를 중요한 거래 상대로 두고 있었다. 이시스가 스스로에게 변명하듯 덧붙였다.

"조심해서 나쁠 일은 없지 않나."

벤자민은 이시스의 의중을 꼬집는 대신 고개를 끄덕였다.

"누님께서는 마저 성의 단장을 마치십시오. 어디까지나 변수가 생겼을 뿐 확실한 것은 아니니, 이 무도회는 아주 완벽하게 진행되어야 할 겁니다."

낮의 성이 단장에 열중한 하인들로 가득 찼다면, 밤의 홀을 채운 건 화려한 보석으로 장식된 착장과 그에 빛을 더하는 샹들리에 조명이었다. 대개 한밤중이 되어야 열기를 더하는 보통의 무도회와 달리 리체 성은 일찍부터 붐볐다. 이시스가 후계자로서 주최한 첫

파티는 퍽 성공적으로 시작점을 찍은 듯 보였다.

방문객들은 하나같이 좋은 옷을 차려입고는 콧잔등과 눈 부근을 겨우 가리는 얇은 가면을 쓰고 있었다. 무리 없이 신분을 짐작해 낼 수 있는 변장이었다.

친목의 전제 조건은 자기 표출인 법이다. 미혼 남녀들이야 신체 특징을 드러내지 않고 방탕해질 수 있는 가장무도회가 달갑겠지만, 정치적 색이 확실한 모임이니만큼 그런 목적으로 이곳을 찾은 자는 없었다. 자연한 결과로 정체를 알아보지 못할 정도로 스스로를 감싼 이들은 드물었다.

대다수의 참석자는 이시스의 득세에 도움을 준 인물들이었다. 새로운 권력의 냄새를 맡고 어렵게 초대장을 구해 겨우 끼어든 인물들도 몇 있었으나 그다지 좌중의 관심을 사진 못했다. 확실한 점은, 이곳에서 사람들의 중심에 모인 자가 곧 제국을 이끌어 갈 차기 실세가 될 가능성이 매우 유력하다는 사실이었다.

당연히도 모두의 이목을 끈 참석자엔 아탈렌타 대공 부부도 포함되어 있었다. 상황이 상황인지라 많은 이들과 말을 섞진 않았으나, 둘의 조심스러운 태도는 모두를 안달 나게 만드는 데 톡톡히 기여했다. 아스티나와 테리오드를 흘끔거리며 말을 걸 기회를 노리는 이의 수가 근방에만 다섯 명이었다.

끈질기게 눈치를 보던 귀부인 하나가 몸을 날리듯 재빠르게 아스티나의 앞에 섰다.

"세상에, 하늘에서 내려온 천사가 따로 있을까요. 오늘 정말 아름다우십니다, 대공비 전하."

귀부인이 그리 말하며 감탄 어린 눈으로 아스티나의 옷차림을 눈에 담았다. 굳이 따지자면 아부의 속성을 가진 발언이겠으나 그렇다고 진심이 아닌 건 아니었다. 평소 흰색만을 고수했던 대공비가 오늘은 드물게도 눈동자 색과 똑 닮은 짙은 녹빛 드레스를 입고 등장한 것이다. 붉은 머리칼에 녹색 드레스가 더해지니 마치 장미처럼도 보였다.

"마담 로즈의 부티크에서 주문하신 건가요? 아니면 숨겨 두신 실력 좋은 재봉사? 누가 되었든 천재가 틀림없겠군요. 이리 대공비 전하께 꼭 맞는 색을 뽑아내다니요."

"칭찬이 과하십니다."

귀부인의 칭찬에 아스티나가 은은한 미소로 대답했다. 대공비가 순순히 대화의 물꼬를 터 주다니. 귀부인은 신이 나서 연이은 찬사를 남겼다.

"과하다니요. 평소에 입으시던 흰 드레스도 무척 좋았지만, 이번 의상은 분위기가 사뭇 달라서 좋네요. 혹 심경의 변화라도 있으셨나요?"

귀부인의 감탄에 부합할 만큼 공들여 마련한 착장은 아니었다. 리체 성으로 갈 날이 가까워지며 적당한 옷을 구입해 두어야겠다 싶었고, 아스티나는 재봉사를 저택으로 불러들여 알아서 드레스를 지어 오라 일렀다. 전처럼 대공비 노릇에 열과 성의를 다할 필요가 없었으므로 여느 귀부인들처럼 디자인을 의논하는 데 심혈을 기울이진 않았다.

색깔이 녹색으로 정해졌을 때 선선히 응했던 것도 아무래도 상관이 없어서였다. 아스티나에겐 더 이상 흰색 옷을 고집할 이유가 없었다. 늘 그녀에게 흔적을 남겼던 은빛 짐승은 더는 제 곁에 없을 것이었으므로.

아스티나는 솔직한 속내를 내뱉는 대신 매끄러이 웃으며 응대했다.

"좋게 봐주시니 기쁘군요. 제 취향만 고집하지 말고 진즉 다양한 색을 입어 볼 것을 그랬습니다."

"어머, 아닙니다. 흰 드레스도 대단히 잘 어울리셨습니다. 다만 새로운 모습을 뵈어 반갑다 이 말이에요."

권력 위에 서다 보면 사람은 이런 낯간지러운 말들에도 익숙해지기 마련이다. 아스티나는 여인과 넉살 좋게 몇 담소를 나누었다. 귀부인의 화두는 점점 사업적인 부분으로 흘러갔고, 아스티나는 알 듯 말 듯 한 호의 어린 말들을 남김으로써 그녀를 애매한 기대에 젖게 했다.

다행히 더 곤란한 상황으로 빠져들기 전 춤곡이 시작되었다. 테리오드는 이를 핑계로 아스티나를 플로어에 끌어냈다.

"난관이군요. 곧 떠날 사람이 미래의 일을 확답할 수도 없으니."

아스티나가 타인에게 들리지 않을 크기로 중얼거렸다. 테리오드 역시 마찬가지로 난처한 표정을 지었다.

"적당히 받아치고 제게 눈치를 주세요, 그럴듯한 핑계를 여럿 생각해 두겠습니다."

그리 답하며 테리오드가 아스티나의 앞에 마주 보고 섰다. 아스티나는 잠시 그리 말하는 테리오드의 눈을 들여다보았다. 이럴 때 보면 이만치 합이 잘 맞는 한 쌍이 또 없다. 서로에게 아무 감정도 갖지 않았다면 둘은 제법 쓸 만한 쇼윈도 부부로 잘 살아 갔을지도 모른다.

주변의 다른 신사들처럼, 테리오드가 정중하게 아스티나에게 손을 내밀었다. 그의 손을 마주 잡으며 아스티나는 묘한 기분을 느꼈다. 미지근한 살갗에서 그 이상의 온도를 느끼는 것은 또 어째서인가. 아스티나는 테리오드의 눈동자에 담긴 무언가를 탐색하기 위해 애썼지만, 애석하게도 새로이 발견해 낸 것은 없었다. 클로에의 귀향이 아스티나를 혼란스럽게 한 것과 달리 테리오드는 변함없이 담담하기만 했다.

아스티나는 제 표정을 되도록 쓸 만하게 가다듬어 내기 위해 애썼다. 몸의 움직임은 마음과 모습을 달리할 수도 있는 법이다. 삐걱대는 본심과 달리 기계적으로 밟는 스텝은 완벽하게 맞아떨어졌다. 시선이 모이는 것이 느껴졌다.

아스티나는 이곳에 모인 자들이 대공 부부의 결별에 어떻게 반응할지 잠시 상상해 보았다. 진심으로 이유를 궁금해하는 자들도 있을 것이나 대개는 알 만하다는 표정을 지을 테지. 대공 부부도 겉으로 보기에만 사이가 좋았던 게 분명하다며 말이다. 아스티나는 테리오드의 소식이 닿지 않는 먼 지방으로 떠날 생각이었지만, 남은 가족들은 필히 그 모멸 섞인 시선들을 감내해야 할 것이다.

아스티나는 새삼스레 부모님에 대해 떠올렸다. 그녀는 아직 레테 백작저에 아무 말도 전하지 않은 상태였다. 딸이 갑작스레 이혼 소식을 알리면 레테 백작 부부는 몹시 놀랄 것이다. 아스티나는 태연스레 약속했던 기간보다 빠르게 귀환했을 뿐이라 말해야겠지. 칸나는 저 때문은 아닌가 아스티나의 눈치를 보며 울 터였다.

그 모든 현실적인 걱정들마저 가슴을 가로지르는 상실감에 비하면 아득하다. 제 허리를 감은 이 손을 평생 잡을 수 없다는 사실만이 사무친다. 놓아 달라며 먼저 뿌리친 것은 분명 제 쪽이었을 텐데도.

춤곡이 끝나고 테리오드가 정중한 인사를 남기며 물러섰다. 아스티나는 충동적으로 제게서 떨어져 나가는 그의 손을 붙잡을 뻔했다. 실행으로 옮기지 않은 이성이 현명함이었는지 비겁함이었는지는 알 수 없었다.

"하실 말씀이라도 있으십니까?"

아스티나의 시선을 느낀 테리오드가 의아한 눈빛으로 물어 왔다. 그의 무신경함이 연기인지 진심인지 역시도 분별할 수 없다. 아스티나는 그의 얼굴을 눈에 담았다. 그리고 그의 등 뒤로 늘어진 익숙한 모양의 기둥들까지도.

블란체 성에 발을 디딘 테리오드를 보는 건 몹시 묘한 기분이었다. 이곳에서 무도회를 연다는 이시스의 말에 조금 난처했던 것도 사실이지만, 지금에 와선 오히려 다행인지도 모른다는 생각이 들었다.

마티나의 역사가 시작된 곳에서 아스티나의 이야기를 끝낸다. 엉망이었던 두 인연에 나름대로 깔끔한 마무리를 얻게 된 셈이었다.

아스티나는 조용히 고개를 내저었다.

"아닙니다, 그저……."

아스티나가 부정하다 말고 멈칫했다. 할 말이 없지는 않다. 그녀에겐 오늘 정리해야 할 것들이 많았다.

아스티나는 무심코 소매 안쪽에 넣어 둔 반지를 만지작거렸다. 그러나 대뜸 그에게 이것을 건네줄 준비는 되지 않았다. 우선 장소부터가 적합하지 않다. 모두가 보는 앞에서 결혼반지를 돌려줄 수는 없었으니까. 그에 더해 이시스에게 그들의 사연을 이야기하고 나서 전해 주는 편이 깔끔하리란, 제법 그럴듯한 이유도 있다.

하지만 결국은 이것을 아직은 제 품 안에 두고 싶었서였다. 의미 없는 욕심에 불과하다 하더라도.

아스티나가 담담한 목소리를 내어 말했다.

"시작부터 술을 너무 많이 마셨나 봅니다. 머리가 어지러우니 잠시 쉬다 오지요."

"바래다 드릴까요."

다정한 물음이나 껍데기에 속을 필요는 없다. 이전이라면 물어보지도 않았을 일이었다. 그 차이를 알았기에 아스티나는 거절과 함께 돌아섰다.

모두에게 인사를 하고 빠져나오고 나서야 한숨을 돌렸다. 문 한 겹의 차이로 소란에서 유리되었다. 벽 너머로 울리는 타인들의 왁자지껄한 소음은 이명처럼도 들렸다. 속이 울렁이는 기분이었다. 술기운을 핑계로 쓰긴 했으나 건배 권유를 많이 받았던 탓에 취기가 없진 않았다. 아무래도 사람이 많은 곳에 있을 기분이 아니다. 휴게실에 간다면 귀부인들이 눈을 반짝이며 그녀를 맞이할 터였다.

아스티나는 잠시 고민하다가 바깥으로 통하는 방향으로 걸음을 돌렸다. 사람들이 모인 복도를 벗어나 한산한 외곽으로 빠지자 조금 숨통이 트였다. 긴장했던 어깨에도 힘이 빠졌다. 아스티나는 중심을 잡기 위해 벽을 짚었다가, 문득 손이 닿은 부근에 시선을 주었다.

왕성이란 것이 몇 해가 지나면 낡은 티를 내는 일개 민가처럼 허술하게 지어지진 않는 법이다. 아스티나는 무의식적으로 매끈한 대리석 표면을 쓸어 보았다. 부지런히 쓸고 닦은 것인지 세월의 흔적은 보이지 않았다.

꼭, 마티나가 살아 있을 때처럼.

"고성치고는 관리가 제법 잘된 듯하지요?"

뒤에서 들려온 음성에 아스티나는 고개를 돌렸다. 시선의 끝에 선 것은 여러모로 눈에 익지 않은 사내였다. 자신이 아는 이시스의 세력 중 이런 사람은 없었다. 그렇다면 간신히 줄을 서 이곳에 끼어 들어온 승냥이 중 하나일까. 쉬러 가는 걸음은 방해하지 않는 게 불문율이거늘, 이럴 때가 아니면 기회를 잡지 못하겠다 싶었던 모양이었다.

아스티나가 아무 대꾸도 하지 않았음에도 남자는 제멋대로 넉살 좋게 말을 이었다.

"멸망한 왕성에서의 음주 가무라니 제법 운치가 있지 않습니까. 사람이 가득 차니 꼭 블란체가 옛 명성을 되찾은 느낌도 들고요."

아스티나가 비협조적인 태도로 피식 웃었다.

"블란체가 명성까지나 있는 나라였던가."

"아무렴요, 초대 황제 폐하의 고국이 아닙니까?"

아랑곳하지 않고 달라붙는 모습이 몹시 끈질기다. 아스티나는 슬슬 인자한 대공비 흉내를 내는 일이 지겨워졌다. 본디 그녀는 이처럼 상냥한 말들을 뱉는 사람이 아니었다.

"잘못 알고 있군. 레타 집시에겐 나라가 없네."

"흠, 그렇긴 하지만 테오도르 왕의 세력에 들어 국적을 얻었으니 고국이라 말해도 이상하지 않지요."

"그녀에게 나라를 주었던 남자는 바로 그 손에 죽었지."

"……."

"더 할 말이라도?"

당연히도 남자는 더 입을 열지 못했다. 아스티나는 싸늘하게 대화를 끊고 돌아서려 했다.

"이만 가 봐야겠군. 앞으로 대화를 걸 땐 상대방이 내켜 할지부터 고민해 보게."

그러나 남자는 축객령에 고개를 조아리는 대신 코웃음을 쳤다. 아스티나의 신분과, 그가 말을 걸었을 목적을 생각하면 어이없는 걸 넘어 대경할 일이었다.

아스티나의 낯이 딱딱하게 굳어졌다. 남자는 뒷짐을 진 채 천천히 아스티나에게로 걸어왔다. 그가 비꼬듯이 감탄했다.

"듣던 대로 성격이 대단하시군요."

"거기 멈춰."

아스티나의 경고에도 남자는 발을 멈추지 않았다. 그가 고개를 오른편으로 기울이며 나른한 음성을 내었다.

"그래요, 따지고 보면 다 맞는 말씀이십니다. 여러 의미를 덧붙여 봐야 블란체는 고작 망국일 따름이지요. 이곳에서 연회를 연 것은, 이시스 전하의 제국도 쇠퇴하리란 예언일까요?"

그가 이어 장난스럽게 덧붙였다.

"아니면 애초에 얻지 못할 권좌일 수도?"

아스티나의 표정이 굳었다. 이시스의 측근인 대공비에게 이런 무엄한 발언을 할 정신 나간 자는 없다. 실성한 게 아니라면 후환이 두렵지 않기 때문일 것이다. 그리고 뒷일을 걱정하지 않아도 되는 경우는 단 하나뿐이다.

증인을 죽여 치울 수 있을 때.

"당신, 초대받은 귀족이 아니군."

아스티나가 지적함과 동시에 남자의 목소리가 비열해졌다.

"눈치가 느리시네?"

그의 걸음이 빨라졌다. 허리춤 아래 숨겨 두었던 단검을 꺼내 드는 폼이 몹시 위협적이었다. 남자는 사냥감을 달래듯 말했다.

"죽이진 않을 테니 걱정 마. 남의 눈에 띄지 않게 억류해 두라고 하신 거니까. 네년을 죽이기 전에 재미라도 보고 싶으신 모양이지."

아스티나의 눈이 가늘어졌다. 대공비에게 원한을 가진 사내라니 짐작이 쉽다. 대공저의 끈 떨어진 가신들이 간 크게 황족이 연 파티에서 일을 벌였을 리는 없으니 배후는 이 공간이 무섭지 않은 사람일 것이다.

필요한 정보는 모두 얻었다. 아스티나가 기대 없이 말했다.

"더 가까이 다가오면 경비를 부르겠어."

"이 멍청한 여자야. 도움을 청할 사람이 있었다면 내가 여기서 검을 꺼냈겠어?"

남자가 이를 드러내며 웃었다. 그와 동시에 칼을 위로 치켜들고는, 아예 아스티나를 향해 뛰어오기 시작했다.

아스티나는 흘긋 주변을 살폈다. 그러고 보니 근방이 이상하게 조용했다. 불미스러운 일이 생길지도 모르니 귀빈이 모인 자리라면 복도도 경비가 삼엄하기 마련이다. 그러나 이곳에 있는 건 남자와 아스티나 단둘뿐이었다.

목을 틀어쥐려는 손길이 지척에 왔을 때였다. 아스티나는 그 손목을 쳐 내고는 남자의 배를 걷어찼다. 부지불식간에 벌어진 반격에 남자는 그만 비틀거리며 뒤로 물러섰다. 훈련된 병력인지 날붙이를 손에서 놓지는 않았다. 아스티나는 치맛단을 잡아 올리며 연이어 남자의 목을 돌려찼다. 무게 중심을 잃은 남자가 그만 나가떨어졌다.

그의 손등이 바닥과 맞닿음과 동시에 아스티나는 손목 부근을 짓밟았다. 쇠굽으로 인정사정없이 짓이겨진 살갗이 버티지 못하고 피를 보였다. 남자가 비명을 지르며 단검을 놓쳤다.

"끄아아악……!"

아스티나는 바닥으로 떨어진 단검을 가볍게 집어 들었다. 남자가 벌떡 몸을 일으켜 그녀를 저지하려 했으나, 아스티나가 그의 무릎에 칼을 꽂아 넣는 것이 더 빨랐다.

"흐으윽, 끅."

아스티나에게 손을 뻗던 남자가 몸을 뒤틀며 식은땀을 흘렸다. 빨갛게 달아오른 얼굴에서 신음이 쏟아졌다. 검은 눈동자에 차오른 것은 분명 분노였으나, 아스티나는 그 안에 숨어 있는 두려움까지도 읽어 낼 수 있었다. 아스티나는 살을 짓이기다시피 하여 그의 몸 안에서 날을 끄집어냈다. 그가 주먹을 틀어쥐며 고통을 부르짖었다.

아스티나가 피식 웃으며 피 묻은 칼날로 남자의 뺨을 툭툭 쳤다.

"보는 눈이 없다는 게 누구에게 이로운 일인지 모르는군."

통증 때문인지 그는 볼썽사납게 팔을 후들거리고 있었다. 아스티나가 제 옷깃에 피가 묻지 않게 주의하며 물었다.

"배후는?"

"이 개 같은…… 그냥 죽여!"

남자가 눈을 까뒤집으며 소리쳤다. 여력만 된다면 아스티나를 물어뜯기라도 할 기세였다.

"뭐, 대충 짐작이 가니 됐어."

아스티나가 혀를 차며 몸을 일으켰다. 그녀는 팔짱을 낀 채 쓰러진 남자 주변을 배회하기 시작했다.

"나 하나 죽이자고 경비를 빼낸 것은 아니겠지. 대공비라는 거물이 사라져도 문제가 되지 않을 환경이라 판단했으니 계획한 일이겠고."

아스티나는 잠시 눈을 감았다. 이런저런 가정을 떠올려 본 후, 그녀가 천천히 눈꺼풀을 들었다. 아스티나가 헛웃음을 지으며 중얼거렸다.

"네 주인이 끝장을 보려는 모양이구나."

지난 생에 제 쪽에서 썼던 수를 타인이 훔쳐 갈 줄은 예상치 못한 바다. 아스티나는 경멸스러운 눈으로 제 밑에서 신음하는 남자를 내려다보았다.

"너를 죽여도 습격이 없던 일이 되는 건 아니니 굳이 죽여 치울 필요는 없겠구나."

아스티나의 말에 남자가 예상하지 못했다는 듯 눈을 크게 떴다. 의심하는 기색이 완연했지만 혹시 모를 희망 역시 만만찮은 지분을 차지하고 있었다.

아스티나는 허리를 숙여 흔들리는 남자의 동공을 들여다보았다. 아스티나는 그의 기대에 완벽하게 부응해 줄 생각이었다. 그녀가 속삭이듯 되물었다.

"하지만 꽤씸한 반역자를 굳이 살려 둘 필요도 없지, 안 그런가?"

남자가 무어라 대꾸를 들려주기도 전, 아스티나는 그의 목을 길게 그었다. 피가 그대로 온몸에 튀었으나 개의치 않았다. 팔자 좋게 옷이 더러워지는 걸 걱정하고 있을 때가 아님을 이제 알았다. 어쩌면 그녀는 오늘 이 녹빛 드레스를 완전히 다른 색으로 물들여야 할지도 모른다.

아스티나는 칼을 틀어쥔 채 왔던 길을 되돌아갔다. 사람들이 모인 곳이 가까워질수록 소란 역시 커졌다. 이전처럼 즐거운 북적임은 아니었다. 아스티나는 파티 홀로 통하는 문 앞에서 겁에 질린 여인들과 마주쳤다. 휴게실에서부터 뛰어 내려온 듯 그녀들은 가쁘게 숨을 몰아쉬고 있었다. 아스티나를 발견한 영애들이 하나같이 비명을 질렀다.

"꺄악! 대공비 전하! 피가, 피가……!"

"내 피가 아니야."

아스티나의 덤덤한 대구에 영애들이 눈을 휘둥그레 떴다. 아스티나가 그녀들에게 다가서며 물었다.

"2층에서 무슨 일이 있었나? 왜 뛰어 내려왔지?"

아스티나의 물음에 영애 하나가 겨우 정신을 차리고는 친구의 어깨를 쳤다. 왜소한 체구의 여인이 울상을 지으며 말했다.

"저, 창 너머로 웬 병력들이 저 멀리 불을 피우고 있는 것을 보았는데, 다른 귀부인들께 말씀드렸더니 헛것을 본 것이라고……."

홀은 1층의 가장 중앙에 있어 밖으로 난 창이 없었다. 블란체의 궁정 양식엔 연인들을 배려한 테라스가 배제되어 있으니 창이 뚫린 2층에서의 발견이 더 빨랐을 것이다.

아스티나가 생각을 정리하느라 잠시간 대꾸를 않자 여인이 다급하게 덧붙였다.

"아시지 않습니까? 황실 군인들은 청색 제복을 입는다는 걸요!

한밤중에 무장한 사내들이 돌아다니니 이상하지 않습니까?"

그녀는 제 말을 믿어 달란 듯 애원하며 아스티나의 손을 붙들려 했다. 그러나 실행으로 옮기진 못했다. 아스티나의 손은 피로 젖어 있었으며, 더욱이 험악한 날붙이를 쥔 상태였기 때문이다. 폭이 넓은 드레스 자락에 가려져 있었던 탓에 칼을 이제야 발견한 듯했다.

영애들이 놀란 얼굴로 주춤 물러섰다. 먼저 상황을 파악한 영애 하나가 아스티나의 안위를 물어 왔다.

"대공비 전하께선 그들을 만나신 건가요? 버, 벌써 안까지 들어온 건⋯⋯."

"미리 들어온 자들은 몰라도, 바깥은 아직일 거야."

덤덤하게 대꾸한 아스티나가 2층을 흘긋 올려다보았다. 아스티나는 대뜸 제 드레스 밑단에 칼을 박아 넣었다. 치렁거리는 무릎 아래를 완전히 도려낸 아스티나가 칼날에 남은 핏자국을 천 조각으로 닦아 냈다. 아스티나가 그것을 영애들에게 내어 주며 말했다.

"지금 당장 위층으로 뛰어 올라가 습격이 있다고 전하게."

"하지만 아무도 믿지 않아서—"

"믿지 않거든 이걸 보여 주며 대공비가 습격당했다고 해. 치명상을 입었다고 거짓을 말해도 좋네. 될 수 있는 한 홀로 빨리 돌아와야 해. 알겠나?"

망설이던 영애들이 천 조각을 받아 들고는 다시 위층을 향해 뛰어 올라갔다. 아스티나는 홀의 문을 열었다. 안쪽의 상황도 평화롭지만은 않았다. 잠깐 사이에 누추해진 대공비의 행색에 사람들은 놀란 표정을 지었으나, 대부분의 관심은 다른 누군가에게로 향해 있었다.

아스티나는 제게 달려오는 영식들을 뒤로하고 이시스에게 향했다. 이시스는 바닥에 주저앉은 채 왼팔을 감싸 쥐고 있었다. 근처에 쓰러진 사내의 수도 여럿이었다. 아스티나를 발견한 벤자민이 반가운 얼굴로 소리쳤다.

"아스티나!"

뒤늦게 아스티나의 행색을 발견한 듯 벤자민의 얼굴이 굳어졌다. 아스티나가 그를 저지하듯 손을 내밀며 물었다.

"습격이 있었어. 여기서도 비슷한 일이 있었나 보군."

"……그래, 갑자기 이놈들이 누님께 달려들더군. 나와—"

벤자민이 좀처럼 말을 잇지 못하고 머뭇거렸다. 그가 내키지 않는다는 듯 눈짓으로 흘깃 테리오드 쪽을 가리켰다. 놀란 얼굴로 아스티나에게 다가오던 테리오드가, 뒤늦게 그 무의식적인 움직임을 멈춰 세웠다. 눈이 마주쳤던 것은 찰나의 일로 테리오드가 먼저 고개를 돌렸다. 벤자민이 못마땅한 눈으로 테리오드를 흘기며 말을 이었다.

"근처에 있던 대공이 함께 저지했어. 생각보다 제압이 어렵지는 않더군."

"실패하고 죽어도 아깝지 않을 피라미를 보냈을 테니까."

아스티나의 싸늘한 음성에 벤자민이 의아한 표정을 지었다. 아스티나는 앞으로 나아가 이시스를 향해 무릎을 굽히고 앉았다. 아스티나가 진중한 표정으로 물었다.

"전하, 괜찮으십니까?"

이시스는 식은땀을 흘리면서도 의연하게 대답했다.

"깊은 상처는 아니야. 그리고 배후도 뻔하지 이건—"

"프리모의 짓이라고요?"

"······그래, 자네도 짐작했겠지. 벤자민이 검을 숨겨 들어온 덕에 살았네. 다행히 생각보다는 별 볼 일 없는 습격이었어."

"첫판부터 전력을 드러낼 필요는 없으니까요."

이시스의 눈이 미미하게 커졌다. 아스티나가 그녀에게 질문할 여유도 두지 않고 설명을 이었다.

"전하, 2층에 있던 영애들이 무장 병력을 발견했다고 합니다. 지금 처리하신 이들은 전하의 죽음을 더 확실시하기 위한 방비책이지 그가 꺼낸 비수의 전부가 아닙니다."

제가 독 안에 든 쥐가 되었다는 말은 누구라도 믿고 싶지 않을 것이다. 이시스가 말도 안 된다는 듯 고개를 내저었다.

"······이렇게 지켜보는 눈이 많은 곳에 프리모가 얼굴을 드러낼 리 없어. 나를 죽이는 데 성공한다고 해도 황좌를 얻지 못하면 무슨 소용이 있겠어?"

애석하게도 아스티나는 이시스의 희망에 그다지 동의하지 않았다. 이시스에게 힘을 보탠 세력들은 대개 젊고 똑똑한, 그러나 정작 가문의 힘은 미약했던 자들이다. 이시스의 가장 큰 응원군인 대공 부부에겐 가문을 이을 핏줄이 없다. 프리모가 이시스와 그녀의 세력들을 모두 죽여 치워도, 그에 대적해 진짜 정황을 수사할 마땅한 인물이 없다는 뜻이다.

"가두고 다 죽여 버리면 끝인 문제가 아닙니까?"

아스티나의 싸늘한 지적에 이시스의 얼굴이 굳어 들었다. 2층의 휴게실에 머물고 있던 사람들이 들이닥친 건 그와 동시였다. 모든 이들이 안으로 들어서자 아스티나가 앞으로 나서며 명령했다.

"습격이 있을 예정이니 장정들이 짝을 지어 본관의 입구로 가 문을 잠그도록! 금속으로 된 문이니 잠깐은 버텨 줄 것이다!"

문 가까이에 서 있던 영식들이 엉거주춤 모여들었다. 혼란스러운 상황에, 나서서 진두지휘하는 자가 있으니 우선은 그 명을 들으려 하는 기색이었다. 그러나 드물게 그 틈에서 반론을 펼치는 자도 있었다.

"제길, 가지 말고 멈춰, 지금 뭐 하는 거야?"

"하지만 대공비 전하께서……."

"대공비 전하께서 전투에 대해 뭘 아신다고 그 말을 곧이들어! 우린 당장 이곳에서 도망쳐야 해!"

"병력들이 밀려들기 전에 우선 출입로를 막아 둬야 할 것 아닙니까! 습격자들이 들이닥친다는데 문을 활짝 열어 두란 말씀이에요?"

프리모가 쓸데없는 욕심을 부린 덕분에 예견이 빨랐던 것은 분명 다행인 일이었다. 문제는 프리모가 도주의 가능성도 예상치 않고 사람을 보냈을 리는 없다는 점이다. 아스티나의 명을 거부하는 남자에겐 나름대로 스스로의 주장을 뒷받침할 근거가 있었다. 그가 끝내 답답하다는 듯 소리쳤다.

"블란체 성은 정문과 후문 외에 다른 출구가 없어!"

테오도르가 왈도를 가두어 처리할 수 있었던 이유다.

남자의 외침에 좌중이 조용해졌다. 수성도 철옹성의 요새에 있을 때나 선택하는 전술이다. 이 안에서 머문대도 잠깐의 안위만을 보장받을 뿐, 몇 날 며칠이 지나도록 문이 뚫리지 않고 버텨 주지는 않을 것이다. 자연히 아스티나가 내린 명령에 대한 불신이 짙어졌다.

어수선한 분위기를 정리한 건 이시스였다. 이시스가 자리에서 힘겹게 일어서며 소리쳤다.

"경비가 미흡하다 여겨 이미 옆 영지에 지원을 요청해 둔 상태다! 지원군이 도착할 때까지 버티기만 하면 되니 대공비의 말에 따라라!"

그제야 모여들었던 장정들이 밖으로 뛰어가기 시작했다. 테리오드도 그들을 뒤따르려 했으나, 아스티나가 그를 막아섰다.

"대공께서는 이곳에 계세요. 숨어든 첩자가 있을지 모르니 누군가는 여길 지키고 있어야 합니다."

그 말에 테리오드가 제자리에 멈춰 섰다. 이윽고 아스티나가 목청을 높여 소리쳤다.

"모두 눈에 쓴 가면을 벗어라! 신원이 확인되지 않는 자를 추려 내겠다!"

그 말에 모두가 주춤주춤 얼굴을 가린 가면을 벗었다. 대단한 분장을 한 자는 없었기 때문에 그것만으로도 신원을 식별할 수 있었다. 한 사람이 자신의 신분을 밝히면 그를 아는 자들이 보증의 말을 보태는 식으로 초대받은 인물이 맞는지를 판별했다. 다행히도 이전에 이시스를 습격했던 자들 외에 두드러지는 불청객은 없었다.

그 광경을 지켜보던 벤자민이 문득 고개를 들었다. 그의 시선이 칼로스에게로 꽂혔다. 벤자민이 무언가를 깨달은 표정으로 칼로스의 멱살을 붙들었다.

"당신…… 알고 있었지?"

"윽, 이게 무슨 짓입니까? 이 손 놔요!"

칼로스는 별 해괴한 소리를 다 듣는다는 듯 벤자민의 팔을 쳐 내려 했다. 그러나 벤자민은 과거에 칼로스가 남겼던 흔적을 기억하고 있었다.

한 나라의 황후를 없애 주겠다는 약속은 그리 쉽게 뱉을 수 있는 종류의 것이 아니다. 더욱이 아벨라르는 제스퍼레오와 오랜 연을 가진 가문이 아니던가. 정보가 새어 들어갔다 해도 이상하지 않았다. 벤자민이 물러서지 않고 그에게 윽박질렀다.

"프리모가 습격할 줄 알고 있었잖아! 그러니 내게 황후를 없애 주겠다는 말을 꺼냈겠지. 왜 말하지 않았지? 이 새끼…… 속셈이 뭐야?"

벤자민의 추궁이 이어지자 칼로스는 차츰 얼굴을 굳혔다. 칼로스가 애써 당황한 기색을 숨기며 필사적으로 항변했다.

"난 몰랐습니다! 모르는 일이에요."

벤자민은 칼로스의 주변을 살피고는 헛웃음을 터트렸다. 벤자민이 입꼬리를 비틀며 물었다.

"그럼 나디아 영애가 이 무도회에 불참한 건 어떻게 설명할 거지? 운이 좋았다고 말할 셈인가?"

나디아가 화두로 끌려 나오자 칼로스의 반응도 거세어졌다. 칼로스가 얼굴을 붉힌 채 맞서 소리쳤다.

"전혀 상관없어요! 그 애는 원래 몸이 약해서. 제스퍼레오령에서 돌아온 지 얼마 되지도 않은 때라 긴 이동을 할 여력이 없었습니다! 제가 알고 있던 건 단지 황후 폐하께서 아들을 도주시킬 계획을 세웠다고만……!"

억울하다는 듯 항변을 쏟아 내던 칼로스가 아차 하며 입을 다물었다. 벤자민이 그럴 줄 알았다는 듯 칼로스를 꿇어 앉히려 했다. 결박할 끈을 찾으려는 모양새였다. 보다 못한 이시스가 둘 사이를 중재하려 나섰다.

"벤자민, 진정해. 네 말대로 프리모의 계획을 알고, 동조할 계획이었다면 널 회유하려 할 이유가 없지 않아."

"그건……."

벤자민이 말문을 잃고 입술을 깨물었다. 상황이 급박했던 나머지 깊게 생각할 여유가 없었던 건 사실이다. 그러나 칼로스가 프리모의 습격을 돕지 않았다고 해도, 도주 계획을 이시스에게 고하지 않은 것 자체만도 크나큰 문제였다. 칼로스는 바닥에 무릎을 댄 채 거의 넋을 놓고 있었다. 이시스가 차게 식은 눈으로 그를 내려다보았다.

"프리모가 도망친 걸 알고 있었나?"

이시스의 물음에 칼로스가 번뜩 고개를 들었다. 그가 속사포처럼 해명을 쏟아 냈다.

"전하. 맹세코 전하를 배반한 것이 아닙니다. 다만 저희는 황후 폐하께서 프리모 전하를 도주시킨 사실이 알려지면, 그녀를 칠 적당한 명분이 생길 것 같아……. 프리모가 제 안위도 생각 않고 습격을 계획했을 줄은 몰랐습니다. 이는 진정 사실입니다."

"사익을 위해 주군에게 비밀을 만들었군."

이시스가 피로한 음성으로 중얼거렸다. 칼로스는 그 지적에 있어서만은 어떤 반박도 내놓지 못하고 고개를 숙였다. 허벅지 위에 올려 둔 주먹에 힘이 들어갔다. 이시스의 말이 사실이었으므로 변명할 길이 없었다.

이시스는 희끄무레한 눈으로 잠시간 그런 칼로스를 내려다보았다. 뺨이라도 한 대 올려붙이고 싶은 심정이었으나 그녀마저 이성을 잃으면 모두가 불안에 떨게 될 것이다. 원칙대로라면 벤자민이 하려던 대로 칼로스를 결박해 두는 게 맞겠으나, 안 그래도 사람이 부족한 와중 맞서 싸울 병력을 줄일 수는 없었다. 이시스가 느리게 눈을 감으며 말했다.

"지금 이런 일로 갑론을박하고 있을 때는 아니지. 경황은 후에 묻겠어."

이시스가 칼로스에게 등을 돌리고는 아스티나에게 다가왔다. 이시스가 심려 어린 음성으로 물었다.

"그래서 다음 계획은 뭐지? 지원군이 오기 전까지 버티는 것이 답인가?"

아스티나의 의견을 흔쾌히 수용했던 이시스에게도 불안은 남아 있었다. 마땅히 다른 수가 존재하지 않는 건 맞았으나 그렇다고 무력한 상황이란 사실까지 부정할 순 없었다. 그런데 아스티나는 지금까지 보였던 것과는 완전히 다른 의견을 내어 왔다.

"아닙니다. 전하께선 자리를 피하셔야 합니다. 검을 쓸 줄 아는 자들이 남을 테니 노약자들과 함께 먼저 대피하십시오."

아스티나는 누구도 이해할 수 없는 말을 하고 있었다. 이시스도 리체 성에 다른 출구가 없다는 사실을 모르지 않았다. 혹시 모를 상황을 대비해 타 영지에 지원을 요청했던 것도 이 연회장이 구조상 습격에 몹시 취약하다고 판단했기 때문이었다.

이시스의 영문 모르겠다는 표정에도 아스티나는 제멋대로 계획을 진전시키기 시작했다. 병력이 될 수 있는 자들을 걸러 낸 아스티나가 벤자민에게 신신당부하듯 말했다.

"벤자민, 넌 전하를 모시고 위로 올라가. 2층에 밖으로 나갈 수 있는 통로가 있어."

벤자민의 표정이 황당함으로 일그러졌다. 벤자민도 아스티나가 비범하다는 사실은 알았으나, 아무리 그녀라도 이미 만들어진 건물의 구조를 뒤바꾸는 건 불가능했다. 벤자민이 무슨 말이냐는 듯 항변했다.

"무슨 말이야? 아까 그 남자의 말대로 여긴 막힌 공간이야."

분명 막힌 공간이었다. 남겨진 기록 전부가 그렇게 말했으며 또한 후대의 모두가 그렇게 믿었다.

그러나 역사에는 언제나 이면이 존재한다. 마티나는 그 가려진 그림자 속에서 살았던 장본인이었다. 왕위를 찬탈한 후, 테오도르는 제가 행한 것과 같은 방식으로 누군가 왕족을 해할까 염려했다. 그리고 그에겐 병세를 얻기 전까지 그 위협에 방비할 충분한 시간이 있었다.

아스티나가 쏟아 내듯 말을 이었다.

"내가 알아. 휴게실로 쓰이는 방에 하녀들이 티를 준비하는 작은 주방이 있어. 그 안으로 들어가 수도관 아래의 수납장을 뜯어 내. 그러면 수로와 함께 사람이 지나갈 공간이 나올 거다. 성의 외곽 벽과 통하는 길이니 눈에 띄지만 않는다면 무사히 도망칠 수 있을 거야."

"뭐? 대체 그게 무슨 소리야?"

"자세히 설명할 시간은 없으니 서둘러. 통로가 좁기 때문에 모두가 대피하려면 꽤 오래 걸릴 거다. 난 여기 남아서 시간을 벌다가 상황을 봐서 따라가겠어."

아스티나가 그리 당부하고는 영애들을 인솔하고 있던 앤서린을 불렀다.

"앤서린 후작님, 전하를 부탁드리겠습니다. 도피하는 동안 벤자민과 함께 전하를 지켜 주세요."

"대공비 전하께서는 함께 가지 않으십니까?"

"누군가는 후방을 맡아야 합니다. 이시스 전하를 가장 믿고 맡길 수 있는 두 사람이 바로 그대들이고요."

앤서린이 납득한 표정으로 고개를 끄덕였다. 그러나 벤자민만은 설명이 필요하다는 듯 걸음을 떼지 않았다. 아카데미에서도 늘 범상치 않은 모습을 보여 왔던 아스티나였지만, 오늘만은 유독 그녀가 낯설게 느껴졌던 탓이다.

비밀 통로의 존재가 쉬이 믿어지진 않았으나 그렇다고 아스티나가 그들에게 거짓을 말했을 리도 없었다. 그리고 아스티나의 말이 사실이라면 벤자민은 도망을 택하게 되는 셈이었다. 사지와도 같은 장소에 사랑하는 여자를 남겨 둔 채.

벤자민은 혼란스러운 눈으로 아스티나와 이시스를 번갈아 보았다. 그를 황궁으로 돌아오게 만든 여자와 그를 황궁에 머물게 한 여자를.

좀처럼 움직이지 않는 벤자민을 보다 못해 테리오드가 나섰다. 테리오드는 아스티나의 주장에 얼마나 대단한 근거가 뒷받침되어 있는지 알고 있는 유일한 사람이었다. 테리오드가 정신 차리라는 듯 벤자민의 멱살을 잡아당겼다.

"시간이 없다지 않아! 전하를 구하고 싶으면 그녀의 말에 따라!"

그제야 벤자민은 불현듯 이시스의 얼굴을 눈에 담았다. 그녀는…… 베스가 죽은 후 숨기 급급했던 가족들을 대신해 복수를 하려 나선, 그의 또 다른 누이였다.

이미 프리모는 상당수의 자객들을 이곳에 숨겨 보냈다. 신분을 드러낸 귀족들이야 그렇다 치더라도 얼굴을 모르는 사용인들의 결백까지 장담할 수는 없었다. 이시스를 내버려 두고 여기 남겠다는 것은 만용이다.

벤자민은 검을 쥔 손에 힘을 주었다. 그가 짧게 고개를 끄덕이고는 이시스와 다른 일행들을 위쪽으로 인솔했다. 그와 동시에 정문 방향에서 굉음이 들려왔다. 잠긴 문을 열려고 수를 쓰고 있는 듯했다. 반면 반대쪽은 조용했다. 아스티나가 눈을 가늘게 뜨며 중얼거렸다.

"후문을 막고 정문을 뚫으려는 모양이군."

도망치지 못하게 막아야 할 테니 퇴로를 둘로 만들지는 않을 것이다. 그 말은 반대로 적이 쏟아져 들어올 틈이 좁아졌다는 뜻이기도 했다.

둔중한 소음은 꼭 공격의 초읽기처럼 들렸다. 사람들의 움직임이 더욱 급박해졌다. 무기를 소지하고 왔던 자들은 입장 전에 맡겼던 물건을 돌려받고, 그마저도 없는 자들은 성에 장식되어 있던 검을 하나씩 찾아 들었다. 대개 녹이 슬어 있었지만 맨손으로 싸우는 것보다는 나았다. 누군가가 애써 유쾌한 체 농담을 중얼거렸다.

"스치기만 해도 후에 파상풍으로 절명하게 할 순 있겠어."

근방에 선 몇이 스치듯 웃음을 터트렸으나, 어두워진 안색마저 밝게 하진 못했다. 모두가 무장을 마친 걸 확인한 아스티나가 사람들을 홀 바깥으로 인도했다.

"밖으로 나가 문을 잠가 둘 것이니 한 사람도 빠지지 않고 여기서 나가라. 이 안에 이시스 전하께서 숨어 계신 것처럼 보이는 게 목적이다. 반은 이 홀의 바깥을 지키고 나머지는 나와 함께 정문으로 간다.”

아스티나는 몹시 익숙하게 병력을 인솔했다. 사내들은 반사적으로 그녀의 명에 따라 이동했다. 부지불식간에 제가 속한 집단의 부대장, 혹은 단장을 떠올리고 만 탓이었다.

의문에 고개를 갸웃이던 이들은 곧 그 기시감에 그럴듯한 근거를 찾았다. 이시스가 대공비의 의견에 힘을 실어 주고 갔으니 그녀에게 황녀의 권한이 위임된 것이나 마찬가지였다. 반발하려는 이가 아예 없진 않았으나, 아스티나 뒤에 서서 버티는 테리오드를 보고는 끝내 입을 열지 못했다.

아스티나는 정문으로 향하는 사내들을 뒤따르다 말고 걸음을 멈춰 세웠다. 바로 제 뒤를 쫓고 있는 테리오드를 저지하기 위함이었다. 얼마 안 되는 수이니만큼 병력은 효율적으로 분배되어야 한다. 아스티나는 가장 큰 전력이 자신이라고 판단했고, 상대적으로 미비해진 반대쪽을 누군가는 메워 주어야 했다. 테리오드의 실력이라면 믿고 등을 맡길 수 있었다.

“대공께선 여기 남으십시오.”

그 말에 테리오드의 표정이 굳어 들었다. 그녀를 홀로 보내고 싶지 않은 기색이었다. 아스티나는 그의 반응에 무의식적으로 안도하는 자신을 발견하고는 속으로 쓴웃음을 흘렸다. 아직까지도 미련이 남았나.

아스티나는 이 상황에 이성적으로 대처하기 위해 애썼다. 그녀는 테리오드에게 끝내 고개를 저어 보였다. 테리오드가 입술을 깨물었다. 테리오드는 그녀를 길게 붙잡진 않았다. 대신 그녀에게 당부하듯 이렇게 말했다.

"무사하십시오."

그에 아스티나가 설핏 웃어 보였다.

"아시지 않습니까. 저는 이미 이곳에서 승리한 역사가 있습니다."

테리오드의 표정이 미약하게 밝아졌다. 아스티나는 몸을 돌려 벌써 멀어진 일행들을 뒤쫓았다. 뜀박질 소리로 어지러운 복도를 몇 차례 빠져나와, 마침내 정문 앞에 다다랐다.

이시스를 미리 도주시킨 것은 현명한 판단이었다. 마티나도 혼자 힘으로 경첩을 부수고 나왔던 문이다. 이후 좀 더 단단하게 정비되긴 했어도 요령만 알면 누구나 뜯어낼 수 있었다. 사람 여럿이 달라붙었는지 문은 벌써 헐겁게 틈을 보이고 있었다. 두꺼운 문 너머로 숨길 수 없는 인기척이 느껴졌다.

아스티나는 프리모가 꾸렸을 병력의 수를 가늠해 보았다. 프리모는 공식적으로 유배 생활을 하고 있는 인물이다. 황후의 도움을 얻었다고 해도 차출할 수 있는 병력에는 한계가 있었을 것이다. 더욱이 습격을 위해 몰래 이동해야 했다고 가정하면 수는 더 적어진다.

"대공비 전하, 뒤로 피해 계십시오. 검을 쓰실 수 있어도 실제 전투는 생각과는 다를 겁니다. 저희가 최대한 앞에서 막아 보겠습니다."

아스티나의 근처에 서 있던 영식 하나가 앞으로 나서며 말했다. 검을 쥔 손에서 숨길 수 없는 떨림이 엿보였다.

훌륭한 기사도 정신이었지만 발휘될 상대가 잘못됐다. 아스티나는 그를 밀치며 가장 앞으로 나섰다. 당황한 영식이 그녀를 붙잡으려 했으나, 문 너머로 들려온 음성에 그만 멈칫 어깨를 굳히고 말았다.

"여제 마티나의 재림이라고? 웃기는 소리!"

프리모의 목소리였다. 그는 전투를 예정하고 이곳을 찾은 게 아니다. 프리모의 계획은 학살이라 부름 직한 것이었다. 성대의 떨림에서 숨길 수 없는 희열이 드러났다.

"마티나가 태동한 자리에서 죽어라, 이시스!"

동시에 금속으로 된 문이 완전히 무너져 내렸다. 기다렸다는 듯 병사들이 쏟아져 들어왔다.

아스티나는 발을 내디디며 선두에서 달려오던 병사의 목을 단칼에 베었다. 그 위용에 순간 모두가 놀랐다. 아스티나를 보호하려 나섰던 영식은 완전히 제자리에 얼어붙었다. 진격하던 적이 주춤이는 사이 아스티나가 포효하듯 소리쳤다.

"목숨이 아깝지 않은 자는 오라!"

경고보다는 위협을 목적으로 한 말이었다. 아스티나는 적을 베어 나가는 데 조금도 지체하지 않았다. 망설임 없이 휘둘러지는 칼에 몇몇이 채 반항도 하지 못하고 스러졌다.

동요는 그야말로 잠깐이었다. 순식간에 난전이 벌어졌다. 깔끔한 일격을 보였어도 여인이라 만만하게 여겨진 것일까. 아스티나에게 달라붙는 이들은 상대적으로 실력이 덜한 편이었다. 아스티나를 택한 그들의 불운은 기량을 파악할 눈이 없는 무지에서 비롯된 것이었다. 아스티나는 자비 없이 주변을 둘러싼 송사리들을 처리했다.

화려한 무위가 잇따르자 그녀를 향한 공격은 차츰 줄어들었다. 숨을 돌릴 수 있게 되자 아스티나는 재빨리 프리모의 위치부터 찾았다. 생각 외로 우세하지만은 않은 상황에 프리모는 다소 당황한 기색이었다.

그러나 승패를 짐작할 수 있는 가장 객관적인 지표는 머릿수다. 그리고 이 전투에서 절대다수를 차지하고 있는 건 프리모 쪽이었다. 동요를 추스른 프리모는 기사들을 끌고 안으로 진격해 나갔다. 어떠한 싸움이든 우두머리를 처리하면 끝을 보게 되는 법이다. 검을 쓸 줄 모르는 이시스는 가장 쉬운 먹잇감이기도 했다.

아스티나는 프리모의 발길을 붙들기 위해 황급히 앞으로 나섰다. 그러나 세 걸음을 채 내딛기도 전 방해에 의해 가로막혔다. 아스티나는 제게 휘둘러진 검을 받아치며 미간을 좁혔다.

"기사?"

검을 휘두르는 힘이나 동작이 돈으로 산 용병 수준이 아니다. 아스티나의 추측이 맞았는지 남자가 제법이라는 듯 어깨를 으쓱였다. 아스티나의 표정이 싸늘해졌다. 황후는 금전만 동원하여 프리모를 도운 게 아니었다. 제스퍼레오 공작의 조력도 함께였을 것이다.

아스티나는 뒤늦게 리체 성에서의 무도회를 제안한 게 제스퍼레오 공작이었다는 사실을 떠올렸다. 조부가 주었다는 반지를 수하에게 내어 주며, 이시스는 분명 그러한 관계에 미련이 없다는 듯 행동했다. 그럼에도 아스티나는 보았다. 포기에 이르기까지 그녀 안에 겹겹이 쌓였을 부조리와 분노, 그리고 그로 인한 상처들을. 속 검은 늙은이는 끝내 손녀의 마지막 희망까지 짓밟고 만 것이다.

"제스퍼레오 공작은 상상 이상으로 어리석었군. 가만히 있었다면 무리 없이 황제의 조부가 될 수 있었을 것을!"

아스티나가 드물게 감정적으로 소리쳤다. 받아치는 지적은 그에 걸맞게 시리도록 냉소적이었다.

"내 주인께서는 그게 이름뿐인 자리가 되리란 것도 예견했지."

모두 죽여 사건을 은폐할 계획인지 적은 속내를 투명하게 내비쳤다. 프리모가 황좌에 앉는다면 그에게 전폭적인 지지를 해 왔던 제스퍼레오 공작도 권세를 얻는다. 그러나 내내 방치해 왔던 이시스는 경우가 달랐다.

제스퍼레오 공작은 제가 책임지고 있는 가문의 몸집만큼 품고 있는 욕심의 크기도 컸다. 제스퍼레오 공작이 황제의 조부가 되고 싶었던 건 나라를 직간접적으로 주무를 권한을 얻고 싶어서였다. 그는 결코 이름뿐인 자리에 만족할 생각이 없었다.

기사가 여유로운 눈으로 아스티나를 내려다보았다.

"보아하니 꽤 검에 소질이 있는 것 같긴 하더군. 하지만 진짜 기사들을 상대로 발휘될 무용은 아니야."

"검은 혀로 쥐는 것이 아니지. 한달음에 너를 죽여 치우고 네 주인을 베러 가겠다."

아스티나는 마찬가지로 비웃음을 내보였다. 남자가 발끈하며 달려들 자세를 취했다. 아스티나는 그의 다리 근육에서 다음 공격을 읽어 냈다. 그가 달려온 방향은 예상과 정확히 동일했다.

아스티나는 옆구리를 찔러 들어오는 칼을 가볍게 쳐 냈다. 하복부를 겨냥하느라 낮아진 어깨를 찍어 누르자 자연히 그의 중심이 비틀렸다. 앞으로 쏠린 무게에 기사가 왼발을 크게 내디뎌 몸을 바로 세웠다. 그는 실패한 공격에 당황하는 대신 곧장 아래쪽으로 칼을 찔러 넣었다. 발목을 겨냥한 것이었다.

그러나 방금까지만 해도 발을 디디고 있던 자리에 그녀는 없었다. 칼을 원위치로 회수하기도 전 남자는 불에 덴 듯한 통증을 느졌다.

"윽!"

아스티나는 남자의 왼쪽 등을 찌르자마자 미련 없이 손잡이를 놓았다. 심장부로 깊숙이 박혀 들어간 검은 다시 뽑아내기도 쉽지 않을 터였다. 무기를 잃은 그녀에게서 기회를 본 것일까, 뒤편에서 곧바로 적이 쇄도해 왔다. 아스티나는 몸을 뒤로 미끄러뜨리며 방금 베어 넘긴 기사의 검을 앗아 들었다. 상황을 재 보지도 않고 달려든 적에겐 빈틈이 무수히 많았다. 아스티나는 두 번째 기사를 손쉽게 처리하고는 곤란에 처한 아군에게로 달려갔다.

팽팽한 힘겨루기는 불시의 기습으로 끝맺어졌다. 진땀을 빼고 있던 영식이 얼떨떨한 낯으로 쓰러진 적과 아스티나를 번갈아 보았다. 그는 아스티나의 뺨에 묻은 붉은빛이, 헝클어진 머리칼이 아니라 핏자국이었음을 뒤늦게 깨달았다.

"넋 빼놓지 말고 몸부터 움직여!"

뒤이어 들려온 일갈마저 제 검술 지도를 맡았던 스승과 닮았다. 영식은 겨우 정신을 차리고는 허둥지둥 도움을 필요로 하는 동료에게로 달려갔다. 아스티나는 근처의 적을 상대하며 눈을 가늘게 떴다.

'수가 너무 많아.'

밀려드는 수가 많다 보니 전부를 막을 순 없었다. 대부분이 손에 익지 않은 무기를 들고 있는 걸 생각하면 선전하는 편이었지만, 그럼에도 뚫려 가는 방어선을 걷잡을 수 없었다. 아무래도 한데 모인 적들의 수를 분산시켜야 할 듯했다.

아스티나가 모두에게 들리도록 소리쳤다.

"안쪽으로 퇴각해 아군과 합류한다! 이시스 전하를 우선으로 보호해!"

아스티나의 외침에 남은 이들이 프리모를 뒤쫓아 달려갔다. 갑작스러운 이동에 적군과 아군 사이에 약간의 틈이 생겼다.

아스티나는 사람들이 지나간 문 앞을 막아섰다. 적군은 자연스러운 수순으로 이시스가 안쪽에 숨어 있다고 판단한 눈치였다. 연회장으로 향하는 길은 이쪽뿐만이 아니었지만, 눈에 띄는 모습 때문인지 대부분의 주의가 그녀에게로 쏠렸다. 적어도 이시스가 궁 밖으로 나갈 때까지는 프리모를 1층에 붙들어 놔야 할 것이다.

벨루아 영지에서의 난전은 제법 쓸 만한 준비 운동이었다. 이번 생에서도 몸을 쭉 단련시켜 오긴 했으나 아무래도 대련은 실전과 차이가 있는 법이다. 오랜만에 맡은 피 냄새에 혈기가 끓어오르는 것이 느껴졌다. 다년간의 경험으로, 아스티나는 전투에 있어 우선은 기선 제압임을 알고 있었다.

"내 주인의 머리를 얻고 싶거든 나를 먼저 베어야 할 것이다!"

아스티나는 검 손잡이를 고쳐 쥐며 달려드는 적을 맞이했다.

"정말 통로가 있을 줄이야."

누군가가 감탄하듯 중얼거렸다. 그들은 어둡고 축축한 희망의 길을 걷고 있었다. 대부분은 본질보다 그를 이루는 수식에 주목했다.

지하로 특유의 음습한 분위기 탓에 이 기회를 온전한 기쁨으로 받아들이기는 힘겨웠던 탓이다.

"대공비 전하께선 이런 장소를 어떻게 알고 계신 거지?"

이해되지 않는 정황은 의심을 만들어 내는 법이다. 앞선 질문을 아무도 저지하지 않자 추측의 강도는 조금 더 세졌다. 이시스의 뒤를 따라오던 호위 기사 하나가 조심스럽게 의견을 개진했다.

"전하, 아무래도…… 수상하지 않습니까? 연회장을 빠져나갔다가 갑자기 험한 외양으로 돌아오신 것도 그렇고……. 습격이 알려지자마자 무리를 분산시키지 않으셨습니까. 조심스러울 필요가 있다고 봅니다."

벤자민이 말을 꺼낸 기사를 매서운 눈으로 노려보았다.

"그 입 닥쳐라. 설마하니 지금 대공비를 프리모의 끄나풀이라 모함하는 것이냐?"

사나운 질책에 기사가 황급히 고개를 내저었다. 그럼에도 그는 완전히 의심을 벗어던지지 못한 채였다. 그는 이 염려가 합당하다는 사실을 에둘러 설명하려 무던히도 애썼다.

"하지만 아무도 모르는 비밀 통로를 알고 있는 건 이상한 일입니다. 리체 지방은 오래도록 황실의 소유였지 않습니까. 황궁을 아우르는 이시스 전하께서도 알지 못했던 통로입니다."

"이상한 일인 건 사실이지."

이시스가 가만히 맞받아쳤다. 벤자민은 놀란 눈으로 누이를 돌아보았다. 이시스의 동조는 전혀 예상치 못했던 일이었다. 벤자민은 그만 들고 있던 램프를 놓칠 뻔했다. 벤자민은 황급히 아스티나를 변호하려 나섰다.

"그녀는 고대어에 조예가 있었어요. 우리가 모르는 옛 기록을 알고 있는 건지도 모릅니다."

그러나 끝으로 갈수록 벤자민의 음성은 불안정해졌다. 벤자민조차도 확신하지 못하는 정황이었기 때문이다. 벤자민에게도 아직 의문은 남아 있었다. 실제로 그는 이 비밀 통로로 들어선 이후 내내 스스로에게 '어떻게?'라는 질문을 던지고 있었다.

이시스가 따분한 기색으로 지적했다.

"벤자민, 그녀가 의문스러운 점이 많은 사람인 건 사실이야."

"누님!"

"그렇지 않나. 나라면 죽음의 무도회를 주최한 주인을 챙기는 대신, 몰래 제 몸만 빼냈을 걸세. 아무도 모르는 비밀 통로는 스스로의 안위만은 확실하게 보장해 줄 테지."

대공비를 향한 의심을 깔끔하게 정리하는 말이었다. 벤자민의 안색이 눈에 띄게 밝아졌다. 못내 불만을 이기지 못한 호위 기사가 말을 보탰다.

"하지만 전하—"

앤서린은 반박을 꺼내려는 호위 기사를 조용히 막아 냈다. 가슴께 앞으로 뻗어진 팔에 기사가 멈칫하며 걸음을 멈춰 세웠다. 앤서린은 다른 쪽 손으로 돌벽의 틈을 매만졌다. 공간의 틈새 사이로 희미한 바람이 느껴졌다. 적어도 그들이 걷고 있는 게 막다른 길은 아니었다.

"바람 소리가 들립니다. 이곳은 출구와 통해 있는 게 맞아요."

앤서린이 못마땅한 기색의 호위 기사를 돌아보며 서늘하게 말을 이었다.

"진실을 은폐할 밀실을 힘겹게 공수했는데, 굳이 그 완벽한 작전에 틈을 만들 리는 없겠죠, 그렇지 않습니까?"

앤서린의 지적에 사방이 조용해졌다. 계속해서 불안을 드러내던 기사도 더는 입을 열지 못했다. 앤서린의 설명이 타당했을뿐더러, 무리의 지도자인 이시스부터가 대공비에 대한 굳건한 신뢰를 보여 주었기 때문이다. 무엇보다도 더 고집을 부렸다간 이 통로를 무사히 빠져나감과 동시에 출셋길을 재빠르게 비껴가리란 미래가 그려졌다. 삶의 기로 앞에 서면 사람은 보통 생각이 많아진다.

일행은 한참을 말없이 걸었다. 길은 험하지 않았으나 바닥에 찬 습기 때문에 꽤나 미끄러웠다. 줄지어 이동하고 있었기에 한 사람만 발을 잘못 디뎌도 사고가 날 공산이 컸다. 좁은 길을 몸을 긴장시키며 걸어서인지 근육이 뻣뻣하게 굳었다.

"몇 분쯤 걸었지?"

이시스의 목소리엔 미세하게 지친 기색이 묻어 나왔다. 공기는 서늘한 편이었으나 습도가 높은 공간이어서인지 목덜미엔 옅은 땀이 배어 나와 있었다.

"글쎄요, 반 시진쯤일까……."

벤자민이 그리 답하며 불안한 기색으로 램프를 살폈다. 급히 나오느라 어둠을 밝힐 물건을 몇 챙기지 못했다. 안 그래도 사용감이 있었던 초는 벌써 끝을 보이고 있었다. 자연히 이동 속도가 빨라졌다.

그러나 다음으로 이어진 코너를 돈 것과 동시에, 일행은 그만 제자리에 멈춰 섰다. 옅은 탄식이 공간 가득히 퍼져 나갔다. 굳어 버린 이들 사이에서 가장 먼저 입을 연 것은 예의 호위 기사였다.

"……막힌 길이 아니라고 하지 않았나요?"

이런 결과를 예상했다는 듯한 말투였다. 길의 끝에 다다른 일행을 기다리고 있었던 것은 단단한 돌벽이었다.

앤서린은 성큼성큼 앞으로 나아가 벽면을 매만졌다. 그러나 온갖 부분을 다 눌러 보아도 새로운 통로가 나타나거나 하는 일은 없었다. 이시스는 침묵을 지켰고 벤자민은 뒤편에 선 사람들을 돌아보았다. 이 상황을 어떻게 수습해야 할지 모르겠다는 듯이.

아무도 해결책을 제시하지 못하자 혼란은 가중되었다. 누군가는 지금이라도 왔던 길을 되돌아가자고 말했고, 누군가는 전투가 끝날 때까지 이곳에 숨어 있어야 한다고 주장했다. 왁자지껄한 소음이 메아리처럼 천장을 두드렸다. 앤서린은 혼란을 헤치고 필사적으로 아까 전 느꼈던 바람의 흔적을 찾았다.

분명 틈이 있었다. 틈이…….

"……우리가 얼마나 내려왔죠?"

소란 속에서 앤서린이 불쑥 질문을 던졌다. 뜬금없기는 하되, 어딘지 힘이 있는 음성이었다. 모두의 주목이 앤서린에게로 향했기에 소란 역시 잦아들었다. 벤자민이 얼떨떨한 표정으로 대답했다.

"잘 모르겠습니다. 오르막길과 내리막길이 번갈아 있었으니까요. 후자의 비중이 더 크긴 했지만."

앤서린의 눈에 깨달음이 깃들었다. 예의를 차릴 정신도 없었다. 앤서린은 그대로 얼빠진 채 서 있던 벤자민의 뒷목을 당겼다. 친우가 아닌 인물에게선 겪어 보지 못한 험한 취급에 벤자민은 눈을 휘둥그레 떴다. 앤서린이 다급히 말했다.

"황자님, 절 들어 올려 주십시오."

"예?"

"가는 귀가 먹으셨습니까? 어서요!"

앤서린이 험악하게 으르렁거렸다. 따르지 않았다간 주먹질이라도 할 기세였다. 벤자민은 제가 무슨 일을 하는지 이해조차 하지 못한 상태로 앤서린의 말에 따랐다. 앤서린은 벤자민의 어깨를 낮추고는 그 위에 올라가 목말을 탔다. 천장은 높은 편이 아니었기 때문에 앤서린은 쉽게 위에 있는 벽에 손을 댈 수 있었다. 앤서린이 신중하게 천장의 틈새를 더듬기 시작하고 나서야 일행은 그녀의 의중을 깨달았다.

'어딘가 틈이……'

앤서린은 입술을 짓씹으며 필사적으로 출구를 찾았다. 그들이 내려온 높이가 지면이 아니라 지하에 가깝다면 입구는 위를 향해 있을 것이다.

앤서린은 머지않아 자신이 세운 가설을 사실로 증명해 냈다. 손을 뻗어 힘으로 누른 것과 동시에 돌의 어느 한 부분이 덜컥였다. 틈새로 쏟아진 흙먼지가 앤서린의 콧잔등에 내려앉았다. 마른 서고의 그것보다는 젖은 풀숲과 어우러지는 냄새가 났다. 앤서린은 확신을 가지고 더욱 힘을 주어 문을 밀어젖혔다.

그러나 오래된 세월로 부식된 것인지, 아니면 다른 무엇이 막고 있는 것인지 쉽사리 열리지 않았다. 앤서린이 고민하느라 잠시간 미동을 않자 벤자민이 조급히 물어 왔다.

"제가 한번 해 볼까요?"

"전 황자님을 못 업어 드립니다. 칼이나 좀 주십시오."

앤서린이 냉담하게 거절하고는 풀 죽은 벤자민에게서 칼을 받아 들었다. 지하에서 지상을 향해 수직으로, 그것도 성의 외곽과 이어진 문이라면 흙바닥일 가능성이 유력하다. 그렇다면 이 출입로가 쓰이지 않은 기간 동안 식물 뿌리가 자라나 얼기설기 달라붙었을 것이다. 앤서린은 벌어진 틈새 사이를 무작정 짓쑤시기 시작했다. 생각보다 저항이 세진 않았다. 모래 알갱이가 굴러가는 소리가 반복해 들렸고, 서걱거리는 절단음도 지속되었다.

앤서린은 그녀의 손길을 질기게 붙들었던 마지막 방해물마저 잘라 내고는 문을 열었다. 이번엔 어떠한 방해도 없었다. 입구를 밀어 옆으로 치우자 별로 반짝이는 밤하늘이 눈에 들어왔다.

"됐다!"

앤서린이 희열에 찬 음성으로 소리쳤다. 사람들의 얼굴에도 환희가 어렸다.

앤서린은 벤자민에게 검을 돌려주며 기쁘게 그의 머리를 짓밟았다. 모래 알갱이를 그대로 두피로 받아들인 데 이어 사다리 노릇까지 했음에도 벤자민은 억울하지 않았다. 벅찬 감정을 참을 수 없어 누이를 끌어안으려다가 비위생을 이유로 거절당하긴 했어도.

그러나 탈출의 기쁨은 채 1초도 지속되지 못했다. 바깥으로 기어 나옴과 동시에 앤서린은 그대로 제자리에 얼어붙었다. 탈출에 성공한 줄 알았던 그들을 기다리고 있었던 것은 무장 군단이었다.

'좆 됐군.'

아카데미 재학 시절 원만한 학교생활을 위해 익혔으나, 가주직에 앉으며 의식적으로 멀리해 왔던 험악한 말투가 반사적으로 튀어나왔다. 앤서린은 생각할 틈도 없이 방금 나왔던 구멍으로 다시 뛰어내리려 했다. 상대방이 어이없다는 듯 자신의 이름을 부르지만 않았어도 분명 그렇게 했을 것이다.

"······앤서린 후작님?"

앤서린은 그만 움직임을 멈췄다. 우선 그녀는 이곳이 이미 발견된 출입로이며, 따라서 다시 숨어들어 봤자 제 주군에게로 적을 인도하는 효과밖엔 낳지 못한다는 사실을 인지했다. 하지만 그보다는 그녀를 둘러싼 상황에 대한 의문이 앞섰다. 도망가던 쥐새끼를 잡았다며 비열한 웃음을 지어야 할 병사들은 어이없다는 표정을 짓고 있었으며, 저를 부른 남자의 음성은 이상하게 귀에 익었다. 프리모의 목소리 같은 불길한 울림이 아닌, 다소 친근한 방향으로.

앤서린의 눈이 마침내 사위를 둘러싼 어둠에 적응했다. 앤서린이 떨리는 음성으로 되물었다.

"······첼본 자작?"

"예, 접니다! 수확절 때 뵌 이후로 아주 오랜만이지요. 그런데 이렇게 참으로 우연히도······. 음, 우연은 아닌가요?"

시야가 자유로운 앤서린과 달리, 안쪽에선 들려오는 말소리로만 상황을 유추할 수 있었다. 보다 못한 이시스가 똑같이 벤자민을 사다리 삼아 밖으로 나왔다. 얼떨떨했던 첼본 자작의 얼굴이 이번엔 경악으로 물들었다.

"황녀 전하!"

"첼본 자작, 다행히도 내 부름에 응해 주었군."

"당연한 말씀을요. 한데 이게 대체 무슨 일입니까?"

이시스는 첼본 영지에 파발을 보낼 때 프리모의 습격 가능성을 언급하지 않았다. 다만 리체 영지의 경비대 수준이 미비하여 중요한 행사의 호위를 맡길 수 없다고 판단, 지원을 요청한다고만 전했다. 프리모가 정말로 리체 성에 모습을 드러낼지 알 수 없었을뿐더러, 만일 아무 일도 일어나지 않는다면 괜한 말이 새어 나가는 셈이 되기 때문이다.

물론 이미 벌어진 일을 함구할 필요는 없다.

"습격이 있었네."

이시스의 짧은 대답에 첼본 자작의 어깨가 굳어 들었다. 첼본 자작의 낯은 거의 회백토빛을 띠고 있었다. 그가 죽을죄를 지었다는 표정으로 곧장 사죄했다.

"죄, 죄 죄송합니다. 황녀님. 저는 정말 파발에게 전언을 듣고 곧바로 출발하였습니다. 다만 영지 사이의 거리가 멀어…….'

"알고 있네. 오히려 내 예상보다 일찍 도착해 줬군."

그리 말하며 이시스가 성벽 쪽을 돌아보았다. 연회장에서 번져 나오는 불빛이 화려하기보다는 불길하게 느껴졌다. 이시스가 굳은 음성으로 말했다.

"우리야 다른 신하들의 도움으로 몸을 빼냈지만 저 안에 남은 숫자가 더 많네. 당장 그들을 구하러 가야 해."

"어떤 간 큰 이가 전하를 습격했단 말씀이십니까?"

첼본 자작의 아연한 질문에 이시스가 음산한 미소를 띠었다. 이시스가 싸늘한 음성으로 중얼거렸다.

"하나 있지, 핏줄로 엮여 든 질긴 인연이."

이시스가 짓씹듯 내뱉고는 홱 뒤로 돌아섰다. 함축적이지만 그만큼 분명하게 대상을 드러내는 설명이었다. 이시스에겐 이미 그녀를 죽이려 했던 전적을 가진 형제가 있었다. 첼본 자작은 목을 비집고 나오는 딸꾹질을 참아 내기 위해 애썼다.

이시스는 첼본 자작에게 도망 나오기 전 그들에게 있었던 일을 간략하게 설명했다. 첼본 자작이 심각한 음성으로 물었다.

"전하, 적군의 수가 어느 정도 됩니까?"

"우린 그들과 마주치기 전에 이 통로로 빠져나와 알지 못해. 하지만 그리 많은 인력을 끌어오진 못했을 거야. 어쨌든 도주 중이었으니까."

이시스가 그리 말하며 미간을 찌푸렸다.

"그들은 정문으로 습격을 감행하고 후문은 잠가 두었어. 아무래도 태평하게 대기하고 있을 후문으로 돌격하는 것이 좋을 것 같은데—"

"어느 쪽이든 둘뿐인 출입로를 허투루 관리하진 않았을 겁니다."

뒤편에서 들려온 음성에 이시스가 고개를 돌렸다. 어느새 밖으로 나온 벤자민이 머리에 흘러 들어간 모래를 털며 다가왔다. 앞서 땅을 밟은 이들의 도움을 받아 하나하나 출구로 빠져나오고 있었다. 벤자민이 이시스의 옆에 서며 말을 이었다.

"바깥에 지키고 선 경비들을 다 뚫는다고 쳐도, 안에 남아 있는 이들이 얼마나 버텨 줄지가 문제입니다. 이미 습격이 시작된 지 꽤 오랜 시간이 흘렀으니까요."

벤자민의 지적은 현실적이었다. 프리모가 마티나와 테오도르의 공적을 재현하고자 했다면 출입구를 우선해 막아 두었을 것이다. 술과 춤을 즐기던 이들을 처리하는 건 역사가 보여 주었듯 손쉬운 일이었다. 벤자민이 말한 대로 이건 시간 싸움이다. 바깥을 지키는 병력을 얼마나 빠르게 처리할 수 있을까. 프리모가 끌어온 병력을 다 처리한다고 하더라도 그게 이시스를 따랐던 이들이 죽임당한 이후라면 의미가 없었다.

이시스가 턱을 문지르던 손을 멈췄다. 그녀의 입이 불쑥 열렸다.

"잠깐."

모두의 시선이 이시스에게로 몰렸다. 이시스가 그들의 도주를 가능케 했던 통로를 엄지 끝으로 가리키며 말했다.

"입구는 하나 더 있잖아."

÷ ✛ ÷

아스티나는 벽에 기댄 채 잠시간 숨을 골랐다. 그동안 베어 넘겼던 적이 얼마일지 셈해 보다가, 이내 계산을 멈추고는 바닥에 주저앉았다. 의미가 없다고 판단한 탓이었다. 얼마나 많은 적을 죽였든 그녀가 여기서 살아 나가지 못한다면 의미가 없다. 중요한 것은 이미 처리한 이들이 아닌 앞으로 상대해야 할 이들의 숫자였다.

프리모가 동원한 병력이 얼마나 더 남았는지 잘 가늠이 되지 않았다. 후퇴를 반복하며 적들을 분리한 뒤 각개 격파한 탓이었다. 그러다 보니 자연히 일행에게서 멀어져, 깊숙한 곳으로 숨어들게 된 탓에 다른 곳의 상황을 짐작할 수 없었다.

가슴이 가쁘게 들썩였다. 아스티나는 강했으나 무적은 아니었다. 당연히 그녀에게도 한계는 존재했다. 피로가 누적된 몸은 처음 적을 상대했을 때와 비교해 확연히 무거웠다. 칼날에 스쳤던 종아리가 특히 따끔했다. 보통 사람들이라면 '따끔'이라는 표현에 혀를 내둘렀을 상흔임을 감안하면 엄살이라 부를 수는 없는 일이다.

아스티나는 인상을 찌푸리며 굽은 다리를 쭉 폈다. 발끝에 방금 상대했던 병사의 팔꿈치가 걸렸다. 굳은 신체를 신경질적으로 걷어차고 나자 그나마 자세가 좀 편해졌다. 아스티나는 만족감에 고개를 뒤로 젖히다가, 그만 피식 웃음을 흘렸다. 시체를 별것 아닌 것처럼 취급하는 나쁜 버릇이 이번 생에도 습관처럼 그녀를 찾아들었다.

슬슬 몸을 일으켜 또 적을 상대하러 가야 할 텐데 근육이 뻐근하다. 아무래도 상황이 나빴다. 검과 한 몸처럼 지냈던 지난 생과 달리, 이번 생엔 한때 절친했던 친우에게 예우를 다하는 것처럼 굴었다. 잊고 지내지는 않았되 결코 이전처럼 간절하게 훈련하진 못했다는 뜻이다.

아스티나가 힘없이 중얼거렸다.

"늙은 건가."

아직 생일이 오지 않았으므로 그녀는 채 스물도 채우지 못한 나이다. 신체적인 나이를 감안하면 이보다 우스운 표현이 또 없었다. 아스티나는 이런 상황에 재미없는 농담이나 중얼거리고 있는 제가 어이없게 느껴졌다. 하지만 분명 왈도를 베었을 때의 그녀는 지친 줄도 모르고 검을 휘둘렀었다.

아스티나는 잠시간 '왕년엔 좋았지'의 논조로 시작하는 과거의 영웅담을 곱씹었다. 그러고는 무수히 좋았던 날들에 대해서 생각했다. 기실, 이번 생에도 그 '좋았던 날'이 없지는 않았다.

아스티나는 소매춤 사이에 숨은 주머니에서 반지 상자를 끄집어냈다. 커다란 다이아몬드가 박힌 웨딩링은 이런 자리에서도 숨 막히게 반짝였다.

손이 피로 얼룩져 있었던 탓에 선뜻 반지를 집어 들 수가 없었다. 다만 두 눈으로 한참을 새기듯 들여다보았다. 아스티나는 결국 이번에도 그것을 손에 끼워 보지 못하고 뚜껑을 닫았다.

오늘의 계획은 이시스에게 테리오드와의 결별 소식을 전하고, 그를 떠나 레테 백작가로 돌아가는 것이었을 텐데 당초 계획이 완전히 뒤틀리고 말았다. 만약 여기서 살아남는다 해도 당장 테리오드를 떠날 수는 없게 될 터였다. 번잡하고 공적인 사안들부터 먼저 마무리해야 할 테니까. 현실적인 문제들을 생각하니 벌써부터 머리가 아파 왔다.

아스티나는 무심코 좋은 끝이란 것에 대해서 생각했다. 누군가 지금 이 자리에서 죽어서 아쉬울 것이 있냐고 묻는다면 그녀는 아마 아니라고 대답할 것이다. 테리오드를 잃은 그녀에게 좋은 일은 하나도 남지 않았다. 이 위기를 모면한대도 벗어나고자 했던 과거에 지긋지긋하게 붙들린 스스로를 매 순간 확인하게 될 뿐일 터였다. 그녀는 혹여나 장난으로라도 신에게 다시 태어나고 싶다는 등의 허무맹랑한 소원을 빈 적이 없었다.

아니. 조금 다른 궤의 바람을 품은 적은 있었나.

'그를 돌려 달라고 간절하게 바라긴 했었지.'

아스티나는 그만 피식 웃어 버렸다. 이루어지지 않은 소망이다. 그럼에도 그녀는 첫 번째 삶을 그럭저럭 잘 끝마쳤다. 스스로를 북돋아 가며 오히려 천지를 손에 틀어쥐고는, 그야말로 아쉽지 않게 죽었다. 그리고 다시 태어났다. 분명 이뤄야 할 것은 전생에 모두 이루었을 테고, 그녀가 바라는 한 가지는 결코 돌려받지 못할 텐데도.

테오도르 없이도 잘 살아가겠다는 오기라도 있었던 전생과 달리 이번 생엔 그마저의 목표조차 없었다. 이유 없이, 그저 숨이 붙어 있으니 살았다. 제게 삶의 이유를 주겠다는 사람을 만났으나 종래에는 그마저도 잃었으니 따라갈 이정표가 더는 없다. 이제는 지쳤다.

아스티나는 한숨과 함께 눈을 감았다가, 그대로 조용히 다시 눈꺼풀을 들었다. 태평하게 엉덩이를 앉히고 있기엔 근방의 피 냄새가 짙었다. 아스티나는 그대로 힘을 주어 몸을 일으켰다.

그녀의 세상은 보통 우울하게 흘러가곤 하나 염세적인 사람의 장점은 현실을 안다는 것이다. 죽음을 고민한대도 그건 여길 빠져나가고 난 이후의 일이 되어야 했다. 그녀에겐 아직 걱정되는 사람이 많았다. 이시스가 잘 도망을 갔을지도 염려되었고, 무엇보다 안으로 진격한 프리모를 상대하고 있을 테리오드도 문제였다.

때마침 뒤편에서 무리 지은 발소리가 들려왔다. 적군이 그녀를 향한 추적이라도 개시한 듯싶었다. 이시스를 잡는 데 총력을 기울여도 모자랄 와중에 한가하게 저를 찾다니. 하기야 제 동료들의 목숨을 무수히 앗은 학살자는 이성으로 대하기 힘든 상대다.

아스티나는 숨을 고르고는 검 손잡이를 고쳐 쥐었다. 초장에 다수를 제압해야 그 후의 싸움이 편하다. 적이 전력으로 상대하기 시작하면 그녀도 부상을 감수해야 했다. 그리고 그렇게 상처가 누적되면 전투 불능 상태에 이르기 십상이다.

아스티나는 속으로 숫자를 셋 세고는 그대로 뛰쳐나갔다. 그러고는 상대의 급소를 향해 서슴없이 칼을 휘둘렀다. 그러나 그녀의 검은 공중에서 가로막혔다. 두 여인은 검을 맞댄 채 잠시간 몸을 굳혔다. 아스티나 쪽의 반응이 특히 거세었는데, 제 건너편에 선 이가 전혀 예상하지 못한 상대였기 때문이었다.

얼빠진 낯의 아스티나를 보며, 앤서린이 곤란하다는 듯 손끝으로 칼날을 두드렸다.

"혹시 저희가 없는 사이 변절을 결심하신 건 아니겠죠?"

심각한 목소리와 달리 얼굴엔 장난스러운 미소가 어려 있었다. 아스티나는 이 상황을 도통 이해할 수 없었다. 아까 분명 이시스와 함께 궁을 벗어났을 앤서린이 대체 왜 여기 있는 것인가. 아스티나가 검을 거두며 얼빠진 얼굴로 되물었다.

"여긴 어떻게?"

아스티나가 이어 번뜩 눈을 크게 떴다. 그녀가 황급히 앤서린에게로 다가서며 물었다.

"─이시스 전하께서는……!"

"쉿, 진정하세요, 대공비 전하. 그대가 구해 주신 목숨, 다시 그대를 위해 불사르러 왔습니다."

앤서린이 그리 말하며 아스티나의 입을 막았다. 앤서린의 입꼬리는 매력적으로 휘어 있었고, 동시에 어투는 지나치게 연극적이었다. 아스티나는 프리모의 추적에 이시스 무리가 붙잡히고, 앤서린이 겨우 도망친 것일지도 모른다는 현실적인 가정을 하나 버렸다. 주군을 잃은 기사치고 앤서린은 지나치게 태평했다. 앤서린의 뒤를 따르는 병사들의 존재도 몹시 의문스러운 바였다.

앤서린이 아스티나를 구석진 곳으로 인도하고는 입을 막았던 손을 떼어 냈다. 앤서린은 혼란스러운 아스티나에게 속사포처럼 상황을 설명했다.

"밖에서 지원을 요청했던 첼본 자작과 합류했습니다. 물론 이시스 전하께선 안전한 곳에 대피해 계시고요. 우선 저흰 흩어진 아군

을 우선해서 구하고 있던 참입니다. 돌아와 보니 부상자가 좀 많았
거든요."

앤서린의 말에 아스티나의 안색이 밝아졌다. 자신을 따라 정문으
로 나와 전면에서 적을 맞아들였던 이들이다. 희생을 감수하고 세
운 작전이긴 하나 그들의 죽음을 결코 덤덤하게 받아들일 수는 없
었으리라. 때맞춰 지원군이 도착해 다행이었다. 아스티나가 안도
한 기색으로 물었다.

"바깥의 병력을 벌써 다 처리하신 겁니까?"

"아뇨, 입구는 하나 더 있지 않습니까."

앤서린이 고개를 저으며 턱짓으로 위층을 가리켰다. 아스티나가
가르쳐 줬던 비밀 통로는 도주에도, 그리고 침입에도 큰 도움이 되
었다. 앤서린이 진지한 투로 이어 작전을 설명했다.

"저희도 병력을 셋으로 나눴습니다. 하나는 정문을, 하나는 후
문을 맡고 남은 하나는 성 안으로 진입해 아군을 구하기로 했어요.
그게 저희입니다. 저희는 프리모가 세웠던 계획을 그대로 갚아 줄
생각이에요."

앤서린의 표정엔 여유가 있었다. 아스티나가 한결 편해진 음성으
로 물었다.

"벤자민 황자 전하께서도 이 안에 계십니까?"

"전력이 하나라도 아쉬운 입장이니 물론요. 아마 그분께선 사람들
을 이끌고 중앙 홀 쪽으로 갔을 겁니다. 프리모는 어디 있습니까?"

"벤자민은 이미 프리모와 만났을지도 모르겠군요. 홀을 둘러싸
지키고 있는 것처럼 상황을 꾸미며, 아마 프리모는 황녀 전하께서 그
안에 숨어 계신 줄로 알고 있을 겁니다."

"좋습니다. 그럼 그리로 함께 가지요."

앤서린이 그리 말하며 아스티나의 어깨를 잡아끌었다. 그러다가는 아스티나의 다리에 난 상처를 발견한 듯 미간을 좁혔다. 앤서린이 대뜸 바닥에 무릎을 굽히고 앉으며 품에서 흰 천 조각을 꺼내들었다. 부상자의 상처를 동여맬 용도로 챙겨 온 물건인 듯했다. 대단한 처치는 아니나 지혈 정도는 가능할 것이다.

앤서린이 꾸중하듯 말했다.

"다치셨으면 말씀을 하셔야지요."

"생과 사가 오가는 곳에서 이 정도 상처가 대수라고요."

"이전부터 느꼈지만 대공비 전하는 참으로 무모하십니다."

아스티나는 물끄러미 앤서린의 정수리를 내려다보았다. 갑작스러운 구원군의 등장에 마음이 동한 것일까, 아스티나가 진심 어린 음성으로 말했다.

"앤서린 후작님. 다시 와 주셔서 감사합니다."

간지러운 감사 인사에 앤서린이 피식 웃었다. 앤서린이 숙였던 몸을 일으키며 옷의 주름을 털었다.

"그런 말씀은 이시스 전하께 하십시오. 그분께선 신변의 안전을 보장받자마자 이곳에 남은 이들을 먼저 걱정해 주시더군요."

"누군가 저를 구하러 와 줄 거라곤 생각지도 못했습니다."

과거엔 그녀 혼자 이곳에 남았었다. 지금처럼 파티에 참석했던 귀족들이 무기를 들고 일어나진 않았지만 왈도를 지키던 근위병을 처리하는 건 모두 그녀의 몫이었다. 길고 외로운 전투 속에서 마티나는 무수한 죽음의 위기를 겪었다. 그때 그녀를 구했던 것은 스스로이자, 곧 그 안에 품은 광증과도 같은 복수심이었다.

그러나 그러한 강렬한 감정이 남지 않은 그녀에게도 승기는 찾아 왔다. 주군 간의 신의라는 다른 이름을 띤 채.

"저희 주인은 블란체의 마지막 왕처럼 신하를 버릴 정도로 심신이 졸렬하지 않으십니다."

앤서린의 농담에 아스티나는 그만 큰 웃음을 터트리고 말았다.

✦ ✦✦ ✦

"대공 전하, 대공비 전하께선…… 괜찮으실까요?"

옆에서 들려온 목소리에 테리오드는 고개를 들었다. 옆에 선 영식이 걱정스러운 표정을 짓고 있었다. 테리오드는 가까스로 덤덤한 낯을 지켰다. 그는 가슴 안에 움튼 불안을 발화하지 않기 위해 무던히도 애썼다. 입 밖으로 내뱉은 걱정이 혹여나 씨가 될까 염려한 탓이었다.

아군이 정문으로 향한 지 꽤 오랜 시간이 지났다. 기약 없는 기다림에 가슴 언저리가 얹힌 듯이 불편했다. 테리오드가 애써 단호하게 말했다.

"물론, 그녀는 무사할 거라네. 여기서 최후까지 살아남을 한 사람을 꼽는다면 그건 아마 그녀가 될 거야."

농담처럼 덧붙인 뒷말이었지만 과장은 아니었다. 테리오드의 말을 이해하지 못한 영식이 이상하다는 듯한 눈으로 그를 응시했다. 테리오드는 상대가 자신을 사지로 부인을 내몬 파렴치한으로 생각하는 것에 크게 개의치 않았다. 저치가 살아남는다면 아스티나의 무위를 확인할 수 있을 테고, 죽는다면 그 의문조차 의미 없게 되리라.

때맞춰 멀리서 소란스러운 소리가 들려왔다. 테리오드가 짧게 탄식하듯 중얼거렸다.

"방어가 뚫렸군."

"이시스 전하께선 대피를 다 하셨을까 모르겠습니다."

"그렇게 믿고 싸워야겠지."

테리오드가 다짐처럼 중얼거리며 검을 들었다. 애초에 선두에서 모두를 막으리라고 기대한 건 아니었다. 아무리 대단한 장수라도 준비되지 않은 전투에선 어려움을 겪는 법이다. 그들 중에선 무기를 소지하고 있던 이도 손에 꼽았으니 이시스를 무사히 밖으로 빼내기만 해도 천운이라 하겠다.

어차피 이곳에 도망칠 구석은 없다. 이길 수 없는 싸움이라면 보다 많은 적을 저승길 동무로 끌고 가야 수지가 맞을 것이다. 테리오드는 오히려 맞서 싸울 시간이 다가왔음이 기꺼웠다. 그는 타인의 목숨을 방패 삼아 살아남는 일엔 도통 면역이 없었다.

홀을 둘러싸고 있는 이들을 발견한 적군의 눈에 희열이 스쳤다. 호위 뒤에 숨어 있을 누군가를 예상이라도 한 듯했다. 테리오드는 멀리서 가까워지는 익숙한 얼굴을 발견하고는 미간을 좁혔다. 프리모였다. 복수를 갈망한 나머지 이곳으로 직접 뛰어든 걸까. 어리석은 선택이었다. 차라리 군대를 보내고 본인은 뒤에 숨어 있는 편이 안전했을 것이다. 여기 있는 모두가 프리모를 저승길 친구로 삼는 것만을 목표로 하게 될 테니.

테리오드는 근방의 영식들과 눈빛 교환을 마치고는 적을 향해 달려 나갔다. 대단한 부인에 의해 묻히는 감이 없지 않아 있지만, 그 자체도 숙련된 기사였다. 엉성한 자세의 용병을 베어 내는 건 숨 쉬는 것보다 쉬웠다.

문제는 숙련된 기사를 상대할 때 발생했다. 틈새를 찌르고 들어오는 속도만 봐도 수준이 달랐다. 그들은 눈에 띄는 전력부터 해치우려는 눈치였다. 한꺼번에 다수가 달려듦에야 상대하기가 버거웠다. 영식들 여럿이 프리모에게 다가서려고 고군분투하고 있었으나 단단한 호위 대열은 쉽게 무너지지 않았다.

테리오드는 벽에 등을 대고는 달려드는 기사의 배를 걷어찼다. 잠깐의 틈 사이로 검이 날아들었다. 가까스로 자세를 낮춘 테리오드가 그대로 달려들어 상대의 복부를 찔렀다. 피를 흘리며 쓰러진 이 너머로 또 다른 병장기가 등장했다.

적과 적, 그리고 또 적이다. 고함 소리에 귀가 아득했다. 기계적으로 날아드는 검을 받아치고 상대를 찔렀다. 피로 젖은 팔에 뻐근한 감각이 덧입혀져 도통 제 것 같지 않았다.

테리오드가 목에 힘을 주어 소리쳤다.

"프리모, 호위 뒤에 숨어 부끄럽지도 않은가!"

그 외침을 들었는지 프리모의 시선이 테리오드를 향했다. 프리모는 조금 자존심이 상한 표정이었지만, 무참한 몰골의 테리오드를 보고는 이내 입꼬리를 비틀었다.

"이게 누구야. 쥐새끼처럼 내 누이에게 가 붙은 대공이 아닌가?"

맞서 싸우는 것만도 벅찬 상황이었기에 테리오드는 어떤 대답도 하지 못했다. 실로 힘겨운 발악이었다. 반면 이곳까지 들어오는 동안 프리모는 숨소리 하나 달라지지 않았다. 프리모는 대놓고 지친 테리오드를 조롱했다.

"대의도 모르고 계집 뒤에 숨어 사내 망신은 다 시키더니, 제법 잘 어울리는 꼴이군 그래."

프리모가 그리 말하며 왼쪽 입꼬리를 끌어 올렸다. 통로를 지키던 영식들을 끌어낸 병사 무리가 잠긴 문을 부수기 시작했다. 프리모는 거침없는 걸음으로 문 앞에 다가갔다. 이 안에서 두려움에 몸을 떨고 있을 누이를 생각하자 참을 수 없이 즐거워졌다.

프리모가 모두에게 들리도록 소리쳤다.

"이시스! 내 말이 들리느냐! 네가 사지로 보낸 오라비가 너를 죽이기 위해 돌아왔다!"

금속으로 된 대문까지 뚫고 들어온 상황이다. 나무로 만들어진 문을 부수는 건 너무도 손쉬웠다. 양 문의 틈새로 칼을 쑤셔 넣어 잠금쇠를 부수자 금세 실내가 드러났다. 프리모는 기세등등하게 호위와 함께 안으로 걸어 들어갔다. 그러나 그는 곧 걸음을 멈춰 세웠다. 믿을 수 없다는 듯 사위를 돌아보고는, 미친 사람처럼 테이블 밑과 커튼 뒤를 살폈다.

이시스가 없었다. 그가 보냈던 자객들이 쓰러져 있는 걸 보면 미리 계획한 습격이 성공한 것도 아니었다. 산 채로 붙잡아 놓으라고 명령했었던 대공비마저 사지 멀쩡히 돌아다니고 있었으니, 이시스를 맡았던 쪽이라고 썩 일을 잘 해치웠을 것 같진 않았다.

프리모는 이를 갈았다. 1층에 모두가 몰려 있기에 이시스도 영락없이 이곳에 숨은 줄 알았거늘, 도주를 위해 제법 머리를 쓴 모양이었다. 2층에도 병력을 올려 보내긴 했지만 비교적 소수였다. 만일 이시스가 그 틈을 타 정문으로 향한다면 일이 곤란해진다. 프리모가 데려온 병력의 대부분은 여기 붙잡혀 있으니 말이었다.

프리모가 분노 어린 음성으로 소리쳤다.

"대공을 끌고 와!"

테리오드는 프리모의 목소리를 듣고는 피식 웃음을 터트렸다. 생명의 위협을 받는 불리한 상황이었으나 프리모를 제대로 속여 넘겼다는 생각에 통쾌해지는 건 어쩔 수 없었다.

그러나 프리모의 불행은 테리오드 개인에게 매우 안 좋은 방식으로 전가되었다. 프리모의 명에 주변에 있던 기사들이 모두 테리오드를 향해 달려든 것이다. 칼에 찔릴 것을 감수하고 팔을 붙잡아 온 용감한 자 덕분에 테리오드는 그만 검을 빼앗기고 말았다. 그는 사지가 붙들린 채 그대로 홀 안으로 끌려갔다. 포박에서 벗어나기 위해 버둥거렸으나 이미 몸이 지친 상태였다. 장정 여럿의 힘을 당해 낼 수는 없었다.

테리오드는 속으로 욕설을 뇌까렸다.

'차라리 짐승이 되어 버리는 편이 낫겠군.'

밤까지 이어질 연회를 감안하여 생체 리듬을 맞춰 둔 상태였다. 짐승이 되는 저주는 원치 않을 땐 그의 삶을 잘도 망가뜨리더니, 이런 위기엔 도무지 도움이 되는 법이 없었다.

프리모는 테리오드를 억지로 꿇어 앉히게 시켰다. 테리오드는 굴욕적으로 무릎을 굽혔다. 다만 프리모를 노려보는 눈빛에만은 힘이 빠지지 않았다.

프리모가 싸늘히 물었다.

"이시스는 어디 있지?"

그와 동시에 바깥에서 커다란 비명이 들려왔다. 고통을 부르짖는 신음 소리에 테리오드는 입술을 깨물었다. 저 목소리의 주인공은 테리오드의 편일 가능성이 극히 높았다. 반면 프리모는 어떠한 타격감도 느끼지 못한 듯 귀찮다는 양 오른손을 휘저었다.

"시끄러우니까 문 좀 닫아."

곧 소음이 단절되었다. 희미하게 바깥소리가 들려오긴 했으나 문을 열어 두었을 때와 비교하면 확연히 조용했다. 술과 음악이 함께하는 장소이기 때문인지 방음이 잘되는 듯했다.

프리모는 검을 들어 테리오드의 목에 겨누었다. 테리오드는 그 깨끗한 칼날에 잠시간 시선을 주었다. 아무래도 오늘, 프리모가 이 물건을 사람에게 쓴 것은 이번이 처음인 듯했다. 테리오드는 그만 비웃음을 흘리고 말았다. 반짝이는 칼날에 침이라도 뱉어 주고 싶은 충동이 들었다.

프리모가 몸이 단 기색으로 재차 물어 왔다.

"진실을 말한다면 최소한 존엄한 죽음을 맞이하게 해 주지. 이시스는 어디 있지?"

"그분께서 네 계략에 말려들 정도로 허술하시다고 생각했나?"

테리오드가 입꼬리를 비틀며 되물었다. 프리모는 대공의 언사에 큰 불쾌감을 느꼈다. 이시스를 향한 높임말과는 달리 저를 향한 호칭엔 무시가 역력했기 때문이다.

프리모는 제 증오스러운 누이, 이시스를 떠올리며 이를 앙다물었다. 제게 황위를 선물하는 척 계책을 속삭이더니 결국 그의 몫을 앗아 삼켜 버린 배신자다. 뱀 같은 누이에게 농락당해 빼앗긴 것들을 생각하면 도무지 화가 가시질 않았다. 프리모가 거칠어지는 숨을 가라앉히며 대답했다.

"입은 살았군, 대공. 하지만 그대의 결단이야말로 어리석었지. 나를 따랐다면 이 자리에서 죽을 일은 없었을 테니까 말이야."

바깥에서 희미하게 함성 소리가 들려왔다. 불분명한 발음 탓에 뜻을 알아들을 수 없었음에도, 승리한 자의 기쁨만은 그대로 묻어 나왔다. 승기를 잡은 자가 누구일지는 너무도 분명한 바였다. 프리모의 얼굴에 만족스러운 미소가 떠올랐다. 테리오드는 핏기 가신 입술을 깨물었다.

프리모가 비웃듯이 말했다.

"네 선택은 실패했어. 인정해라."

'네 선택'이라. 테리오드는 그 표현에 약간의 이질감을 느꼈다. 이시스의 세력이 된 것을 테리오드의 선택이라고 말할 수는 없었다. 아스티나를 믿었고 그녀에게 무엇이든 해 주고 싶었다. 그녀를 택한 것과 치환해 생각한다면 결국 그가 내린 선택이란 말도 틀리지만은 않을까. 그렇다면 실패한 선택이라는 표현엔 아스티나 역시 포함되는 것인가.

그러나 과거의 선택을 후회하기 시작하면 그는 아무것도 아닌 사람이 되어 버릴 뿐이다. 목숨을 바쳐 마땅하다고 여겨 내린 결정이었기에 테리오드는 지금 이 순간이 그리 두렵지 않았다. 오히려 죽음이란 것은……

테리오드는 문득 영면을 눈앞에 둔 제 기분이, 놀랍도록 평온하다는 사실을 깨달았다. 그에겐 살아서 괴로울 일들이 많았고, 또한 죽어서 남을 아쉬움은 없었다. 한때 삶이란 것을 욕망한 적도 있으나 결국은 헛된 바람이라는 결론을 얻었을 뿐이다. 타인의 온정에 기대어 얻었던 삶은 결국 버려지고 짓밟혔다.

그럼에도 그에게 남은 미련 하나가 있다면 바로 그 타인이겠지.

테리오드가 마른 입술을 달싹여 물었다.

"마지막으로 하나만 묻지. 대공비는 무사한가?"

"내가 대답해 줄 의무가 있나? 네놈도 이시스의 행방을 알려 주지 않을 모양인데."

"답을 해 준다면 행방을 말하겠다."

테리오드가 선선히 대꾸했다. 어차피 이시스의 행방을 말하자마자 프리모는 그의 목을 벨 것이다. 잠깐 거짓으로 그를 속여 원하는 것을 얻어 낸대도 문제는 없으리라.

테리오드에게서 옅은 희망을 보았을까, 프리모의 눈에 가학적인 빛이 맴돌았다. 프리모가 쏘아붙이듯 내뱉었다.

"그년은 이미 죽여 치운 지 오래다."

테리오드는 순간 짧게 숨을 들이켰다. 심장을 얼음물에 빠트리기라도 한 기분이었다. 호흡이 어려웠다. 테리오드가 가까스로 이를 악물며 쏘아붙였다.

"거짓말."

"내 말이 진실인지, 거짓인지는 저승에서 직접 확인할 수 있겠지."

프리모가 삐뚜름하게 미소 지었다. 대공비의 죽음을 말하자마자 일그러지는 대공의 표정을 보자 조금은 화풀이가 되었다. 프리모는 제가 한 말이 딱히 거짓 같지도 않았다. 대공비가 생각 외로 선전하긴 했으나 설마하니 지금까지 버티진 못했을 터였다. 아마 바깥에 남은 그의 수하가 처리한 지 오래겠지.

프리모는 미련 없이 테리오드에게서 뒤돌아섰다. 원하는 답을 주지도 않을 사람을 붙들고 시간 낭비를 할 생각은 없었다. 어차피 이곳은 막힌 공간이다. 이시스가 어디 숨어 있든 그녀를 찾아내는 건 시간문제였다. 프리모는 2층으로 올라가 직접 수색하기로 마음 먹었다.

프리모가 작별 인사를 하듯 오른손을 흔들며 문가로 향했다.

"대공을 성의껏 잘 보살펴 드려라. 나머지는 나와 위로 올라가 수색대와 합류한다."

테리오드는 크게 동요하진 않았다. 예고된 사살이었으므로 별다른 충격은 없었다. 전장은 사람을 죽이는 일에 무뎌지는 공간이었다. 그 상대가 자신이 된대도 그리 이상한 일은 아니다. 제게 겨누어진 검을 보며 테리오드는 자신이 아닌 타인의 죽음을 생각했다.

프리모의 말이 사실일까. 프리모가 이곳까지 뚫고 들어온 것을 생각하면 신빙성이 없진 않았다. 그러나 도무지 현실감이 느껴지지 않는다. 무사하라는 테리오드의 당부에 아스티나는 분명 그러겠다고 답했다. 적을 향해 자신감 있게 달려 나가던 그녀의 등이 아직 눈에 선연했다.

테리오드는 그만 헛웃음을 터트리며 고개를 숙였다. 프리모가 자신을 끝까지 비참하게 만들 계산이었다면 실패했다. 테리오드는 아스티나의 죽음을 받아들일 생각이 없었다. 설령 그게 진실이라 해도 믿지 않을 것이다.

"이 상황이 재밌나?"

그를 지켜보던 기사가 심기 불편한 목소리로 물어 왔다. 적을 놀리고자 함은 아니었는데 제법 열이 받은 얼굴이다. 테리오드가 느슨히 고개를 젖히며 말했다.

"곧 죽을 송장에게 관심들이 과하군. 어서 베어라."

"성의껏 잘 보살피라는 말씀이 무슨 뜻인지 이해 못 한 모양이군."

사내가 이를 갈며 테리오드의 목덜미를 짓눌렀다. 바닥에 부딪힌 턱이 얼얼했다. 고개를 겨우 왼편으로 돌려 위를 살피자, 사내가 제 몸을 보며 칼을 박아 넣을 위치를 가늠하는 것이 보였다. 테리오드는 프리모가 잔인한 성정의 소유자였다는 사실을 새삼 떠올렸다. 그가 제안했던 존엄한 죽음을 거절했으니 아마 테리오드는 오래도록 고통받아야 할 것이다.

아니나 다를까 기사는 곧 테리오드의 쇄골 부근에 칼을 찔러 넣었다. 칼날을 비틀자 상흔을 불로 지지기라도 하는 느낌이 들었다. 몸을 뒤틀었으나 묶여 있던 손목만 죄어 왔을 뿐이다. 테리오드는 이를 악물고 겨우 신음을 눌렀다.

"아으윽······!"

온몸에 식은땀이 흘렀다. 테리오드가 숨을 헐떡이며 노려보자 사내가 입꼬리를 비틀었다.

"급소는 비껴갔으니 안심하십시오, 대공. 일찍 보내 드리면 재미가 없지 않습니까?"

존대는 명백히 조롱을 위한 것이었다. 사내가 테리오드에게 박아 넣은 검을 놓으며 품 안에서 작은 단도를 여러 개 꺼냈다. 그가 테리오드의 눈에 대고 그중 하나를 흔들며 말했다.

"이건 어디에 꽂아 드릴까요?"

그러나 남자의 자신만만한 표정은 오래가지 못했다. 프리모가 문을 열기도 전 다수의 사람들이 안으로 쏟아져 들어온 것이다.

"이 무슨 소란이······!"

이게 무슨 일이냐며 성을 내려던 것도 잠시, 프리모는 믿을 수 없다는 듯 눈을 가늘게 떴다. 예상치 못한 상황에 당황한 표정을 채 숨겨 내지도 못했다. 이곳으로 쳐들어온 건 프리모가 데려온 군이 아니었다.

선두에 선 벤자민이 모두에게 들리도록 소리쳤다.

"프리모 황자를 붙잡아라. 산 채로 끌고 갈 것이나 반항할 시 베어도 좋다!"

놀란 건 프리모뿐만이 아니었다. 적에게 명줄을 내주고 있었던 테리오드조차 당혹을 금치 못했다. 이시스를 밖으로 인도했어야 할 벤자민이 왜 여기 있는 것인가. 문 너머로 넘겨 비치는 상황도 테리오드의 예상과는 조금 달랐다. 쓰러져 있으리라 생각했던 아군은 멀쩡했으며, 승기를 잡았던 적군이 대신 바닥에 머리를 누이고 있었으니까.

무심코 몸을 일으키려는데 옷깃이 붙들렸다. 기사가 당장 테리오드의 목을 감싸며 그 위에 검을 겨눈 것이다.

"씨, 씨발, 이게 뭐야?"

테리오드의 머리 위로 욕지기가 쏟아졌다. 반사적인 응대치고 남자의 선택은 효율이 좋았다. 벤자민과 함께 들어온 병사들이 그들에게 다가오려다 말고 주춤이고 있었으니까.

테리오드는 상황을 파악하려 벤자민이 선 쪽을 응시했다. 벤자민은 프리모의 호위들을 상대하느라 정신이 없어 보였다. 그 뒤로도 아는 얼굴이 몇 눈에 들어왔다. 분명 벤자민과 함께 떠났을 앤서린 후작과 이곳을 지켰던 영식들, 그리고…….

"더 다가오지 마! 대공의 신변은 내 손에 있다!"

목에서 느껴지는 아릿한 통증에 테리오드는 반사적으로 숨을 들이켰다. 그러나 제 목에 겨눠진 칼은 더 이상 관심 범위에 있지 않았다. 먼 곳에 서 있던 그녀만이 눈에 들어왔다. 아스티나는 제자리에 굳은 채 좀처럼 몸을 움직이지 못하고 있었다.

아, 역시 거짓말이었구나…….

아스티나의 생존을 확인하고 안심한 것과 동시에, 순간 파멸적인 생각이 테리오드를 감쌌다. 그녀는 그의 죽음에 슬퍼해 줄까. 잊지 않고 오래도록 기억해 줄까.

기억해 준다면, 그것은 테오도르에게 바쳤던 것만큼 긴 시간일까.

비참한 연산에 테리오드는 그만 이를 악물었다. 그는 어느덧 이렇게 바닥까지 치달아 있었다. 그녀가 그를 끌어안고 마주 입 맞춰 줄 때, 입가에 어렸던 장난스러운 미소만은 꼭 진실처럼 반짝였었다. 차라리 평생 그 빛에 홀려 있는 편이 좋았을 것을.

"테리오드!"

아스티나가 희게 질린 얼굴로 소리쳤다. 그 손의 떨림을 보았을까, 테리오드를 위협하던 기사가 만족스러운 기색으로 물러섰다. 지금은 이 은빛 머리칼의 주인이 그의 생명줄이나 마찬가지였다.

그러나 사내는 채 다섯 걸음을 물리기도 전, 칼이 들려 있던 손을 붙잡으며 주저앉고 말았다. 그의 손목엔 긴 단검이 꼬챙이처럼 꿰어 있었다. 대공을 고문하기 위해 으스대듯 꺼내 들었던 날붙이였다.

"당신."

붙잡혀 있던 인질이 나지막이 그를 불러 왔다. 테리오드가 그의 흔들리는 눈을 보며 말했다.

"비수는 깊숙한 곳에 숨겼어야지."

"끄아악!"

테리오드가 다른 칼로 그의 무릎 위를 짓이겼다. 비명을 지르는 사내에게로 병사들이 달려들었다. 굳이 직접 마무리를 할 필요도 없었다. 테리오드는 숨을 헐떡이며 단검을 떨구었다. 젖 먹던 힘까지 다해 칼을 쓴 덕분에 안 그래도 뒤틀렸던 손목이 비명을 지르고 있었다. 단단히 묶여 있던 끈을 억지로 잘라 낸 통에 살갗에 상처까지 남았다. 도무지 몸을 일으킬 힘이 없었다.

다행인지 불행인지 전투는 그 하나 빠져도 아무렇지 않을 만큼 아군에게 우세했다. 테리오드는 희끄무레한 눈으로 천장을 올려다보다가, 피로함에 그만 눈을 감았다. 이윽고 그의 감긴 눈 위로 그림자가 졌다. 어느새 그의 앞으로 다가온 듯, 아스티나가 병사들에게 나직이 명령하는 소리가 들렸다.

"비켜라."

병사들이 테리오드를 인질로 삼았던 기사를 포박하다 말고 재빠르게 일어섰다. 아스티나는 그 앞으로 성큼 다가서더니, 사내의 어깨 위로 칼을 박아 넣었다. 자비 없이 몸을 꿰뚫은 칼이 허리를 비집고 나왔다. 가공할 악력이었으나 더 두려운 것은 의도 쪽이었다. 몸에 난 구멍에서 무섭게 피가 쏟아졌다. 남자는 한계 이상의 피를 쏟을 때까지 내내 고통스러워하다가 죽을 것이다. 병사 하나가 토끼 눈을 뜨더니 조심스럽게 끼어들었다.

"대, 대공비 전하. 이시스 전하께서 취조가 필요하니 귀족들은 살려 두시라고……."

"이깟 버러지 하나쯤 더 죽어 나간다고 문제 될 것은 없네."

아스티나가 싸늘하게 말을 잘랐다. 테리오드는 아스티나 쪽을 의도적으로 보지 않았다. 제게로 향한 그녀의 시선을 느낀 탓이었다. 테리오드를 빤히 쳐다보던 아스티나가 이내 한숨처럼 말했다.

"대공 전하의…… 지혈을 좀 부탁하지."

"예, 옙."

아스티나의 명에 따라 병사가 테리오드에게 다가와 환부를 확인했다. 테리오드의 어깨에 붕대가 감아지는 사이 장내는 대강 정리가 되었다. 테리오드는 포박된 채 이끌려 나가는 프리모를 보며 속으로 중지를 들어 올렸다. 실제로 행하지 못한 건 손 하나 까딱하지 못할 만큼 지쳤기 때문이었다.

별다른 구급품이 없었기에 지혈은 환부를 동여매는 선에서 마무리되었다. 대강 처치를 마친 병사가 이번엔 아스티나에게 다가갔다.

"대공비 전하께선 괜찮으십니까? 상처가…….."

"난 괜찮네. 다른 이들을 봐 주는 게 낫겠군."

아스티나가 담담하게 거절했다. 대공 부부 사이의 묘한 기류를 느낀 것일까, 근처에 있던 병사들이 눈치를 보더니 문가를 나서던 아군의 뒤를 따라붙었다. 정리를 마쳤는데 싸움터에 굳이 남아 있을 이유는 없었다. 우두머리를 잡았으니 이젠 잔당을 수색할 시간이었다.

아스티나와 테리오드는 모두가 홀을 떠날 때까지 자리를 지켰다. 마침내 사방이 조용해졌다. 테리오드는 끙끙거리며 몸을 뒤로 당기고는 기둥에 등을 기댔다. 피를 많이 흘린 탓에 머리가 어지러웠다.

적막함은 쉬이 끊기지 않았다. 한참 뒤에야 테리오드가 항복하듯 먼저 입을 열었다.

"다치셨습니까."

"그대만 할까."

아스티나가 날카롭게 받아쳤다. 그에 테리오드가 피식 웃음을 터트렸다.

"그렇군요. 인질이라니, 제가 좀 우스운 꼴이었죠."

이어 테리오드의 입가가 서서히 굳어 들었다. 어깨의 통증은 여전했으나 그보다 신경 쓰이는 건 상상이 가지 않는 그녀의 표정이었다. 그럼에도 테리오드는 좀처럼 고개를 들지 못했다. 그는 그녀를 보고 싶지 않았다. 그것은 원망보다는 두려움에 가까운 감정이었다.

한 번 뚫린 입은 침묵을 이기기 위해 아무 말이나 뱉어 냈다.

"벤자민 전하와 앤서린 후작은 어떻게 된 건지 모르겠군요. 지원이 벌써 도착하리라고는 생각지 못했습니다. 만일 도착이 늦었다면 정말 죽었을지도—"

"테리오드."

나직한 부름에 테리오드는 마침내 고개를 들어 아스티나를 응시했다. 그녀의 목소리에 어린 떨림을 느낀 탓이었다.

"……죽으려고 했어, 내가 떠나면?"

테리오드는 거짓말을 내뱉기도 전 깨달았다. 이미 들켰다는 걸.

테리오드는 부정하거나 변명하지 않았다. 상관없는 일 아니냐며 매섭게 쏘아붙이지도 않았다. 아스티나의 말이 사실과 다르지 않았으니까. 아스티나는 오늘 이 자리를 마지막으로 그에게서 떠날 예정이었다. 또 다른 구원의 열쇠가 되었던 여자는 그보다 이르게 돌려보냈다. 홀로 남은 괴물은, 심지어는 괴물로 살아남을 자신마저도 없었다.

"죽을 작정이었냐고 물었어."

아스티나는 주먹 쥔 손에 힘을 주며 재차 되물었다. 테리오드가 마침내 쓰게 대답했다.

"약속을 매번 어기는군요."

테리오드의 목소리는 온화했다. 이 장소마저도 조금 전까지 전투가 있었다고는 믿지 않을 만큼 평온하다. 아스티나는 차라리 자신이 꿈을 꾸고 있다고 생각하고 싶어졌다. 그러나 주변에 쓰러진 시체들은 잔인하게도 이것이 현실임을 증명했다. 그리고 테리오드 역시, 저 중 하나가 될 수도 있었다.

아스티나는 그제야 제 몸이 몹시 떨리고 있음을 깨달았다. 그녀는 보았다. 그의 눈에 서렸던 잠깐의 결단을. 그는 그 순간만은 진실로 칼날이 제 목줄기로 파고들길 바랐다.

아스티나는 결국 테리오드를 노려보았다. 빨갛게 달아오른 눈에서 그녀가 품었던 걱정은 내비치지 않기 위해 애썼다. 그가 죽을지도 모른다는 생각에 느꼈던 두려움을 조롱당한 기분이었으니까.

"나한테는, 잠깐 아프고 나을 수 있을 거라고 했잖아. 괜찮아질 거라고 말했잖아. 그런데 그대가 내린 결론이 고작 이거였나? 차라리 나에게 복수하고 싶었다고 하지 그래, 내가 그대로 인해 괴롭길 바랐다고!"

테리오드는 입을 열지 않았다. 아스티나의 목소리에 더욱 악이 담겼다.

"이럴 거면 내가 같이 죽어 주겠다고 했을 땐 왜 거절했지? 나와는 죽음마저도 함께하기 싫었나? 나를 배려하는 것처럼 달래 왔으면서, 어쩜 이렇게 끝까지 잔인할 수가 있지?"

"……."

"대답해, 변명이라도 좋으니까 제발!"

테리오드는 아니라고 대답하고 싶었다. 그녀는 그 없이도 잘 살 수 있을 줄 알았다고 말하고자 했다.

그는……. 그녀의 진짜가 아니었으니까.

테리오드는 입을 열려다 말고 순간 몸을 굳혔다. 아스티나의 반응은 그가 예상했던 것보다도 거세었다. 테리오드는 문득 아스티나가 아닌, 그녀 뒤의 오래된 고성을 눈에 담았다. 테리오드가 홀린 듯이 중얼거렸다.

"블란체 성……."

과거의 장소다. 또한 과거의 연인과 닮은 남자다. 스스로의 미련함에 테리오드는 그만 광소를 터트릴 뻔했다. 블란체 성은 그녀의 지난 기억이 응집되어 있는 공간이었다. 그곳에서 자신이 감히 죽음을 말했다. 아스티나에게 테리오드의 위기는 마치 과거의 반복처럼 비쳐졌을 것이다. 이미 죽고 없는 그녀의 옛 연인을 뒤따라가는 것이나 마찬가지였으니까. 테리오드는 그녀에게 똑같은 자리에서, 똑같은 상처를 줄 뻔한 셈이었다. 그녀의 분노나 걱정은 자신에게 돌아올 것이 아니다. 그녀가 자신에게서 다른 누군가를 보고 사랑했듯이.

테리오드의 얼굴에서 동요가 지워졌다. 그가 알 만하다는 듯 자리에서 일어섰다. 그러고는 조소하듯 덧붙였다.

"당신도…… 참 대단해."

"……."

"이런 오해 반갑지 않아."

"그게 무슨—"

"알잖아요? 당신이 사랑하던 남자는 이미 죽었어."

테리오드는 그녀를 할퀴듯이 말했다. 다만 그녀의 과거는 양날의 검 같은 것이라, 그녀를 아프게 하기 위해선 스스로의 상처도 같이 찔러야 했다. 테리오드는 충분히 고통스러웠으므로 아스티나의 동요 역시 예상할 수 있었다.

아니나 다를까 아스티나가 멈칫했다. 테리오드는 물끄러미 그런 아스티나를 쳐다보다가, 그대로 지친 몸을 끌어 밖으로 향했다. 돌아서는 걸음이 휘청였다.

아스티나는 그를 붙잡지 못했다. 그녀는 테리오드가 문을 나서, 복도 밖으로 향할 때까지 제자리에 멈춰 서 있었다. 그녀조차도 의심했으니까. 자신이 지금 테오도르를 생각한 것인지, 혹은 테리오드를 생각한 것인지.

그녀가 여러 번 감탄했을 정도로 이 공간은 그럴듯하게 보존된 상태였다. 심지어는 오늘 일어난 일마저도 그녀가 살았던 역사와 닮았다. 아스티나는 혼란스러웠다. 그에게 오는 순간만큼은 오로지 테리오드만을 생각했다. 혹 이곳이 옛 기억에 있는 장소라 하여 정말 옛 연인까지 떠올리고 만 것인가?

나는 정말 지금, 테오도르를 생각한 걸까?

아스티나는 불현듯 숨을 들이켰다. 고개를 들어 주위를 둘러보았다. 제자리를 돌며 마주한 연회장은 과거의 기억과 놀랍도록 똑 닮은 모습이었다. 피에 젖은 손, 가슴께로 늘어진 붉은 머리칼. 반짝이는 샹들리에와 금빛의 기둥. 그녀 옆에 스러진 죽은 몸과 병장기들까지. 맨발로 디딘 바닥마저도 어느 하나 다른 것 없이, 마치 그 날로 돌아가기라도 한 것처럼.

그러나 그녀는 흰 무희 옷을 입고 있지 않았다.

아스티나는 계산도 하지 않고 자리를 박찼다. 그대로 달음박질쳐 문가까지 다다랐다. 그러나 아스티나는 곧바로 걸음을 멈춰 세우지 않을 수 없었다. 익숙한 등이 그녀를 기다리고 있었기 때문이다.

"테리오드."

아스티나가 떨리는 목소리로 테리오드를 불렀다. 그러나 발걸음 을 떼기도 전, 테리오드가 그녀를 제지했다.

"오지 마."

"……."

"나도 내가 왜 여기 남아 있는지 모르겠어. 당신한테 받는 거면 동정이라도 좋은 건지."

테리오드가 돌아섰다. 그의 얼굴은 끔찍하게 일그러져 있었다.

"나를 사랑하지 않아도 된다고 했으면서, 아직 빌어먹게도 희망 같은 게 남아 있었나 봐."

테리오드가 그렇게 말하며 얼굴에 흐른 눈물을 닦아 냈다.

"그대는 늘 그랬던 것처럼 모른 척 돌아서, 나는 곧 괜찮아질 거야."

그러나 아스티나는 늘 그랬던 것처럼 그를 버리지 않았다. 대신 묻어 왔던 질문을 꺼냈다.

"왜 그녀를 보냈어?"

테리오드의 눈이 다소 크게 뜨였다. 그는 대공비에게 클로에의 부재를 전하지 말라 집사에게 당부해 두었었다. 클로에가 직접 작 별 인사를 건네고 가리라고는 예상치 못했으므로, 그로서는 아스티나가 클로에가 떠났다는 사실을 알고 있다고는 생각지 못했었다. 망설이던 테리오드가 변명하듯 말했다.

"그녀가 가겠다고 한 것뿐이야."

"막을 수도 있었겠지."

테리오드의 대답은 말이 되지 않았다. 대공의 부름을 받고 온 평민이 감히 그의 허락도 없이 돌아갈 수는 없다.

결국 테리오드는 힘겹게 진심을 입에 담았다.

"당신이……."

"……."

"당신이 아니라서. 그래서 보냈어."

눈두덩 아래로 흐르는 눈물이 좀처럼 그치지 않았다. 우습게도 그에겐 그녀밖에 없었다. 두 손 가득 무겁게 쥔 사랑이 벅차 그녀와 나누어 들길 바랐다. 그 짐 같은 마음은 지금까지도 미련으로 남았다.

테리오드는 스스로가 더없는 얼간이처럼 느껴졌다. 매정히 끝을 말하며 돌아서 놓고도 이 자리에 남은 것이 그러했고, 그녀에게 마지막으로 매달리고 싶은 저열한 속내가 그러했다.

"내가…… 나를 테오도르로 생각해도 괜찮다고 하면, 무엇이 달라질까?"

테리오드가 젖은 볼을 닦아 내며 물었다. 그의 눈엔 비참한 순응이 어려 있었다. 아스티나는 테리오드가 스스로를 대용품 이상의 가치로 여기지 못하게 만든 것이 바로 자신이라는 사실을 알았다. 그녀는 그가 품었던, 그리고 지금도 버리지는 못했을 생각을 똑같이 읽어 냈다.

"당신이 말했잖아. 그건 과거의 반복일 뿐이라고. 우리는 다시 괴로워질 뿐일 거야."

"내가 괜찮다면? 내가 참을 수 있다면······, 그래도 안 되는 건가?"

"테리오드, 어쩌면 그대의 말이 맞을지도 몰라. 우린 서로를 모를 때 더 괜찮은 사람들이었다고."

아스티나의 매정한 거절에 테리오드가 주먹 쥔 손에 힘을 주었다. 곁에 남겠다는 그녀를 거절했던 것은 자신이면서, 그녀가 제 결심을 받아 주지 않는 것이 더없이 원망스러웠다. 매번 엇갈리는 그들의 간절함은, 애초부터 그들이 맞지 않는 짝이라는 방증인지도 모른다.

"제기랄, 미래의 후회가 무슨 소용이지? 당장 지금 숨을 쉴 수가 없어. 몇 번이고 함부로 이별을 말했던 그날을 후회해. 당장 그날로 돌아가 그대를 끌어안고 싶다가도, 차라리 잘된 거라고 스스로를 위안하지."

테리오드가 제 안의 고인 무언가를 쏟아 내듯 가쁘게 말했다.

"가끔은 그대가 없어도 괜찮을 것같이 느껴질 때가 있어. 그런데 결국은 아니야. 하루를 그럭저럭 보내다가도 홀로 남으면 불현듯 공허해져. 오기처럼 이를 악물고 버텨 내듯 하루를 지새워. 그런 식으로 비루먹은 매일을, 그저, 그저 살아."

테리오드가 일그러진 얼굴을 감쌌다. 그녀가 자신을 그로 보는 것이 싫었다. 차라리 그녀가 제 뺨에 칼을 대는 편이 나았다. 이 미칠듯한 의심이 스스로를 좀먹게 두는 대신.

"나는······ 그러기가 싫었어. 이런 걸 삶이라고, 희망이라고 붙들고 있는 게 비참했으니까, 그래서—"

테리오드는 스스로를 주체할 수 없었다. 본인조차 속였던 이성 속에서 추악한 본심이 밀고 나왔다. 테리오드가 고개를 들어 그녀를 보았다. 그가 그녀에게 내걸 수 있는 패는 더는 없었다. 테리오드가 마지막으로 안간힘을 다해 애원했다.

"제발 내 옆에 남아. 앞으론 그러지 않을게. 그대가 나를 테오도르라고 불러도 그대로 듣고만 있을게. 다신 이러는 일 없을 거야."

"정말 그래도 괜찮아? 내가 평생 그대를 테오도르라고 생각해도?"

아스티나가 투명한 눈으로 맞받아쳤다. 그 잔인한 되물음에 숨이 턱 막혔다. 테리오드는 잠시 아무 대답도 하지 않았다.

곧 그의 얼굴이 비틀린다. 젖은 두 눈을 가리려 바닥을 본다, 입술을 깨물더니 눈을 깜빡인다. 고개를 돌리곤 숨을 들이켠다. 곧이어 다시 아스티나를 향한 그의 얼굴엔, 형용할 수 없는 끔찍한 표정이 자리하고 있었다.

그가 말했다.

"아니."

"……."

"괜찮을 리 있겠어? 내가……."

테리오드는 말을 잇지 못했다. 감정을 가라앉히려 했으나, 북받친 가슴은 도통 사그라들지 않았다. 결국 그는 무표정을 가장하기를 포기했다. 테리오드는 얼굴을 일그러뜨린 채 아스티나를 불렀다.

"아스티나."

"……."

"내게 거짓말을 해 줘. 내 눈을 가리고 귀를 막아, 기꺼이 속을게."

이전에 했던 부탁의 반복이었다. 그러나 아스티나는 끝내 고개를 저었다.

"그럴 수 없어."

아스티나의 거절에 테리오드가 허탈한 웃음을 터트렸다. 그럴 줄 알았다는 듯한 반응이었다. 테리오드가 엉망이 된 얼굴로 말했다.

"당신이 내 옆에 남아 대체 뭘 하고 싶었던 건지 모르겠어. 사랑한다는 거짓말조차 그럴듯하게 뱉지 못한다면 누가 그대의 꾐에 속겠어?"

테리오드의 말에 아스티나는 부정하지 않았다. 그녀 역시 제가 연인 관계를 잇는 데 도무지 소질이 없다는 사실은 잘 알고 있었다.

"이게 대체 뭐지?"

테리오드가 젖은 눈으로 아스티나를 보며 되물었다. 이 가혹한 운명에 대한 원망이 그의 턱에 방울져 매달려 있었다. 테리오드가 웃음 같지 않은 미소를 띤 채 되물었다.

"말해 봐, 아스티나. 사람을 죽이는 이 마음이 뭘까. 나는 당신에게, 당신은 나에게 과연 무엇이 될 수 있을까."

아스티나는 제 앞에 선, 저로 인해 망가진 남자를 잠시간 응시했다. 지금 이 순간 그녀의 눈에 비치는 얼굴마저도 테오도르와 같다. 이 얼마나 저주와도 같은 일인지. 아스티나는 아예 눈을 감아 버렸다.

아아, 과거의 망령아. 나를 더는 좀먹지 마라.

테오도르는 죽었다. 그녀가 기억하는 마티나도 역사서의 한 문단이 되었으니 결국은 그때의 감정 역시도 사라진 셈이다. 이 성에 새로운 황조의 이름이 드리워졌듯, 혹은 되풀이되는 줄 알았던 역사가 결국 다른 결말을 맞이했듯이. 이미 자취를 감춘 것에 미련을 두어도 허망할 뿐이다. 돌이킬 수 없는 일에 비탄할 필요는 더더욱 없다.

아스티나가 이윽고 마른 입술을 열었다.

"원래, 돌려줄 생각이었어. 오늘 이 자리에서."

그리 말하며 아스티나가 무언가를 품에서 끌어냈다. 테리오드는 아스티나가 꺼내 든 물건을 보고는 그만 탄식했다. 그가 과거에 주문해 두었던 반지였다.

생각지 못했던 물건의 등장에 테리오드는 어쩔 줄 모르는 표정을 지었다. 그것은 수치심의 한 모습과도 같았다. 그녀를 향한 사랑을 들킨 것이 부끄러웠다. 그 사실은 둘 사이에서 항상 그를 약자로 만들었기 때문이다.

"빌어먹게도 잔인한 결정이군."

테리오드는 억지로 입꼬리를 끌어 올렸다. 아스티나가 긍정하듯 말했다.

"분명 당신은 평생 마티나의 사랑이 될 수는 없겠지."

아스티나의 자조에 테리오드가 입술을 깨물었다. 그러나 이어진 아스티나의 물음에 그의 고개가 천천히 들렸다.

"그렇다면, 아스티나의 사랑으로 만족할 순 없을까?"

아스티나가 쓰게 웃으며 곧바로 덧붙였다.

"이미 줘 버린 건 어쩔 수 없어. 그 사람이 가지고 죽어 버린 마음이니 되찾을 수 있을 리 없지."

어느 하나가 가짜라고 말할 수는 없다. 테오도르가 종래엔 그녀의 여생을 파멸시켰을지라도 그들이 나누었던 것은 사랑이 맞았다. 그 맹목적인 믿음에 지금까지 속았다. 두 사람을 동시에 사랑할 순 없는 법이니 오래전 그녀를 취하게 했던 그 독주 쪽이 진짜인 줄 알았다. 그녀는 지금까지 테리오드에게 품은 감정이 테오도르와 비교해 얼마나 다른지를 증명해 내기 위해 노력하고 있었던 거다. 그 본질엔 애써 눈을 가려 가며.

인정하고 싶지 않았다. 그녀의 기억이, 그녀의 삶이, 또한 그 사랑이 모두 끝나 버렸다는 것을.

역설적으로 과거의 장소에 돌아오고 나서야 그녀는 현재를 본다.

사람을 이토록 휘두르는 것은, 어떻게든 옆에 남고 싶은 욕심은, 이토록 비이성적인 집착과 미련은. 내 전부를 바쳐도 아깝지 않을 까닭은.

더 이상 그대와 나를 괴롭게 하기 위해 이 감정의 다른 이름을 찾진 않겠다. 과거의 진심을 증명하기 위해 그대의 아픔을 이용하지도 않겠다.

나의 지금은 여기 있다.

아스티나가 숨을 토하듯 뱉어 냈다.

"아스티나는 테오도르가 아닌 테리오드를 사랑해. 그것이 내가 말하는 진심이다. 남은 사랑을 전부 가져가. 전부를 바쳐 그대에게 주겠어."

테리오드의 눈이 흔들렸다. 지금껏 그들이 맺어 왔던 것과 다를 바 없는, 그야말로 부당한 거래였다. 테리오드가 아스티나가 건넨 반지를 보며 말했다.

"수지가 맞지 않아. 나는 이미 내 마음의 전부가 당신이라서."

"거절할 텐가?"

아스티나의 물음은 언뜻 여유롭게도 들렸다. 그러나 그 눈동자에 담긴 진득한 감정을, 테리오드 본인만은 알아볼 수 있었다. 뒤로 이어질 가시밭길을 외면하고 싶은 충동이 밀려든다. 이것은 아마도 그들이 너무도 어리석은 탓이다.

그가 성큼성큼 걸어 아스티나의 앞에 다다랐다. 아스티나는 제 손목을 잡아채 쥐는 남자의 표정, 눈빛, 손짓을 빠짐없이 전부 눈에 담았다. 손등 위로 뚝뚝 흐르는 남자의 눈물은 뜨거웠다. 그와 닿은 살갗마저 홧홧할 지경이다.

그녀는 오만했고 그는 무지했다. 모든 것을 알았던 자와 모든 것을 몰랐던 자가 함께 내린 결론은 이토록 엉망이었다. 그들이 서로의 손을 잡은들 과연 더 나은 내일이 존재할까. 아스티나가 가진 마티나의 기억은 앞으로도 테리오드를 괴롭게 할 것이다. 할퀴고, 종종 짓무를 것이며, 어쩌면 흉터가 되어 평생 시야를 가릴 것이다.

"나는 평생 당신으로 인해 괴롭겠지."

그럼에도 그는 그녀를 사랑했다. 테리오드가 사랑하게 된 여자는 처음부터 마티나일 적을 기억하는 아스티나였다. 그가 사랑한 그녀의 모든 면면이 지나온 과거로 인해 존재했다.

그의 눈가에서 참을 수 없는 눈물이 떨어졌다. 테리오드가 이를 악문 채 말했다.

"그대가 말하는 사랑은 너무도 비열해."

"……."

"그 비열함마저 사랑스러운 내가 미친 거겠지."

테리오드는 떨리는 가슴으로 심호흡을 했다. 그가 이어 오기처럼 말했다.

"반지를 줘."

아스티나는 그만 눈을 감았다. 안도감과 참담함 중 어떤 말로도 표현할 수 없는 감정이 그녀를 잠식했다. 그럼에도 아스티나는 그가 원하는 대로 약속의 반절을 손에 쥐었다. 그에게 진심을 건네는 손끝은 조금 떨렸다.

"죽은 사람은 아무것도 할 수 없어. 그대 안에서 내가 더 커지는 날이 올 거야."

정말 그럴까? 아스티나는 자문해 보았다. 백 년 전 누군가 자신에게 이런 말을 했다면 그저 비웃었을 것이다. 하지만 그녀의 지난 사랑은 이미 너무나도 연로하여 지쳤다. 아스티나는 그때의 기억이 추억으로만 남을 날이 머지않았음을 예감했다. 그녀는 스스로를 기만하지 않고도 테리오드의 말에 동의할 수 있었다.

아스티나는 손을 뻗어 그의 뺨을 감쌌다. 그녀의 시선을 믿지 못할 그를 알았으므로, 그가 있는 자리를 확인하고는 다시 눈을 감았다. 아스티나는 까치발을 들어 살풋 테리오드의 입술을 물었다.

서로가 맞닿기 전, 그녀가 속삭이듯 예언했다.

"그렇게 해 줘, 테리오드. 그대를 내 유일한 사랑으로 만들어."

21. 지켜진 약속

21. 지켜진 약속

성내에서 처리해도 되었을 이를, 굳이 바깥으로 끌어낸 건 어디까지나 소소한 변덕이었다. 굳이 본심을 풀이하자면 '나를 이렇게까지 만든 자의 끝쯤은 직접 지켜보고 싶다.'쯤이 될 터다.

'내가 네게 대체 무슨 잘못을 했다고 나를 이 지경까지 몰아!'

같은 의문은 의외로 상대에게도 있었던 모양이었다. 프리모는 억울하다는 듯 소리치며 눈물까지 지어 보였다. 이전까지 본 적 없던 엉망인 몰골이었다. 귀양을 가는 것이 결정됐을 때도 마냥 오만하던 눈빛에 마침내 절망이 어렸다. 프리모가 남의 목숨도 제 명줄만큼 중하게 여길 줄 알았더라면 그들은 아마 다른 결과를 맞이했을 것이다.

'날 죽이려 했던 과거는 진정 까맣게 잊었나 보군.'

이시스가 어이없다는 듯 대꾸하자 프리모는 입만 벙긋였다. 마치

잊고 있기라도 했던 기색이었다. 이시스가 형제에게 마지막으로
품었던 궁금증마저도 그렇게 의미를 잃었다.

이시스는 내내 생각했었다. 자신은 몰라도, 대체 무엇이 프리모
를 이런 사람으로 만든 것일까.

어긋나는 이들이라면 하나씩 가지고 있는 결핍이 프리모에겐 없
었다. 양친은 버젓이 잘 살아 있었으며 재물은 부족하긴커녕 넘치
는 수준이다. 심지어 그는 이시스처럼 마음을 준 사람을 잃지도 않
았다. 짜여진 판으로 그를 휘두르긴 했으나 이시스는 그의 극단성
에 대해 알았을 뿐, 마음으로 이해한 건 아니었다.

이로써 분명해졌다. 프리모가 행동하는 동기는 피해자가 힘들여
이해해 줄 만큼 대단하지 않았다.

'벤자민, 이제 그만 베어도 좋아.'

이시스가 산뜻하게 명령했다. 저 비위 상하는 얼굴을 더 보고 싶
진 않았다. 벤자민이 기다렸다는 듯 프리모의 앞으로 성큼 다가섰
다. 프리모가 다급히 이시스를 향해 소리쳤다.

'이시스! 날 죽이면 아버지께서 가만히 계실 줄 알아? 어머니께
선 또 어떻고!'

혹여나 잊을세라 이렇게 뒤따라 처벌해야 할 자까지 상기시켜 준
다. 이시스는 가볍게 어깨만 으쓱였다.

'마침 잘 말했군. 황후 폐하께선 아마 못난 아들 때문에 머리가
달아나실 게다. 아, 외조부께서도 마찬가지야.'

'네년이 진정 미쳐서 친모의 피까지 보려는 게냐?'

이시스의 산뜻한 대답에 프리모가 이를 갈았다. 끝까지 저를 보
듬어 주었던 어머니는 그에게도 소중했을까. 그 모습에 이시스도

잊고 있었던 말이 생각났다. 이시스는 천천히 프리모에게로 다가가 가볍게 무릎을 굽히고 앉았다. 그녀가 패자의 충혈된 눈을 보며 말했다.

'프리모, 그러고 보니 늘 네게 해 주고 싶었던 말이 있었어.'

'같잖은 충고라면 집어치워. 네가—'

'너는 베스 때문에 죽는 거야.'

이어진 이시스의 말이 예상과는 확연히 달랐던 모양이었다. 프리모가 미간을 좁히며 되물었다.

'뭐? 그게 누군데?'

그 무지를 참지 못하고 나선 건 벤자민이었다. 벤자민이 당장이라도 프리모에게 달려들 듯 주먹을 틀어쥐었다.

'저 새끼가……!'

'벤자민, 진정해.'

이시스의 나직한 부름에 벤자민이 겨우 화를 삭였다. 벤자민의 과한 반응에 인상을 찌푸리던 프리모가, 이내 '아.' 하고 얼빠진 표정을 지었다.

'아아, 그래. 에일베스. 네 연놈들이 그래서 손을 잡고……!'

프리모가 연이어 헛웃음을 터트렸다. 황후에게 대단한 원한을 품고 있어야 할 벤자민이 이시스의 손을 잡고, 또 그녀에게 힘을 실어 준 건 분명 이상한 일이었다. 그제야 놓쳤던 퍼즐이 맞춰진 기분이었다. 프리모가 턱을 뒤로 젖히고는 광소했다.

'고작, 고작 그 계집 하나 때문에? 세상에, 이시스! 너도 만만찮게 미쳤구나!'

그러나 프리모의 웃음은 길게 이어지지 못했다. 장검이 그의 심장을 길게 꿰뚫은 탓이었다. 놀란 눈으로 제 가슴을 내려다보던 프리모가, 이내 푹 고개를 숙였다. 그대로 검을 뽑아내자 선혈이 벤자민의 얼굴 위로 튀었다. 벤자민이 콧등에 묻은 핏자국을 닦아 내며 중얼거렸다.

'너무 쉽게 죽여 줬군요.'

'하지만 참을 수 없었지?'

이시스가 별다른 동요 없이 되물었다. 벤자민이 작은 음성으로 겨우 대꾸했다.

'……예.'

'나도 그랬으니 괜찮아. 가자, 해치워야 할 잔당은 수도에도 있거든.'

이시스는 그리 말하고는 미련 없이 돌아섰다. 복수의 끝은 생각보다 시시했다. 원수의 명줄을 끊은 것도 직접 행한 일이 아니니 그다지 현실감이 없었다. 그런 시시한 인간 때문에 잃어버렸다고 믿고 싶지 않을 만큼, 지나간 이의 웃음은 얼마나 아름다웠던가.

"베스, 드디어 내가 네 복수를 했어."

이시스는 그리 말하며 손을 뻗어 차가운 돌 끝을 매만졌다. 수도로 돌아와 공적인 일이 대강 정리되자마자 그녀는 곧장 이곳부터 찾았다. 그 착한 아이를 묻어 둔 자리, 시신의 위치를 표시해 둔 커다란 돌 하단부엔 축축한 이끼가 껴 있었다.

이시스는 새삼 이곳이 베스를 놓아두기에 지나치게 구성없는 공간이라는 생각이 들었다. 어차피 이 궁내에 더 이상 그녀의 결정을 막을 사람은 남지 않았다. 내친김에 미뤘던 이장 작업을 해치워야 할 듯했다. 하기야 값비싼 고목으로 관을 짜고 대리석으로 비석을 세우며, 무덤을 보석으로 장식한다 한들 망자의 기쁨은 되지 못할 테지만.

"넌 돌아오지 않지만 말이다."

이시스가 그리 말하며 돌 위에 머리를 기댔다. 시체가 묻힌 공간이었지만 음습한 기분은 들지 않았다. 귀신이 되어 돌아온다면 무서워하긴커녕 기쁨에 눈물을 흘릴 상대라서인 듯하다.

이시스는 희미한 지난 기억을 들여다보다가는, 이내 자리를 털고 일어섰다. 곧 손님을 맞이할 시간이었다.

✢ ✤ ✢

가장 많은 적을 해치우고 불사신처럼 살아남은 사람치고, 대공비는 꽤나 안색이 좋았다.

"내가 사냥 대회에서 화를 냈을 때, 자네 속으로 좀 웃었겠구만."

이시스가 졸린 듯한 음성으로 말했다.

이시스가 보낸 지원군이 일찍이 도착한 덕분에 아군의 피해가 처참한 수준까지 다다르진 않았다. 제 목숨만은 살뜰히 챙긴 영식들이 이곳저곳에 잘 숨어 버티고 있었던 덕분이었다. 개중 상태가 비교적 멀쩡한, 하여 고성에서의 일을 설명해 줄 경황이 남은 영식들은 하나같이 눈을 빛내며 엄지를 치켜세웠다.

'대공비 전하께선 정말…… 대단하셨습니다!'

그 말인즉 위급한 순간마다 대공비가 뛰쳐나가 태풍처럼 적을 쓸어 버렸다는 것이다. 이시스는 흥분을 누르고 최대한 과장 없이 설명해 달라고 요청했으나, 그들은 더더욱 흥분하며 대공비의 무예에 대해 칭송하기 바빴다. 대공비가 회오리 검술로 17명을 단숨에 날려 보냈다는 소리까지 듣고 난 후, 이시스는 객관적인 진술을 들을 수 있으리란 기대를 포기했다. 어차피 상황을 가장 담담하게 전해 줄 자는 전설이 된 대공비 본인이었다.

이시스는 제가 들었던 칭송들을 하나하나 대공비에게 전해 주었다. 병사들의 증언에 따라 장황해진 공적에 아스티나가 짧게 응수했다.

"과찬이십니다."

이들의 말이 영 거짓은 아니었던 모양이다. 이시스는 혀를 차며 고개를 내저었다.

앤서린 후작을 향한 습격에 대공비가 휘말렸을 때, 이시스는 위험한 일에 나서지 말라며 대공비를 꾸짖었었다. 감히 제국에서 가장 뛰어난 검사에게 몸조심을 운운했던 셈이다. 속았다는 생각에 이시스는 조금 부아가 치밀기도 했으나, 이는 어디까지나 투정에 그칠 수준이었다. 수하가 남다른 두뇌에 이어 뛰어난 무예까지 보유하고 있다는 점은 이시스에게도 득이 되면 됐지 실이 될 수는 없었다. 이시스가 여유롭게 등받이에 손을 올린 채 말했다.

"그대의 무용담이 온 수도에 퍼지고 있어. 나이 어린 영애들이 또래 영식들이 아닌 대공비가 보고 싶어 데뷔탕트를 앞당기고 싶어 한다지 않나."

이시스의 놀림에 아스티나는 크게 반응하지 않았다. 아스티나는 이시스의 장난을 가볍게 넘긴 후, 곧장 본론을 꺼냈다.

"황후 전하의 처형일은 언제입니까?"

"……이틀 후야. 제스퍼레오 공작도 함께일 예정이니 오붓한 부녀 상봉이 되겠지."

잠깐 뜸을 들인 후, 이시스가 덤덤하게 대답했다.

수도로 돌아오자마자 이시스가 가장 먼저 해치운 일은 습격자들의 증언을 들어 황후를 자리에서 끌어내리는 것이었다. 그 과정에서 제스퍼레오 공작이 습격에 도움을 주었다는 사실이 잇따라 드러났다.

황제는 노한 와중에도 제 세력이었던 황후와 그 친정을 살리려 애썼으나, 이시스는 완강히 처벌을 요구하며 버텼다. 황제의 일을 도맡아 처리해 온 만큼 그녀에게도 거래할 수 있는 패가 적지 않았다. 무엇보다 드러난 증거가 확실한 상황이다. 제스퍼레오가를 황가에 종속시킬 수 있다는 유혹에 결국은 황제도 넘어오지 않을 수 없었다.

불같은 복수심에 어렵게 얻어 낸 처형이었지만, 생각 외로 속 시원하진 않았다.

"딸을 죽이려는 아들을 도우면서, 어머니는 무슨 생각을 하셨을까?"

이시스가 가만히 되물었다. 아직까지 가슴 언저리에 무언가가 얹혀 있는 까닭을 그녀도 모르지 않았다. 이시스가 피식 웃으며 덧붙였다.

"난 그래도 그녀가 내 어머니이기에 자리를 지켜 주려 애썼거든."

이시스는 한때 어머니의 손발을 완전히 묶었다고 생각했다. 실제로 황후에겐 이시스를 돕는 것만큼 효율적인 선택지가 없었다. 어차피 프리모는 돌아올 수 없게 되었으며, 황후에게 남은 자식은 이시스 하나였으니까. 제스퍼레오 공작이 항복하며 굽히고 들어왔을 때도 이시스는 당연한 결정이라고만 여겼다. 애정을 기준으로 한 선택지에 놓는다면 당연히 이길 가능성이 없겠으나, 확연한 실리를 보여 준다면 결과는 조금 다르리라고.

이시스는 제스퍼레오령으로 내려갔을 적, 황후를 버리지 말라며 약한 표정을 지어 보였던 공작을 떠올렸다. 처음 보는 외조부의 인간적인 모습마저도 결국은 거짓이었던 셈이다. 딸과, 딸의 아들을 저버리지 못한 그가 손녀를 저버리기는 쉬웠을까. 그 기울어진 저울에서 승리하기에 그녀는 너무도 가벼웠을까.

아스티나는 말없이 이시스의 굳은 표정을 잠시간 들여다보았다. 아스티나도 제스퍼레오 공작의 협조를 알고서는 크게 분노했었다. 배신당한 당사자인 이시스의 심정은 이루 말할 수 없을 것이다.

아스티나는 찻잔을 들어 올리며 주변을 환기했다. 아스티나가 따뜻한 꽃 향을 들이마시며 입을 열었다.

"나디아 영애에게 입관을 제의하셨다는 말을 들었습니다."

그제야 이시스의 표정이 조금 풀어졌다. 이시스가 쓰게 미소 지으며 힘없이 대꾸했다.

"망할 혼담을 두 번이나 주선했으니 책임을 져야 하지 않겠나."

나디아는 벤자민과 결혼하지 않겠다고 말했다. 이시스는 그런 나디아에게 새로운 혼담을 주선하는 대신, 조금 다른 선택지를 내주기로 했다.

"대단한 자리는 아니야. 능력 없는 자에게 나랏일을 맡길 순 없으니 시험에 합격하는 건 나디아의 몫으로 두었어. 하지만 문을 열어 두었지. 그뿐이야."

"아벨라르의 침묵에 대해 책임을 묻진 않으십니까?"

아스티나는 곧바로 묵혀 둔 앙금을 지적했다. 그러나 이시스는 아스티나의 예상과 달리 회의적인 반응을 내보였다. 이시스의 지지를 선언하며 다른 노선을 선언한 아벨라르에게 제스퍼레오가 치명적인 빈틈을 내보이진 않았을 것이다. 어차피 칼로스가 짐작한 건 프리모가 황후의 도움으로 도망쳤다는 사실뿐이었다. 그가 이 정보를 고했다고 해도 습격의 날짜까지는 짐작하지 못했을 것이다. 적이 쳐들어올지 모른다는 가능성쯤은 벤자민의 도움으로 이미 예상하고 있던 바였다.

문제는 괘씸함이다. 이시스는 분명 아벨라르에게 책임을 뒤집어씌워 화풀이를 할 수도 있었다.

"글쎄, 처음엔 괘씸한 마음이 들기도 했지. 하지만 나중에 가선 말이야, 결국 이런 의문이 생기더군."

"어떤 의문 말씀이십니까?"

"그들은 왜 그런 선택을 했을까?"

왜, 도대체 무엇이 그들을 그렇게 극단적으로 만들었을까. 어째서 칼로스는 벤자민에게 매달리지 않으면 안 되었을까. 이시스는 우습게도 그 이유에 대해서 아주 잘 알고 있었다.

"프리모와의 파혼 뒤, 나디아의 처지가 나아질 방법은 그럴듯한 혼처를 다시 얻는 것 외엔 존재하지 않는 듯 보였지. 그리고 실제로 그게 사실이 맞았어. 그렇다면 그들은 응당 마지막 남은 가능성에 필사적으로 매달리게 되지 않겠나?"

그래서 이시스는 그들에게 주어진 한계 외의 방법에 대해 생각해 보았다. 나디아가 벤자민과 결혼하지 않아도 살아갈 수 있는 방법에 대하여.

낯선 방향이었을 뿐, 답은 가까운 곳에 있었다.

"대공비, 나는 내가 예외로 남지 않길 바라."

아스티나의 눈이 크게 뜨였다. 이윽고 아스티나의 낯에 진심 어린 웃음이 담겼다.

"전하께서 진정 저보다 나으십니다."

사실상 카라벨라 제국의 여성들에겐 결혼 외의 다른 선택지가 주어지지 않았다. 앤서린 후작처럼 부군 없이 가문을 잇는 경우도 있었으나 어디까지나 특이한 경우였다. 평범한 영애들이 스스로의 처지와 비교하기에 앤서린은 지나치게 비범했다. 그들과 같이 좋은 혼처를 인생 최고의 출세로 여겼던 나디아라면 조금 다른 느낌으로 다가올 터였다. 결혼하지 않은 나디아의 인생이 그럭저럭 굴러간다는 건, 분명 좋은 영향이 될 것이다.

"내가 그래도 신하보다는 나은 점이 몇 있어야 윗선에서 버틸 수 있지 않겠나?"

이시스가 그리 말하고는 대수롭지 않게 뒷말을 덧붙였다.

"난 고리타분한 걸 싫어하니 바꾸고 싶은 것들도 많아. 벤자민도 곧 떠날 텐데 일이 더 바빠지겠군."

"예?"

아스티나가 그게 무슨 말이냐는 듯 되물었다. 당연히 아스티나도 알고 있으리라고 생각했던 듯 이시스의 얼굴에 당황한 표정이 떠올랐다. 이시스가 다소 곤란한 음성으로 물어 왔다.

"못 들었나?"

"……처음 알게 된 사실이군요."

아스티나가 얼떨떨한 낯으로 대답했다. 하기야 소원해진 그들의 사이를 생각하면 벤자민이 비밀을 만든 것도 이상한 일은 아니었다. 그와 한때 절친한 친구였던 건 사실이나 둘 사이에 다른 기류가 생겨난 이후로는 그 우정도 더는 여의치 않게 되었다.

실제로 아스티나는 벤자민에게 고백을 들은 이후로 되도록 그와 함께 있는 자리는 피해 왔었다. 그녀는 제게 마음을 품은 사내와 어울리는 것이 배우자에게 불안을 준다는 사실 정도는 인지하고 있었다. 그런 사람이 내내 옛사랑과 배우자를 두고 저울질했었느냐고 묻는다면 딱히 할 말은 없겠지만.

"그럼 전 이만 일어나 보겠습니다."

"기분 상한 건 아니겠지?"

"제가 왜 기분이 상하겠습니까."

"평소보다 일찍 일어나니 하는 말일세."

이시스의 장난 섞인 염려에 아스티나가 피식 웃음 지었다.

애초에 오늘은 이시스를 보기 위해 황궁을 찾은 게 아니었다. 굳이 인과를 풀이하자면 입궁한 김에 이시스를 만난 것에 가깝다. 아스티나의 당초 목적은 황제와의 만남이었다. 이시스를 구한 공로가 인정되어 치하를 받게 된 것이다. 황제가 그녀에게 포상을 내리며 무슨 생각을 품었을지는 알 수 없는 바나, 적어도 주머니는 두둑해졌으니 아무래도 좋은 일이다.

아스티나는 가족이 이시스에게 썩 유쾌한 대화 주제가 아니라는 사실을 알았다. 굳이 이시스도 인지하고 있을 행선을 입에 담느니 가볍게 넘기는 편이 나았다. 아스티나는 유부녀만의 회피 기술을 꺼내며 자리에서 일어섰다.

"남편이 기다리고 있어서요."

"부부 싸움은 끝났나 보지?"

아스티나가 그만 멈칫했다. 이시스는 우아하게 차를 음미하고 있었다. 아스티나에게서 바람 빠지는 웃음이 흘러나왔다. 안에서 새는 바가지는 밖에서도 샌다 하더니, 삐걱대던 관계가 밖으로 영 티가 안 났던 건 아닌 듯하다.

이시스가 마침 생각났다는 듯 덧붙였다.

"아. 그때 내가 줬던 반지 말인데, 돌려줄 필요는 없겠어. 주인되는 가문이 망했으니 말이야."

그 말에 기억에 묻어 두었던 물건이 생각났다. 그것을 어디에 보관을 해 두었더라. 올리버가 웨딩링을 꺼내 온 사건으로 연상해 낸 덕에 패물을 보관하는 곳에 옮겨 두긴 했었는데, 정확히 어떤 위치에 있는지까지는 떠오르지 않았다. 이시스가 더는 찾지 않을 물건이 되었으니 그나마 다행일까.

아스티나의 곤란한 표정을 다른 방향으로 해석한 이시스가 자조하듯 중얼거렸다.

"오라버니를 제거해 낸 내가 같은 핏줄이라고 어머니를 믿으려 했다니, 어리석은 일이지."

아스티나는 아무런 대답도 하지 않았다. 이시스에게 필요한 것이 어설픈 위로나 격려가 아니라는 사실을 알았으니까. 차라리 이시스의 주변에서 나쁜 기억을 되새기게 할 매개를 치워 버리는 편이 현실적인 도움이 될 터다.

아스티나는 정중히 고개를 숙여 보이고는 문밖으로 나섰다. 복도로 나오자마자 옅은 한숨이 새었다. 이시스의 앞에선 내색하지 않았으나 기분이 묘해지는 건 어쩔 수 없었다.

아무리 노력해도 이겨 낼 수 없는 한계라는 것이 있다. 그것과 마주쳤을 때 부딪치고 깨져 의지를 잃어버리는 이들을 아스티나는 오래도록 보아 왔다. 이시스는 결국 형제를 제쳤고 앤서린도 가주 자리에 앉았지만, 그 쟁취의 과정이란 것은 또 얼마나 지난한가. 노력의 결과를 태초부터 당연하게 취하고 있는 이들을 보고 있노라면 부아가 치미는 건 어쩔 수 없는 것이다.

아스티나는 앞으로 넘어온 긴 머리를 쓸어 넘기며 모퉁이를 돌아섰다. 그러고는 잠시간 제자리에 발을 멈춰 세웠다. 낯익은 누군가와 마주친 탓이었다. 언뜻 과거의 한 장면과 겹쳐 보이는 듯도 했다. 이시스를 돕기로 결정하고 이 문을 나왔을 때에도 같은 자리에 같은 사람이 있었다.

아스티나를 발견한 벤자민은 다소 당황한 표정을 지었다. 그러나 그는 아스티나에게 인사를 전하는 대신 반사적으로 자리를 떠나려 했다. 아스티나가 황급히 그런 벤자민을 붙잡았다.

"벤자민."

"……누님과 생각보다 얘기가 일찍 끝났나 보네."

벤자민이 뒤돌아서며 머쓱하게 뒷머리를 쓸었다. 아스티나가 그런 그에게 곧장 물었다.

"이시스 전하께 들었어. 너, 어딜…… 떠나?"

벤자민은 긍정하듯 미소 지었다. 그가 한숨을 내쉬며 말했다.

"사실 방금까지 그냥 갈까 말까 망설이고 있었어. 말을 안 하는 쪽으로 마음이 기울어졌었는데 결국 네가 나를 붙잡네. 인사쯤은 하고 가란 뜻인가 봐."

아스티나로서는 벤자민의 결정을 이해할 수 없었다. 프리모가 죽었고 황후는 축출당했다. 이시스에게 도움을 주었던 벤자민에겐 영예로운 보답만이 남아 있을진대 왜 황궁을 떠나겠다는 것일까.

아스티나가 미간을 좁히며 말했다.

"……사실 난 잘 이해가 안 가네. 황궁에 남아 있다면 네가 앞으로 얻을 게 아주 많을 테니까."

"하지만 난 그런 것들에 도통 취미가 없는 사람이잖아."

아스티나는 벨라체 아카데미에서의 그를 떠올렸다. 미래 계획을 물으면 벤자민은 항상 애매한 표정을 지었었다. 그때는 시시한 친구라고 생각했었고, 벤자민이 궁으로 들어오고 난 후에는 제 신분을 밝힐 수 없어 그러했나 싶었다. 한데 지금이나 옛날이나 그는 세속적인 것들엔 관심이 없을 뿐이었다. 그의 성정을 생각하면 용케 궁으로 돌아올 생각을 했다 싶기도 하다.

벤자민이 아스티나의 의문에 답하듯 말했다.

"황궁은 무서운 곳이야. 줏대가 없으면 결국 이리저리 휘둘리고 말지."

"난 네가 궁 생활을 그리 형편없이 했다고는 생각지 않는데."

"아벨라르의 결정을 보고도?"

"……그건 그들의 실수였지."

아스티나의 말에 벤자민이 입꼬리를 끌어 올렸다. 그가 뒤허리에 손을 올리며 발끝으로 바닥을 툭툭 쳤다. 잠시 후에야 벤자민이 운을 떼었다.

"……내 어머니는 말이야. 늘 내 성공을 바라셨지. 나를 궁 밖으로 떠나보내며 다신 황궁엔 얼씬도 말라고 하셨지만, 난 이상하게도 다른 의중을 읽었어. 당신께선 어쩌면 내가 이곳으로 돌아와 당신을 구원해 주길 바라셨지."

아스티나는 잠자코 벤자민의 이야기를 들었다. 그가 가족 이야기를 꺼내는 건 흔치 않은 일이었다.

"그래서인지 나도 어쩌면, 이번이 새로운 기회가 되리라 여겼던지도 모르지. 내 어머니와 너를 멋지게 구해 내리란…… 그런 눈으로 보지 마. 나한테 괴물 신랑을 직접 보여 준 건 너였잖아?"

벤자민의 해명에 아스티나는 한심한 눈빛을 지워 냈다. 하기야 짐승 테오는 자신 외의 사람들에겐 영 귀여움을 사지 못했다.

"어쨌든 그런 희망으로 궁에 돌아오긴 했어도, 결국 나는 보기 좋게 세상에 얻어맞고 나가떨어지게 됐다는 이야기야. 철없는 애송이가 겪는 흔한 결말이지."

그리 말하며 벤자민이 항복이라는 듯 두 손을 펴 보였다. 스스로를 비하하듯 말했지만 자책보다는 후련함이 더 컸다. 어찌 되었든 그가 입궁으로 인해 얻은 것이 없진 않았다. 베스의 원수인 프리모를 끝내고, 어미를 칩거하게 만든 황후까지 끌어내게 되었으니까. 그러므로 그에겐 더 해야 할 것이 없다.

"황후가 참수됐으니 내 어머니도 두려움에서 자유롭겠지. 우린 레안드로스 영지로 내려가기로 했어. 알잖아, 나는 벤자민 피델리오가 아닌 벤자민 레안드로스였단 걸. 음, 그러니까 네가 아스티나 레테였을 때 말이야."

벤자민이 추억을 되짚듯 말했다. 과거의 좋았던 때를 그리듯 목소리가 감회에 젖었다. 그가 떠올린 것은 분명 즐거웠던 한때였을 것이다. 그렇게 반짝이게 포장한 과거가 후에 어떤 식으로 떠오르는지 아스티나는 무척이나 잘 알고 있었다.

그러나 그녀는 그의 기억 속에 아름다운 추억으로 남고 싶지 않았다.

"벤자민, 미안해."

충동적인 사과가 아스티나의 입을 열고 나왔다. 벤자민이 무슨 소리냐는 듯 아스티나를 보았다.

아스티나는 제가 하고 싶은 말이 긁어 부스럼이라는 사실을 모르지 않았다. 어차피 벤자민은 곧 떠날 것이었고, 그녀에게 더는 마음을 전할 생각도 없어 보이지 않은가. 하지만 아스티나는 지금까지의 거절이 불완전하게 비쳤던 이유를 더는 무시하지 않기로 했다.

"나도 속이지 못한 말들로 남을 속일 수 있을 리 없지. 네가 내 흔들림을 느끼고 그간 기회를 봐 온 걸 알아. 그런 걸 내 잘못이라고 말할 수 있을지 모르겠지만, 그래. 분명 틈은 있었어. 인정해. 하지만—"

아스티나는 잠시 망설였으나, 조금 떨리는 목소리로 말을 끝맺었다.

"난 그를 사랑해. 진심이야."

벤자민은 조금 놀란 표정을 지었다. 곧 그의 입가에 담담한 미소가 떠올랐다. 그가 고개를 끄덕였다.

"알아."

"……."

"난 네가 행복하길 바랐지. 그 행복에 내가 함께한다면 더 좋았을 테고, 하지만 사람이 원하는 걸 다 이룰 수는 없는 법이니까."

벤자민은 잠시간 아스티나의 얼굴을 눈에 담았다. 리체 성에서도 그는 아스티나의 곁에 남지 못했다. 벤자민은 아스티나와 함께 싸워 주는 대신 이시스를 데리고 떠났다. 그에겐 아스티나 외에도 다른 중요한 것들이 있었기 때문이다. 타당한 이유가 있었지만, 한번 여지를 내준 우선순위는 무수히 다른 변명들로도 대체될 수 있었다. 벤자민은 제 사랑이 대체할 수 없는 무언가라고 더는 스스로를 속이지 않기로 했다.

"내가 왜 이시스 누님의 편에 섰는지 말했었던가?"

대답을 바라고 한 질문이 아니었으므로, 벤자민은 짧게 어깨를 으쓱이고는 말을 이었다.

"프리모의 손에 죽은 누이의 복수를 할 수 있게 해 주겠다고 했거든. 프리모는 결국 내 손에 죽었으니 나는 소원을 이룬 셈이지. 이건 너와는 완전히 상관없는 일이야."

"……"

"그러니 아스티나. 내 선택에 책임을 지려고 하지 마. 언젠가 네가 말했던가? 내가 멋대로 내린 결정을 네가 책임져 줄 수는 없다고. 그 말이 맞아. 너는 내 선택을 배려할 필요가 없고, 그럼에도 나는 잘 살아갈 거야."

아스티나의 입술이 반쯤 벌어졌다. 아스티나에게서 안도와 같은 헛웃음이 터져 나왔다. 벤자민이 그런 그녀를 놀리듯 말했다.

"나 없는 사이 네 남편이 힘들게 하면…… 내가 나서는 건 모양새가 좀 이상할 테지? 대신 누님께 일러. 누님께선 요즘 영애들의 사회 진출을 위해 힘쓰고 있거든. 네가 이혼을 택하면 좋은 롤 모델이 생겼다며 기뻐할지도 몰라."

아스티나는 나디아의 비혼 선언에 은연중 즐거운 기색을 내비쳤던 이시스를 떠올렸다. 가능성 있는 가정에 등허리에 살짝 소름이 돋았다.

"저주인지 응원인지 모르겠군."

벤자민이 고개를 숙이며 작은 웃음을 흘렸다. 이윽고 그가 마지막으로 작별 인사를 전했다.

"그럼 잘 지내, 아스티나."

✢ ✣ ✢

"대공께선 어디 계시지?"

아스티나가 돌아오자마자 건넨 물음에 올리버는 다소 당황한 표정을 지었다. 그가 아스티나의 외투를 넘겨받으며 곤란하다는 듯 웃어 보였다.

"그러게 말입니다. 대공께선 황궁으로 마중을 가겠다고 하셨었는데, 아무래도 길이 엇갈리신 모양이지요?"

"날 마중 갔다고?"

"사랑에 눈먼 청춘의 충동이란 알다가도 모를 것이지요."

그리 답하며 올리버가 콧노래를 불렀다. 언뜻 보기에도 그는 무척이나 기분이 좋아 보였다.

실제로 올리버는 근래 들어 이렇게 마음이 편한 적이 없었다. 대공이 대뜸 이혼을 말하며 클로에를 저택으로 들인 이후 좀처럼 깊은 잠을 이루지 못했었는데, 박힌 돌은 알아서 떠나고 부부 사이가 돈독해지기까지 하니 앓던 이라도 빠진 듯했다. 아무래도 이들 부부는 주기적으로 늙은 집사를 불안하게 하는 데 재미를 붙인 모양이었다.

'가만, 주기…… 적으로?'

아스티나의 외투를 척척 접어 정리하던 그가 불쑥 고개를 들었다. 갑작스럽게 불안증이라도 도진 듯 올리버가 확인차 물어 왔다.

"……이젠 완전히 화해하신 것 맞지요?"

"……완전히?"

"아이고, 아닙니다. 제가 그만 주책을."

올리버가 재빠르게 손을 내저었다. 그가 아스티나를 안으로 안내하며 물었다.

"피곤하실 텐데 차라도 내어 드릴까요?"

"아니, 찾아볼 물건이 있으니 하녀 아이들에게 패물함을 좀 꺼내와 달라고만 이르게."

이시스가 더는 찾지 않을 물건이 되었다고는 하나 그래도 어엿한 하사품이다. 지금처럼 다른 귀금속들과 같이 취급하는 대신 찾기 쉽게 따로 보관해 두어야 할 듯했다.

아스티나는 공손히 고개를 숙이는 집사를 뒤로하고 계단을 올랐다. 그러나 아스티나는 곧 제자리에 멈춰 섰다. 난간에 손을 댄 채 뒤를 돌아보며, 아스티나가 나직이 집사를 불렀다.

"올리버."

"예?"

"대공 전하와 내가 언제 다투었던 적이 있던가?"

아스티나의 뜻을 이해한 올리버가 반쯤 입을 벌렸다. 곧 그가 말끔한 미소를 떠올리며 대답했다.

"글쎄요, 제 기억엔 없군요."

그간의 일을 단번에 없었던 일로 축소시킨 아스티나가 산뜻한 걸음으로 마저 계단을 올랐다. 방으로 향하는 동안 마주친 하녀들이 그녀에게 허리 숙여 인사했다.

아스티나는 조용히 침실의 문을 열고는 안으로 들어섰다. 기다리는 사람이 없는 방은 적막했다. 아무래도 외출을 다녀온 배우자를 마중하는 역할은 제가 맡게 될 모양이었다.

반쯤 커튼을 쳐 둔 탓에 실내는 조금 어두웠다. 무명천과 겹쳐지지 않은 레이스에 햇빛이 투과되어, 방바닥엔 옅은 꽃 모양의 그물 자국이 나 있었다. 주인이 없는 사이 환기를 시켜 두려 한 듯 반쯤 열린 창문에서 찬바람이 들어왔다. 아직 외출복을 갈아입지 않은 탓에 그리 춥지는 않았다.

아스티나는 잠시 제자리에 서 시원한 바람 냄새를 맡았다. 그야말로 여느 평화로운 오후였다. 아스티나는 창가 가까이에 둔 의자로 가 앉았다. 머지않아 올리버가 불러 준 하녀들이 적막을 깨고 등장했다.

"어머, 대공비 전하. 춥지 않으세요?"

"괜찮네. 묵은 물건을 꺼냈으니 창은 열어 두는 편이 좋겠지."

"저희가 얼마나 패물함을 자주 쓸고 닦는지 모르셔서 하시는 말씀입니다. 바깥바람보다 이것들이 배는 깨끗할걸요."

하녀가 그리 말하며 자부심으로 가슴을 폈다. 아스티나는 결국 선선히 창문을 닫아도 좋다고 일렀다.

패물함을 바닥에 놓고 덮개를 열도록 시키자 물건들이 순식간에 보기 좋게 정렬되었다. 하녀가 장담한 대로 장신구들의 보관 상태는 새것과 같았다. 찾지 않고 방치한 기간이 민망하게도 상자 위엔

먼지 하나 없었다. 적어도 부주의로 인한 분실 사건은 일어나지 않았을 듯했다.

문제가 있다면 어마어마한 숫자다. 아스티나가 보유한 금붙이의 대부분은 대공령에 있었지만, 여러 번 황가의 은인이 된 덕분으로 물건은 당초 가져왔던 수보다 배나 불어나 있었다. 수색 작업을 시작하기도 전부터 진이 빠졌다. 아스티나는 뻐근한 목을 젖혔다가 내리고는 자리에서 일어섰다. 곧추세웠던 허리를 굽히자 곧장 온갖 휘황찬란한 빛이 눈에 들어왔다.

아스티나는 그 안을 하나하나 꼼꼼히 살폈다. 워낙 쌓아 둔 게 많았던 통에 맞는 물건을 찾아내기까지는 꽤나 오랜 시간이 걸렸다. 그나마 다행인 것은 아스티나가 상자의 외곽에 제스퍼레오가의 인장이 작게 박혀 있다는 사실을 기억하고 있었다는 점이었다.

"다행히 없어지진 않았군."

아스티나가 안도의 한숨을 내쉬며 하녀들에게 이만 물러가라 일렀다. 널브러진 물건들을 수습한 하녀들이 공손히 허리를 숙여 보이고는 방을 떠났다.

상자의 외곽은 말끔했지만, 아스티나는 반사적으로 그 위를 두어 번 손끝으로 털었다. 잘 보관해 두었어야 하는 물건인데 지금까지 취급이 너무했다. 가짜 영물이라던 이시스의 혹평이 무색하게도 진짜 변별력이 있었던 물건 아닌가. 테리오드의 앞에서 반지가 검게 색을 물들여 놀랐던 기억이 아직 선명했다.

"……지금은 별다른 반응이 없으려나."

아스티나가 이내 머쓱한 투로 중얼거렸다.

테리오드는 리체 성에서의 그날 이후로 다시 짐승의 태를 쓰는

일이 없었다. 본래 알고 있던 저주의 명제를 생각하면 다소 얼떨떨
한 일이었다. 어리숙한 주술은 그들의 재결합을 진정한 사랑으로
라도 인식한 것일까. 사랑임을 믿어 의심치 않았던 테오도르 대신
끝까지 의심했던 테리오드 쪽이 굴레에서 벗어나다니. 몹시 공교
로운 일이었다. 하기야 끝까지 어긋났던 테오도르와 달리, 테리오
드와는 미래를 함께하기로 결심했다는 점이 다르기는 하다.

이 저주를 내렸던 레타 집시가 생각했던 사랑이란 그런 것이었을
까. 모든 곤경을 감수하고 그 사람의 옆에 남는 것, 그건 확실히 절
대로 혼자서는 할 수 없는 일이다. 당사자들의 가슴에 남은 의심은
둘째 치고서라도.

아스티나는 대수롭지 않은 태도로 상자를 열었다. 반지의 모양
새는 그녀의 기억 속 모습과 정확히 일치했다. 모서리 부분의 탁한
얼룩까지도.

검은 자국을 들여다보던 아스티나의 얼굴이 잠시 후 딱딱하게 굳
어 들었다.

"그러고 보니 이건……."

그녀는 한때 의심했었다. 다음 생에선 부디 제게 속죄를 하라는,
마티나의 그 마지막 저주로 인해 테오도르가 다시 태어난 것은 아
닌가 하고 말이었다.

마티나 역시 레타의 딸이었으므로 가설의 근거는 충분했다. 같은
피의 후손이었던 데니스가 이를 이용해 그녀를 속이려 했을 정도
로 말이었다. 그의 대응은 임기응변에 지나지 않았으나, 그가 내뱉
었던 말들이 몹시 그럴듯했던 건 사실이었다. 그녀도 순간 속고 싶
은 충동을 느꼈었으니까.

그리고 어쩌면 진실을 확인할 수 있는 방법이 바로 그녀의 눈앞에 있다.

테리오드는 이미 짐승이 되는 저주를 벗었으니 반지도 그에게 반응하지 않음이 옳다. 그러나 이미 한 겹의 저주가 벗겨진 지금, 그럼에도 이 물건이 검게 몸을 물들인다면.

아스티나는 제 손이 잘게 떨리는 것이 느껴졌다. 테리오드는 이 반지의 존재를 모른다. 그는 알 수 없게, 그저 살짝 비춰 보기만 하면 되었다. 이건 아주 간단한 확인이었다…….

"대공비 전하, 대공 전하께서 귀가하셨습니다."

아스티나의 정신을 일깨운 것은 작은 노크 소리였다. 아스티나가 움찔하며 고개를 들었다. 그녀는 무의식적으로 문가와 반지를 번갈아 보고는, 이내 작게 침을 삼켰다. 아스티나가 떨리는 목소리를 애써 누르며 답했다.

"……곧 나갈 테니 잠시 기다려라."

아스티나는 그러면서도 좀처럼 그 반지에서 시선을 떼지 못했다. 진실의 반지라, 우습게 여겼던 명칭이나 지금만큼은 그 힘에 매달리고 싶은 충동이 든다.

아스티나는 그만 헛웃음을 지을 뻔했다. 지금도 그녀는 테리오드를 테오도르로 보고 싶은 욕심을 완전히 저버리지 못했다. 그녀의 마음이 반쪽짜리인 것을 미처 알아채지 못하고 테리오드를 속박에서 벗어나게 하였으니 그 저주도 반쪽짜리라 말함이 옳다.

오래도록 나를 괴롭혔던 멀디먼 자매야, 그대는 대체 무엇을 보고 우리를 구원했나.

잠겼던 문이 열렸다. 바깥에서 기다리고 있던 하녀는 갑작스레 등장한 대공비를 보고 놀라 고개를 숙였다. 그런 그녀에게로 아스티나가 무언가를 내밀었다. 하녀는 제 눈 바로 아래에 있는 작은 상자를 보고는 의아한 낯으로 고개를 들었다. 하녀가 조심스러운 음성으로 물었다.

"이게 무엇입니까?"

아스티나는 잠시간 망설였다. 그러나 이어 입을 벌리고 나온 목소리는 단호하리만치 평이했다.

"불길한 물건이니 처리를 부탁하마. 절대 함을 열지 말고 그대로 물가에 내다 버려라."

"예? 예."

하녀가 엉겁결에 물건을 받아 들며 인사했다. 아스티나는 아주 빠른 걸음으로 그녀를 지나쳐 복도를 가로질렀다. 무슨 정신으로 방을 나오고, 또 저 물건을 타인에게 넘긴 것인지 알 수 없었다. 아스티나는 당장이라도 뒤로 돌아서고 싶은 충동을 누르며 모퉁이를 돌았다. 다행인지 불행인지 곧장 로비로 향하는 계단이 나왔다. 아스티나는 황급히 그 위로 발을 내디뎠다. 그러고는 홀린 듯이 걸음을 멈춰 세웠다.

"마중 나온 겁니까?"

테리오드가 반가운 낯으로 그녀를 보며 계단을 올라섰다. 그가 한 발짝, 그리고 또 한 발짝 다가오는 것을 보며 아스티나는 가슴이 울렁이는 것을 느꼈다. 목 아래가 잠긴 탓에 그에게 인사를 전하지도 못했다.

아스티나의 일그러진 표정을 발견한 듯 테리오드의 걸음이 빨라졌다. 그가 성큼 아스티나에게로 거리를 좁히며 물었다.

"황궁에서 무슨 일이라도 있었습니까? 표정이—"

아스티나는 고개만 내저었다. 아스티나를 향해 다가오던 그의 손이 멈칫했다. 그녀의 안위를 살피는 눈빛은 그저 걱정스럽다.

그녀는 한때 사랑이 운명이라고 생각했다. 그래서 테오도르와의 실패를 겪은 후, 제 인생까지 완전히 틀어져 버렸다고 여겼다.

그리고 다시 태어난 그녀는 전혀 다른 방식으로 시작된 사랑의 앞에 선다.

아스티나는 손을 뻗어 이마를 덮은 그의 머리칼을 쓸어 넘겼다. 그녀가 천천히 속으로 되뇌었다.

내가 선택한 사람.

"테리오드."

그를 부르는 목소리는 조금 떨렸다. 의아한 표정을 하던 테리오드가 선선히 대답했다.

"예, 말씀하세요."

"이젠 그대를 속박할 것은 아무것도 없어."

테리오드의 눈이 크게 뜨였다. 아스티나는 그의 푸른 눈을 똑바로 응시하며 말을 이었다.

"우리가 잠자리를 같이하지 않았음에도 그대는 사람으로 존재해. 서로여야만 했다고 착각하게 만들었던 저주는 의미를 잃었고, 그대는 진정한 자유의 앞에 서 있어."

"……그래서요?"

"사술의 힘에 홀려 붙잡혔던 여인에게서 벗어날 마지막 기회야. 우리를 감당할 수 있겠어?"

테리오드는 어느새 얼굴을 굳힌 채였다. 아스티나는 떨리는 마음으로 그의 답을 기다렸다. 이제 와 또 빠져나갈 구멍을 만드는 것이냐며 그가 화를 낼지도 모르겠다 싶었다. 그러나 그녀의 변덕이 너무도 익숙했던 나머지, 그는 짧은 한숨 후로 곧장 그녀를 달래기 시작했다.

"내가 삶을 돌려받은 이유가 있다면, 아마 그대에게 바치기 위함일 겁니다."

담담한 목소리였으나 그의 눈엔 자신감이 비쳤다. 아스티나는 잠시간 그 눈을 들여다보기만 했다.

그녀의 침묵에 테리오드의 가슴 한쪽이 서늘해졌다. 제 결정엔 당당했던 테리오드가, 아스티나에겐 반대로 불안한 얼굴을 한 채 물어 왔다.

"……자신 없어요?"

아스티나는 잠시간 그의 눈 속에 있는 불신을 본다. 그는 그녀가 방금 무엇을 포기했는지 결코 알지 못할 것이다. 그러므로 아직까지 확신을 가지지 못했을 테지. 그녀의 포부를 말한다고 해도 결코 가시지 않을 불안임을, 그녀 본인이 가장 잘 알고 있다.

그래, 몇 번의 약속과 배신을 거쳐 우리는 또다시 이 자리에 있다.

때때로 우리는 의심할 것이다. 그는 그녀의 사랑을 믿지 못할 것이고 그녀는 스스로를 증명하기 위해 애쓰겠지. 불신의 뿌리가 된 지난 행적을 후회하며.

이젠 우리가 운명이 맞든, 아니면 이성을 흐리는 열병에 잠시 속은 것이든 상관이 없다. 나 역시 옛사랑을 잊게 해 주리란 그대에게 속아 이 관계를 시작했으니 어쩌면 우리는 모두 똑같은 기만자다. 깨어날 진실이 무섭다면 반복해 거짓을 속삭이겠다. 그렇게라도 기꺼이 우리를 지킬 준비가 되어 있다.

함께 있어도 괴롭고 혼자서도 버틸 수 없다면,

같이 멍에를 지고 가자, 고통스러우나 외롭지는 않게.

"아니. 자신 있어."

테리오드의 입술 끝에 엷은 미소가 매달렸다. 그녀를 향해 고개를 기울이며, 테리오드는 삶을 바칠 맹세를 속삭였다.

"우연이군요, 나 역시 그대와 평생을 함께할 준비가 되어 있는데."

그에게 그녀는 절대 포기할 수 없는 사랑이었다.

에필로그

에필로그

"아, 방해니까 좀, 제발요!"

제시가 짜증스럽게 소리쳤다. 검을 휘두르는 제시 앞에서 정신 사납게 쏘다니던 아서가 그제야 발을 멈췄다. 아서로서도 할 말이 없진 않았다. 수련에 언제나 열심인 제시 덕분에 족히 세 시간은 연무장에 죽치고 있던 참이었다. 좀이 쑤셔 좀 부산스럽게 굴었기로서니 방해꾼 취급을 하는 건 너무하지 않은가.

아서가 배신감 어린 눈으로 말했다.

"시험 보는 동안 온갖 수발을 다 들어 줬는데 은인을 이렇게 취급하기 있어?"

실제로 아서는 제시가 기사 시험을 치르는 동안 막사에 함께 머물며 많은 편의를 봐주었었다. 귀족 신분으로 태어나 더 편한 길이 있었던 그가 굳이 평민들끼리 치르는 토너먼트에 참가한 것은 전적으로 제시 때문이었다.

그러나 제시는 아서의 조력에 그다지 양심의 가책을 느끼지 않았다. 제시가 팔짱을 끼며 코웃음을 쳤다.

"흑심 있으셨잖아요."

근래의 아서는 제시의 마음을 돌리려 혈안이었고, 따라서 모든 일들에 잘해 주려 노력했다. 감사해야 할 일도 베푼 이의 사심이 담기면 의미가 퇴색되는 법이다.

제시는 아서에게 별다른 감정이 없었으므로 그의 연심을 입에 담는 데도 주저함이 없었다. 반면 아서의 얼굴은 홍당무처럼 붉어졌다.

"넌 무슨 기지배가 부끄러움도 없이……."

제시는 그만 혀를 찼다. 저 도련님이 조금만 입 간수를 할 줄 알았다면 그들 사이도 달라졌을까. 제법 귀여워진 표정치고 뱉는 말은 조목조목 감점이다. 제시가 고개를 설레설레 내저으며 말했다.

"도련님이 그런 말 할 때마다 받아 줄까 하는 마음이 백 걸음쯤 뒤로 물러서요."

"아, 왜, 또 뭐가 문젠데!"

로맨티스트 역할을 견디다 못한 아서가 마침내 자폭 선언을 했다. 길었던 인내의 보람은 온데간데없이, 제시에게서 받은 눈빛은 '그러면 그렇지'였다. 제시는 아서에게 딱히 실망하지도 않았다. 애초에 기대한 게 없었으니까.

누군가는 제시에게 이렇게 조언할 것이다. 귀족 도련님이 뭣 모르고 사랑에 불탈 때 코를 꿰어 결혼하라고. 막무가내인 아서의 성격만 본다면 귀족과의 결혼이라는 말도 안 되는 꿈도 불가능하지만은 않았다. 문제는 그에 아서의 마음이 변치 않아야 한다는 전제가 붙는다는 점이다.

아서와 결혼하여 얻는 모든 건 아서에게서 나오는 것이다. 재산과 지위 모두 아서가 변심한다면 잃어버리게 될 물거품 같은 영광이었다. 제시는 아서와 제가 환영받지 못할 조합이라는 사실쯤은 아주 잘 알고 있었다. 위기에 부딪치면 사람의 마음에도 풍파가 생긴다. 제시는 변할지도 모르는 한낱 감정에 인생을 맡길 생각이 없었다. 어차피 안 될 사이라는 태생적인 한계에 더해 스스로가 그러고자 하는 의지조차 없다. 그녀의 꿈에 다가서는 데 있어 귀족 애인의 존재는 하등 도움이 되지 않았다.

제시의 일관적인 매정함은 오히려 상냥하다는 평가를 얻음이 옳다. 이쯤에서 포기하는 편이 서로에게 나은 관계다. 제시는 아서의 마음이 깊어지는 일이 없도록 더 매몰차게 굴고 있었다. 문제가 있다면 상대가 지나치게 오뚝이 같은 존재라는 점일까.

아서가 반색하며 물었다.

"원랜 몇 걸음쯤 와 있었는데?"

"뒤로 만 걸음 정도 가 있으니 꾸준히 전진해 보세요."

아서의 반짝이는 눈을 피하며 제시가 싸늘하게 대답했다. 아서는 결국 풀 죽은 얼굴로 주저앉았다. 제시의 눈치를 보느라 이전처럼 말썽을 부리지도 못하고 있는데 연애 전선엔 비까지 내린다. 아서가 양 손등에 턱을 괴며 중얼거렸다.

"스승님도 레테 백작저로 돌아가시고, 집안 분위기 참……."

"경사가 났는데 왜 분위기가 별로예요?"

제시가 의아한 눈으로 되물었다. 아서가 무슨 말을 하는 건지 알수 없었다. 대공 부부가 황손을 지켜 내고 포상을 받은 와중이다.

그 황손이 황가의 대를 이을 후계자이기까지 하니 아탈렌타의 영광은 보장받은 것이나 마찬가지 아닌가.

제시가 관심을 보이자 아서가 퍼뜩 고개를 들며 답했다.

"내가 하녀들이 하는 말을 좀 들었는데 말이야. 형네 부부 분위기가 묘하게 이상하다더라니까."

"그런 뜬소문을 믿으세요?"

"영 신빙성은 없진 않아. 우리가 시험 볼 때 몇 번 편지를 부쳤었는데 아무런 답장이 없더라고."

"뭐라고 써서 보내셨길래요."

"빨리 집에 가고 싶다고."

제시는 대꾸하지 않고 다시 검을 들었다. 제가 대공이라도 그런 쓸데없는 연락에는 답장하지 않았을 것이다. 무엇보다 기사 시험에 성공적으로 통과하고 대공저로 돌아왔을 때, 제시가 봤던 대공비는 평소와 그리 다르지 않았다.

아서는 싸늘해진 반응에도 굴하지 않고 몸을 일으켜 제시에게로 다가왔다.

"네가 몰라서 그래. 난 저번에 올리버가 지나가듯 둘이 이혼할 걱정은 접어 다행이라느니 말하는 것도 들었거든."

그에 의외란 듯 제시의 눈이 크게 뜨였다. 뜬소문과 아서의 입은 못 믿어도 중후한 노집사의 발언은 무게가 달랐다. 아서는 제시의 눈에 '혹시나' 하는 의문이 스친 걸 발견했다. 그가 기회를 놓치지 않고 물었다.

"같이 확인하러 갈래? 아까 보니까 직속 하녀가 바닥에 깔 천 같은 걸 들고 저리로 가던데."

"그런 예의 없는 짓을……."

"모르고 있다가 괜히 말실수하는 것보단 낫잖아?"

결국 제시는 조용히 아서의 뒤로 따라붙었다. 결코 쓸데없는 궁금증이 도진 게 아니었다. 어디까지나 기사로서 섬겨야 할 주군의 상태를 미리 파악해 두기 위함이었다.

아서와 제시는 연무장을 가로질러 후원으로 발을 들였다. 대공저의 후원은 넓지만, 피크닉을 벌일 만한 장소라는 전제가 붙으면 후보지가 다섯 손가락 안으로 줄어든다. 잠깐의 투닥거림을 거친 후, 아서와 제시는 어렵지 않게 대공 부부를 발견했다.

대공 부부는 푸른 잔디 위에 천을 깔아 두고는 그 위에 올라앉아 있었다. 뒷모습이어서 어떤 표정을 짓고 있는지까진 알 수 없었지만 붙어 있는 자세는 그럭저럭 오붓했다. 제시는 성큼성큼 앞으로 나서 그들에게 인사를 전하려 했다. 아서가 그런 그녀를 붙잡아 재빨리 풀숲 뒤로 숨겼다.

제시가 화들짝 놀라 물었다.

"아! 왜 그러세요?"

"쉿, 보는 눈이 있으면 둘만 있을 때처럼 행동하겠어? 당연히 사이좋은 척을 하지."

아서가 제시의 입을 막으며 속삭였다.

가지고 있는 교양 수준과 썩 어울리진 않으나 아서도 귀족 태생이었다. 아서는 새벽 동안 저택이 떠나가라 고성을 질러 대던 부모님이 다음 날 서로의 팔짱을 낀 채 등장해 말끔히 웃는 모습을 몇 번이고 보아 왔다.

아서는 아스티나를 향한 테리오드의 감정을 알았지만 그건 어디까지나 반쪽짜리 작대기였다. 제 사촌 형의 투명한 속내와 달리 아스티나의 감정은 오리무중이었다. 오늘의 염탐은 둘 사이를 파악할 수 있는 좋은 기회가 될 것이다.

둘은 조심스럽게 시야를 가린 잎사귀를 헤쳐 대공 부부를 살폈다. 말소리가 썩 선명하게 들리는 거리는 아니었지만 둘의 분위기 정도는 읽어 낼 수 있으리라.

"왜 안 된다는 말만 하십니까."

처음으로 들려온 건 어딘지 지루한 듯한 테리오드의 목소리였다. 그는 나무 막대기를 주워 바닥을 긁고 있었다. 아스티나가 책장을 넘기며 조용히 대꾸했다.

"몇 번을 물으셔도 대답은 같습니다. 안 돼요."

과연 대답이 매정하다. 아서는 풀 죽은 테리오드의 등을 지켜보며 동질감에 젖었다. 그러나 나이도 더 많으니만큼 사촌 형 쪽이 형편이 좀 더 나았을까, 테리오드는 남편으로서 동등하게 의견을 개진했다.

"저는 심심한데요."

"이참에 식물을 구경하는 데 취미를 들여 보세요."

"……책을 읽으며 꽃구경이라니, 이거 노부부나 할 법한 여가 생활 아닙니까?"

"교양 있어 좋지요?"

테리오드의 불평에 아스티나는 꿈쩍도 하지 않았다. 테리오드가 아스티나를 달래듯 말했다.

"물 좋고 볕 좋은 곳에 가서 요양이나 하자는 게 왜 무리한 부탁입니까. 지금 하는 것과 별반 다르지도 않을 텐데요."

"날붙이에 어깨가 꿰이는 상처를 입으셨는데 어찌 먼 곳으로 떠나자고 하시는지요. 억울한 마음이 드시거든 나약한 자신을 탓하세요."

"그러니까 요양을……."

"그게 진짜 목적도 아니면서."

아스티나가 한쪽 눈썹을 들어 올리며 지적했다. 테리오드는 결국 바닥을 긁적이던 나뭇가지를 먼발치에 던져 버렸다. 그가 아스티나 쪽으로 돌아앉으며 진지하게 말했다.

"좋아요, 솔직히 말하자면 나는 요즘 트리스탄 후작이 이 집 대문을 뻔질나게 드나드는 게 매우 마음에 안 듭니다."

리체 성에서 아스티나가 지쳐 있을 때 도와준 사람이 앤서린이라는 걸 알게 된 후, 테리오드는 고마움을 느낌과 동시에 더욱 경계의 눈길을 불태웠다. 앤서린의 방문이 잦아질수록 그의 적의는 커져만 갔다. 아스티나와의 관계를 회복하고 얼마 되지도 않은 때였다. 불청객이 하루가 멀다 하고 제2의 신혼을 방해하니 테리오드로서는 분통할 노릇이었다. 앤서린 후작 이야기를 할 때마다 아스티나가 웃어넘기기만 한다는 게 가장 큰 문제다.

아니나 다를까 이번에도 아스티나는 의미를 알 수 없는 웃음을 터뜨렸다. 한결 본격적으로 변한 질투에 그녀도 성의 있는 대응을 돌려주기로 했다. 아스티나는 책장을 덮고는 검지로 테리오드의 턱을 들어 올렸다.

"어리광이 많아서 사람 애간장 녹이는 건 좋아. 어디 가서 멋대로 다쳐 오지만 않았다면 계속 귀엽게 봤겠지."

그녀가 눈을 가늘게 뜨며 말을 이었다.

"나라고 지금 여기서 한가롭게 꽃이나 보고 싶은 건 아니야. 무리해서 상처가 벌어지면 안 된다고 하니 참고 있지만, 가끔 묶어 두면 상관없지 않을까 싶어지거든."

"그게 무슨……."

"나야 내 밑에서 끙끙거리며 우는 얼굴 보는 게 취향인데, 혹시 무섭다고 도망이라도 가면 곤란하니까. 그렇지?"

아스티나가 그리 말하며 손끝으로 테리오드의 아랫입술을 문질렀다. 그제야 말뜻을 이해한 테리오드의 얼굴이 확 달아올랐다. 테리오드가 입만 벌린 채 굳어 있는 사이, 아스티나는 피식 웃으며 그에게서 손을 떼어 냈다. 끈적한 무언가가 담겼던 눈빛이 흔적도 없이 사라졌다.

테리오드는 뒤늦게 제가 놀림받았다는 걸 깨달았다. 테리오드가 앓는 소리를 내며 제 눈가를 문질렀다. 그에게서 볼멘 음성이 새어 나왔다.

"부인은…… 정말 절 놀리는 재미로 사시나 봅니다."

"한참 연상을 이겨 먹으려고 하는 게 문제지."

승리를 거둔 아스티나가 산뜻하게 대꾸했다. 어린아이 취급에 자존심이 상한 테리오드가 지지 않고 받아쳤다.

"노인을 공경하는 마음으로, 앞으론 주의하도록 하지요."

옆에 놓아두었던 책을 집어 들던 아스티나의 손이 멈칫했다. 둘 사이를 가로지르는 공기가 갑작스럽게 싸늘해졌다. 원래 연상이 연하를 놀리는 건 장난으로 받아들여지는 반면, 반대의 경우는 실례로 비쳐지는 법이다. 아스티나가 입꼬리를 당기며 재밌다는 듯 되물었다.

"……노인?"

그녀는 웃는 표정으로 테리오드를 보고 있었지만, 눈가에 즐거운 기색은 전혀 비치지 않았다. 크게 숨을 들이마신 아스티나가 이어 대수롭지 않은 투로 말했다.

"그렇군, 사실 나도 머리에 피도 안 마른 애송이와 결혼 생활을 유지하긴 양심에 걸리던 차였어. 어디 곱게 늙은 영감이나 찾으러—"

"아스티나, 잠깐만요. 잠깐!"

자리에서 일어나는 아스티나를 테리오드가 황급히 붙잡았다. 밀쳐 낼 수 있었지만, 아스티나는 가만히 그가 원하는 대로 쓰러졌다. 덕분에 바람에 날린 머리칼이 얼굴의 반절을 덮었다.

테리오드가 가장 먼저 한 일은 아스티나의 얼굴을 가린 머리카락을 걷어 내고는 표정을 살피는 것이었다. 상대의 안절부절못하는 낯을 본 아스티나가 참지 못하고 그만 큰 웃음을 터트렸다. 그 반응에 테리오드도 허탈한 한숨을 흘렸다.

"……이런 장난, 두 번 겪었다간 심장이 떨어지겠습니다."

"더 재밌는 장난도 있는데."

아스티나가 노래하듯 중얼거렸다. 의아한 표정을 한 테리오드의 어깨를 밀어내고는, 그 위로 올라탔다. 테리오드는 엉겁결에 바닥에 누워 그녀를 올려다보았다. 아스티나가 고개를 기울이며 이어 물었다.

"궁금해?"

그녀의 손이 천천히 목선을 타고 내려가 쇄골 부근을 쓸었다. 민감한 곳에 스치는 감각은 사뭇 유혹적이다. 그녀의 움직임을 눈에 담던 테리오드가 아스티나와 눈을 맞췄다. 그가 숨을 들이켜고는 짧게 대답했다.

"……예."

아스티나는 간식이 든 바구니에서 넓은 보를 꺼내 들어 그의 눈을 가렸다. 테리오드의 목젖이 크게 진동했다. 긴장한 건 무르익은 성인 부부뿐만이 아니었다. 대화 소리를 엿듣던 아서와 제시도 입을 틀어막았다. 아서가 완전히 굳어 버린 제시의 어깨를 툭툭 치며 말했다.

"우린 이만 가…… 갈까."

"네, 가, 가요."

제시와 아서는 최대한 조심스럽게 몸을 일으켰다. 그럼에도 인기척을 숨길 수는 없었을까, 아스티나의 시선이 순간 그들에게로 향했다. 이미 그들의 존재를 알고 있기라도 했다는 듯 애정 행각을 들켰음에도 아스티나는 그다지 놀란 기색이 아니었다. 아스티나는 둘을 부르거나 뭐 하는 거냐며 소리치는 대신, 가만히 검지를 입가에 가져다 대었다.

제시와 아서는 겨우 고개만 끄덕여 보이고는 황급히 도망쳤다. 뒤를 돌아볼 정신도 없었다. 원래 있던 연무장으로 돌아왔을 때쯤, 둘의 얼굴은 완연한 토마토 빛을 띠고 있었다. 젖 먹던 힘까지 내어 달린 둘은 한참 동안 숨을 진정시켰다.

마침내 고개를 든 제시가 아서를 째려보며 물었다.

"……싸우셨다고요?"

"……아닌가?"

제시가 크게 한숨을 내쉬었다. 거리 때문에 말소리가 낮아진 중간부터는 거의 알아듣지 못했지만, 대공 부부의 시도 때도 없는 '열정'만 보아도 판단 근거는 충분했다. 부부 싸움은 칼로 물 베기이고 아서 에스테반의 말은 믿을 것이 못 된다. 제시가 콧방귀를 뀌며 말했다.

"역시 도련님 말씀은 믿을 게 못 돼요."

—그녀와 야수 完

작가 후기

안녕하세요, 마지노선입니다. 그리고 드디어 완결입니다. 이 완결 후기엔 작품 감상에 지장을 미칠 수 있는 스포일러, 혹은 작가피셜이 존재하므로 '테오도르와 테리오드가 같은 사람이느냐!'라는 의문에 나름대로 각자만의 답을 내리신 분들은 읽지 않으시길 권합니다.

그럼 작품 이야기로 돌아와서,

그녀와 야수는 사상 최초로 제가 100만 자를 넘게 쓴 초 장편 소설입니다. 평생 쓸 일이 없는 분량이라고 생각했는데, 그럴 만한 이야기는 또 그만한 용량으로 쓰게 되더라고요. 작가도 사실 이 긴 편수가 신기하기만 합니다……

알아차리셨겠지만 저는 테리오드와 테오도르가 같은 사람이라고 생각하고 썼습니다. 사실 떠먹여 드리는 지문을 여럿 쓴 것 같긴 하나, 긴가민가하실 수도 있고 또 작품 내에서 완전히 땅땅 결론을 내려 드린 건 아니니까요.

작품 내에선 부러 확정 짓지 않았으나 테리오드는 테오도르의 환생이 맞습니다. 블란체 핏줄에 따라 내려온 저주가 레타 일족의 몫이었다면, 테리오드의 고통은 마티나의 저주로 인한 전생의 속죄입니다. 하지만 테리오드는 이를 모를 것이며, 아스티나에게도 그 사실은 더 이상 아무 의미가 없을 것입니다.

테오와 티나가 만나고 사랑하게 되는 과정은 본질적으로 비슷했습니다.

1. 티나가 사지에 가둬졌다.(블란체 왕궁의 연회장과 괴물 대공의 침실)

2. 티나가 테오를 죽음에서 구해 냈다.

3. 테오가 먼저 티나를 좋아한다.

4. 티나는 테오를 위해 살기로 약속했다.

5. 티나는 테오 인생의 구원자이자 약점이다.

6. 둘 사이에 불화가 생겼을 때, 테오는 다른 여자를 이용했다.

그 외에도 불능을 의심하는 에피소드나 테오는 언제나 감정적인 판단이 우선이라는 공통점이 있습니다. 소소한 재미로 알아 주시면 감사하겠습니다. 혹시 재독하실 일이 있다면 위 부분을 생각하고 읽으시면 더 좋을 것 같아요. 아마 처음 읽을 때 발견하신 것보다 겹치는 대사가 더 많을 겁니다.

그녀와 야수를 집필하며 저는 많은 여자들의 삶을 그렸습니다. 남성과 여성이 서로 다를 것 없음을 표현하기 위해 애썼지요. 하지만 사실, 저는 여성과 남성이 완전히 같다고는 생각지 않습니다. 일률적으로 판단하기엔 그들과 우리의 몸이 다르고, 그래서 생겨나는 보편적인 차이 역시 분명 존재할 겁니다.

다만 저는 그 규격에 해당되지 않는 개인들이, 이미 형성된 편견으로 인해 피해받는 일이 생겨서는 안 된다고도 생각합니다. 저는 한 사람이 무엇을 하고자 할 때 그것을 가로막는 시선이 존재하지 않기를 바랍니다.

많은 분들이 이 이야기가 비현실적이라고 생각하실지도 모르겠습니다. 단순히 판타지 장르라는 차이점을 제외하고서도 인물들 사이에서 벌어지는 일, 감정, 결과 등이 그렇습니다. 현실에는 패배하는 여자들이 너무 많습니다. 저는 그녀들의 성공을 보고 싶었습니다.

그녀와 야수는 여자들의 이야기이자, 여자들을 위해 쓰여진 글입니다. 그들에게 재미와, 약간의 용기가 되었다면 더 바랄 바가 없겠습니다. 와닿지 않은 부분은 모두 작가의 역량이 부족한 탓입니다.

마지막으로 영롱한 표지 만들어 주신 이백 디자이너님, 아름다운 일러스트로 보는 재미를 더해 주신 라펫님, 좋은 일 있을 때마다 맛있는 밥 사 주는 H언니, 재미있다고 매번 말해 주었던 혜원이, 힘들 때 많은 도움 주신 자은향 작가님, 이번 원고를 하며 늘 제게 힘이 되었던 손세희 작가님! 다들 감사합니다.

특히 손세희 작가님께는 특별히 더, 진심으로 감사합니다. 선뜻 멋진 제목 넘겨주신 덕분에 힘을 내어 원고 할 수 있었습니다. 이번 작품을 쓰며 정말 많은 도움을 얻어 그 은혜를 차마 다 못 갚을 정도입니다. 저는 제가 얼마나 좋은 사람들 덕분에 여기까지 달려올 수 있었는지를 생각합니다.

그동안 운명적인 사랑을 읽어 주셔서 감사합니다. 저는 다른 이야기로 또 찾아뵙겠습니다.

그녀와 야수 5

초판 인쇄 2019년 9월 6일
초판 발행 2019년 9월 20일

지은이 마지노선
펴낸이 신현호
편집부장 예숙영
책임편집 최은지
편집디자인 한방울
영업·관리 김민원 조은걸 조인희
물류 이순우 최준혁 박찬수

펴낸곳 ㈜디앤씨미디어
출판등록 2002년 5월 1일 제117-90-51792호
주소 서울시 구로구 디지털로 26길 111 JnK디지털타워 503호
대표전화 (02)333-2513 팩스 (02)333-2514
전자우편 dncbooks@dncmedia.co.kr
디앤씨북스 블로그 http://blog.naver.com/dncbooks

ISBN 979-11-264-4885-2 04810
ISBN 979-11-264-4880-7 (SET)